Delphine
ALLÈS

Frédéric
RAMEL

Pierre
GROSSER

RELATIONS INTERNATIONALES

cours

exercices corrigés

méthodes commentées

ARMAND COLIN

Illustration de couverture : © Menahem Kahana / AFP

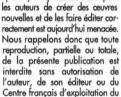
© Armand Colin, 2018

Armand Colin est une marque de
Dunod Éditeur, 11 rue Paul Bert, 92240 Malakoff
www.dunod.com

ISBN : 978-2-200-61737-0

À nos enfants,
Louise,
Isadora et Constantin,
Raphaëlle et Nicolas

Table des matières

MÉTHODES

Introduction

De la crise migratoire en Méditerranée aux attentats revendiqués par l'organisation État islamique en passant par l'accord de Paris sur le climat, les questions internationales sont au cœur de notre vie quotidienne. Les réseaux sociaux permettent quasi instantanément de connaître le sort d'individus qui vivent à des milliers de kilomètres. Grâce à l'essor des technologies de l'information et de la communication, les affaires « extérieures » se rapprochent de nous et résonnent avec les enjeux auxquels nous sommes directement confrontés, que ces derniers soient de nature environnementale, économique, financière ou bien sûr politique.

Qu'il s'agisse de préférences culturelles ou politiques, de loisirs ou de consommation courante, les choix individuels s'effectuent désormais dans un contexte largement déterminé par des logiques internationales ou transnationales. Ces dernières échappent parfois à la conscience de l'acteur, de même qu'elles ne sont pas toujours maîtrisées par le politique. Elles participent d'une mondialisation que l'on ne saurait réduire à une seule dimension – politique, culturelle ou économique – tant elle s'impose en tant que fait social.

Un objet élargi

Ces observations participent à l'expansion de la discipline des Relations internationales (RI), d'abord pensée comme une science des relations entre États. Ces derniers semblent s'accaparer la scène puisqu'aucune autorité n'est placée au-dessus d'eux pour déterminer leurs choix souverains. Dans un tel environnement, la guerre est un fait central dont il faut expliquer les tenants et les aboutissants. Les relations internationales se traduisent alors par relations interétatiques.

Néanmoins, les Relations internationales présentent au moins deux autres aspects. Tout d'abord, certains phénomènes traversent les frontières en dehors ou parfois en dépit des influences ou tentatives de contrôle étatiques, à l'instar de la circulation des biens et des marchandises, de l'action humanitaire, des mobilisations autour de causes religieuses ou environnementales, des migrations – mais aussi des trafics et flux illicites. Ces phénomènes relèvent des relations transnationales portées par des acteurs divers : des organisations non gouvernementales aux firmes multinationales, des organisations criminelles aux individus ordinaires. Ensuite, des dynamiques de coopération entre les États aboutissent à la création d'organisations internationales et parfois même à la construction de nouvelles entités politiques au-dessus des États. Lorsqu'elles mènent à des transferts de souveraineté, comme c'est le cas dans le cadre régional de l'Union européenne, elles participent de l'intégration supranationale.

Aborder les relations internationales, c'est donc appréhender trois types de relations (interétatiques, transnationales, supranationales). C'est aussi étudier les liens qui se tissent entre des acteurs de nature diverse au sein de l'espace mondial. Ce dernier renvoie à la dimension spatiale et mondialisée des interactions politiques, économiques et culturelles mais aussi à l'horizon des représentations d'acteurs dont les identités et les attentes ne sont plus délimitées exclusivement par le territoire dans lequel ils ont vu le jour.

Une approche plurielle

Les Relations internationales, en tant que discipline universitaire autonome ou en tant que sous-champ de la Science politique, trouvent leur acte de naissance en 1919 dans le monde anglophone. C'est en effet au sortir de la Première Guerre mondiale qu'apparaissent, dans les îles britanniques, les premières institutions académiques (chaires, départements, diplômes, programmes de recherche) consacrées à cet objet. Les conceptions privilégiées des RI sont imprégnées par l'esprit du temps, à savoir l'appel à une paix par le droit inspirée des théories libérales afin d'éviter de revivre la guerre destructrice qui vient de s'achever. Après 1945, le centre de gravité des Relations internationales bascule de l'autre côté de l'Atlantique pour devenir une « Science sociale américaine » selon l'expression du politiste Stanley Hoffmann. L'exil d'intellectuels européens, le soutien de fondations philanthropiques comme Carnegie, Ford ou Rockefeller et la nécessité pour la puissance américaine d'affirmer sa politique étrangère suite à la Seconde Guerre mondiale créent un espace favorable à l'essor du réalisme classique. Bien souvent, les cours d'introduction aux Relations internationales commencent par cette histoire académique… Notre cheminement sera différent, pour deux raisons.

D'une part, d'autres dates peuvent être convoquées. Dès l'antiquité méso-potamienne, les interactions entre cités-États sumériennes forment ce qui s'apparente à un véritable « système international ». Au ve siècle avant notre ère, *L'Histoire de la Guerre du Péloponnèse* écrite par Thucydide est l'une des premières tentatives d'analyse géopolitique. Aux alentours du iiie siècle avant J.-C., l'*Arthasastra* (*Traité du politique*) de Kautilya développe non seulement des préconisations de stratégie militaire, mais aussi une réflexion sur les finalités de la diplomatie. Au xive siècle, Jean de Mandeville fait référence dans son *Livre des merveilles du monde* à la possibilité théorique d'une circumnavigation (navigation en bateau autour de la Terre). Quelques années plus tard, la flotte de l'amiral chinois Zheng He voyage jusqu'au continent africain. En 1648, les traités de Westphalie marquent sur le continent européen l'avènement de la forme étatique moderne, qui s'imposera progressivement au reste du monde. L'État souverain cohabite cependant pendant plusieurs siècles avec d'autres formes politiques, et le développement de l'impérialisme colonial souligne que la reconnaissance de la souveraineté se limite dans un premier temps au continent européen. S'il est relativement aisé de dater le début des Relations internationales comme champ académique institutionnalisé, il apparaît donc illusoire de chercher à en déterminer les commencements empiriques ou même d'identifier les premières marques d'intérêt pour cet objet d'étude.

D'autre part, l'objectif de ce manuel n'est pas d'offrir une histoire ou un panorama des théories en Relations internationales, domaine déjà bien couvert en langue française, mais de rendre compte de leurs mutations empiriques et conceptuelles en proposant une synthèse accessible, fournissant aux étudiants de premier cycle les grilles d'analyse nécessaires à une meilleure compréhension du monde contemporain. Il s'agit modestement d'entrer dans les relations internationales sans privilégier l'angle théorique, tout en décentrant les regards conventionnels.

Le manuel est décomposé en trois parties. Chacune éclaire une des trois dimensions des relations internationales à partir d'une question :

- **Comment évolue le système international à travers l'histoire ?** Le premier décentrement consiste à offrir des repères sur le temps long en remontant au-delà de la modernité européenne (les xvie et xviie siècles) et en élargissant les expériences de l'international dans les aires extra-occidentales. Cette première partie revient sur des repères historiques pour présenter les grandes lignes d'organisation du système international contemporain.

- **Qui sont les acteurs politiques façonnant la réalité internationale ?** Le deuxième décentrement tient à l'élargissement de la scène diplomatique et stratégique puisque les États n'ont plus le monopole du script ni celui du jeu : les intervenants se diversifient (États, organisations intergouvernementales, ONG…). Cette partie s'appuie sur des données sociologiques pour présenter les acteurs des relations internationales contemporaines.

– **Quels sont les enjeux qui traversent les frontières des sociétés, engageant le présent et l'avenir de l'humanité ?** La troisième partie aborde enfin de manière thématique quelques grands enjeux internationaux liés à la mondialisation. La matière même des relations internationales s'est en effet étendue à d'autres phénomènes que la guerre et la paix, soulignant à quel point tous les aspects de notre vie ordinaire sont affectés par l'international (économie politique internationale, ressources naturelles, migrations…).

Usages pratiques du manuel

■ Une entrée visuelle pour chaque chapitre

Les thèmes de chaque chapitre sont introduits à partir d'une représentation visuelle empruntée au monde de l'art ou plus généralement aux supports médiatiques contemporains. Ce choix didactique permet d'éclairer l'objet traité de façon originale tout en proposant une sensibilisation des étudiants à la place incontournable des images dans les relations internationales.

■ Un apprentissage méthodologique

Les exercices de fin de chapitre ainsi que les compléments bibliographiques permettront à chaque lectrice ou lecteur d'approfondir ses connaissances, en fonction des thématiques qui captent son intérêt. En fin d'ouvrage, un chapitre consacré à la méthodologie permettra au lecteur de se familiariser avec les trois exercices phares des Relations internationales : réaliser des cartes analytiques ; analyser des images et répondre à une question de réflexion.

■ Un outil de classe inversée

Le manuel se veut d'abord et avant tout un outil destiné à accompagner un cours d'introduction aux Relations internationales. Son usage peut toutefois également s'articuler à des pratiques pédagogiques innovantes comme la classe inversée. Le caractère synthétique des données et des approches présentées constitue une première familiarisation avec une thématique qui pourra faire l'objet d'approfondissements en classe sous la forme de débats structurés, de jeux de rôles ou d'exercices pratiques.

Les relations internationales intéressent un public étudiant de plus en plus large. Cette attractivité, qui nous réjouit en tant que pédagogues, tient souvent à leur volonté de comprendre un monde en mutation pour pouvoir éventuellement agir sur lui. Ce manuel entend précisément répondre à cette attente en associant la prise en compte des enjeux mondiaux contemporains aux outils d'analyse académiques. Plus que le compagnon d'un apprentissage, il se veut ainsi un outil de connaissance citoyenne.

Lectures conseillées

Cette sélection comprend plusieurs manuels de Science politique consacrés aux relations internationales, privilégiant une approche transversale et pédagogique du sujet.

BADIE B., SMOUTS M.-C., 1999, *Le retournement du monde*, Paris, Presses de Sciences Po-Dalloz.
Un manuel devenu un classique qui offre une nouvelle approche des Relations internationales dans le contexte de l'après-guerre froide en défendant une ligne d'analyse transnationale.

BAYLIS J., OWENS P., SMITH S. (ed.), 2017, *The globalization of World Politics*, Oxford, Oxford University Press, 7ᵉ éd.
Une référence mondiale, régulièrement actualisée, comportant de nombreuses illustrations, compléments web et conseils bibliographiques.

BALZACQ T., RAMEL F. (dir.), 2013, *Traité de relations internationales*, Paris, Presses de Sciences po.
Une somme qui donne des indications précieuses sur la production des connaissances, les résultats et les modes de transmission en relations internationales ainsi que sur la manière dont son étude s'est structurée dans le monde, en particulier au sein de l'espace francophone.

BATTISTELLA D., 2015, *Théories des relations internationales*, Presses de sciences po, 5ᵉ éd.
Un manuel consacré à la présentation très détaillée des théories et débats en relations internationales et qui offre une utile synthèse des approches anglophones notamment nord-américaines.

BATTISTELLA D., PETITEVILLE F., SMOUTS M.-C., VENNESSON P., 2012, *Dictionnaire des relations internationales*, Paris, Dalloz, 3ᵉ éd.
Un outil de référence sur les notions et les concepts clés comportant d'utiles conseils bibliographiques. Indispensable pour préparer un exposé ou établir une bibliographie.

DEVIN G., 2013, *Sociologie des relations internationales*, Paris, La Découverte, 3ᵉ éd.
Cet opuscule présente de manière raisonnée les principaux acteurs et enjeux de la scène mondiale en adoptant une perspective sociologique.

DREZNER D.W., 2014, *Theories of international politics and zombies*, Princeton, Oxford, Princeton University Press.
Un ouvrage à la fois pédagogique et divertissant pour s'initier par l'humour et la culture populaire aux relations internationales.

HASSNER P. (dir.), 2012, *Les Relations internationales*, La Documentation française, 2ᵉ éd.
Présenté sous formes de notices, cet ouvrage donne un bon aperçu des grandes questions internationales traitées par un spécialiste de chaque thème.

MACLEOD A., DUFAULT E., DUFOUR F.-G., 2008, *Relations internationales. Théories et concepts,* Outremont, Athéna éditions, 3ᵉ éd.
Un manuel synthétique très utile, organisé comme un dictionnaire et faisant la part belle aux études de sécurité.

ROCHE J.-J., 2012, *Relations internationales*, LGDJ, 7ᵉ éd.
Un opuscule très didactique qui croise les approches historiques, théoriques, sociologiques et économiques en montrant le rôle moteur de la mondialisation.

WEBER C., 2011, *International Relations Theory : A Critical Introduction,* Londres, Routledge, 3ᵉ éd.
Un manuel offrant un regard critique sur les principales théories des relations internationales, présentées à travers des grands classiques de l'histoire du cinéma.

À consulter également : l'édition annuelle du *Ramses* publiée par l'Institut français des relations internationales (Dunod), celle de *L'État du monde* sous la direction de Bertrand Badie et Dominique Vidal (La Découverte), *L'Année stratégique* dirigée par Pascal Boniface (IRIS, Armand Colin), *L'Enjeu mondial* (CERI, Presses de Sciences po). Ces publications annuelles présentent des statistiques par pays utiles à l'analyse ou des dossiers thématiques liés à l'actualité.

Repères chronologiques

La frise ci-dessous réunit les dates évoquées au fil des chapitres de ce manuel à vocation thématique. Représentative des sujets abordés dans ces pages, elle n'a pas vocation à se substituer aux livres d'histoire des relations internationales, qui présentent des chronologies plus exhaustives et contextualisées.

326 av. J.-C. ▶ Apogée de l'empire hellénistique d'Alexandre le Grand.

1402-1433 ▶ Explorations de la flotte de l'amiral chinois Zheng He.

1451-1566 ▶ Apogée de l'Empire ottoman (de l'avènement de Mehmed II à la fin du règne de Soliman le Magnifique).

1450-1550 ▶ Naissance de la diplomatie moderne conçue et pratiquée par les Cités de la péninsule italienne (Venise, Milan, Naples, etc.).

1492 ▶ Christophe Colomb arrive sur le « Nouveau Monde ».

1494 ▶ Traité de Tordesillas, partage du Monde entre l'Espagne et le Portugal.

1550-1551 ▶ Controverse de Valladolid.

1602 ▶ Fondation de la Compagnie néerlandaise des Indes orientales.

1763 ▶ Traité de Paris mettant fin à la guerre de Sept ans entre la France et la Grande-Bretagne. La France perd son premier empire colonial, dont la « Nouvelle France » en Amérique du Nord.

1648 ▶ Traités de Westphalie mettant fin aux « Guerres de religion » en Europe.

1775-1783 ▶ Guerre d'Indépendance des États-Unis contre la Grande-Bretagne.

1806-1830 ▶ Indépendances latino-américaines.

1814 et 1824 ▶ Traités anglo-hollandais de Londres démarquant les possessions coloniales des deux royaumes.

1815 ▶ Congrès de Vienne instituant le « Concert européen des nations ».

1842 ▶ Traité de Nankin, premier des « Traités inégaux » entre la Chine et les puissances occidentales.

1859 ▶ Bataille de Solferino durant la guerre de Crimée.

1863 ▶ Fondation du Comité international de la Croix Rouge (CICR).

1914-1918 ▶ Première Guerre mondiale.

1917 ▶ Révolution russe débouchant sur la naissance de l'URSS en 1922 après une guerre civile et des interventions étrangères. Déclaration Balfour promettant la création d'un « foyer national juif ».

1919 ▶ Signature du traité de Versailles débouchant sur la fondation de la Société des Nations (26 juin).

1923 ▶ Traité de Lausanne qui met un terme au traité de Sèvres de 1920 et fixe l'essentiel des frontières de la Turquie moderne.

1928 ▶ Pacte Briand-Kellogg déclarant la guerre « hors la loi ».

1929 ▶ Début de la crise économique mondiale.

1931 ▶ Incident de Mandchourie : le Japon s'empare de la région.

1933 ▶ Hitler arrive au pouvoir et quitte la conférence de désarmement et la Société des Nations.

1937 ▶ Début de la guerre sino-japonaise.

1938 ▶ Conférence de Munich, Britanniques et Français cèdent les territoires germanophones de la Tchécoslovaquie à l'Allemagne.

1939 ▶ Pacte germano-soviétique (23 août). Début de la guerre en Europe (septembre).

1940 ▶ Défaite de la France. La SDN se déplace aux États-Unis.

1941 ▶ Attaque de l'URSS par des l'Allemagne et ses alliés (juin). Attaque japonaise sur Pearl Harbour (décembre) et entrée en guerre des États-Unis.

1943 ▶ Première conférence entre Roosevelt, Churchill et Staline.

1944 ▶ Conférence de Bretton Woods qui acte la naissance du FMI et de la Banque internationale pour la reconstruction et le développement (BIRD), qui deviendra la Banque mondiale. La France reconnaît la souveraineté du Liban et de la Syrie.

1945 ▶ Conférence de Yalta (février). Fin de la guerre en Europe (8-9 mai). Bombardements d'Hiroshima et de Nagasaki (6 et 9 août), entrée en guerre de l'URSS contre le Japon (8 août). Capitulation japonaise (2 septembre). Création de l'Organisation des Nations unies, la Charte entre en vigueur le 24 octobre. Proclamation d'indépendance de l'Indonésie et du Vietnam. Indépendance du Liban.

1946 ▶ Début de la guerre d'Indochine.

1947 ▶ Partition des Indes : indépendances de l'Inde et du Pakistan. Doctrine Truman (mars) lancement du Plan Marshall (juin).

1948 ▶ Convention pour la prévention et la répression du crime de génocide. Déclaration universelle des droits de l'homme.

1948 ▶ Fondation de l'État d'Israël. Première guerre israélo-arabe.

1949 ▶ Adoption des premières Conventions de Genève sur le droit international humanitaire. Signature du traité de l'Atlantique Nord (avril). Naissance de la RFA (Allemagne de l'Ouest) en mai et de la RDA (Allemagne de l'Est) en octobre. Victoire des communistes en Chine (1er octobre).

1950 ▶ Alliance sino-soviétique, début de la guerre de Corée (juin), intervention chinoise (octobre). Discours de Robert Schuman sur la création d'une Communauté européenne du charbon et de l'acier (CECA) (mai).

1951 ▶ Convention relative au statut des réfugiés.

1953 ▶ Mort de Staline (mars) armistice mettant fin à la guerre de Corée (juillet).

1954 ▶ Fin de la guerre d'Indochine.

1955 ▶ Conférence de Bandung. La RFA entre dans l'OTAN, naissance du Pacte de Varsovie.

1956 ▶ Déploiement de Casques bleus après l'attaque franco-anglo-israélienne contre l'Égypte (« crise de Suez »).

1957 ▶ Naissance de la CEE (Communauté économique européenne) à six.

1959 ▶ Fidel Castro prend le pouvoir à Cuba.

1960 ▶ Indépendance de nombre de pays d'Afrique subsaharienne. Déclaration de l'Assemblée générale des Nations unies sur l'octroi de l'indépendance aux pays et aux peuples coloniaux.

1961 ▶ Construction du Mur de Berlin. Naissance du mouvement des non-alignés.

1962 ▶ Crise de Cuba (octobre). Guerre sino-indienne (octobre). Indépendance de l'Algérie après huit ans de guerre.

1963 ▶ Naissance de l'Organisation de l'unité africaine.

1964 ▶ Formation de la Conférence des Nations unies sur le commerce et le développement (CNUCED). Début de la guerre américaine au Vietnam.

Naissance de l'Organisation de Libération de la Palestine.

1965 ▶ Convention internationale pour l'élimination de toute forme de discrimination raciale. Échec de la seconde Conférence de Bandung.

1966 ▶ Formation du Programme des Nations unies pour le développement (PNUD).

1967 ▶ Guerre des six-jours israélo-arabe. Naissance de l'Association des États du Sud-Est asiatique (ASEAN).

1968 ▶ Rédaction du traité de Non-Prolifération du Nucléaire. Mouvements mondiaux de contestation.

1969 ▶ Guerre sino-soviétique. Formation de l'Organisation de la conférence islamique (OCI).

1971 ▶ Première édition du Forum économique mondial de Davos (Janvier). Fin du système de Bretton Woods (notamment de la convertibilité du dollar en or). Naissance de Médecins sans frontières.

1972 ▶ Première conférence sur l'environnement à Stockholm. Exécution d'athlètes israéliens par l'organisation palestinienne « Septembre Noir » durant les JO de Munich. Voyage du président américain Nixon à Pékin. Premier sommet américano-soviétique Nixon-Brejnev.

1973 ▶ Fin de la guerre du Vietnam (janvier). Premier choc pétrolier, suite à la guerre israélo-arabe (guerre du Kippour ou guerre d'Octobre). Déclarations sur le Nouvel ordre économique international. Entrée de la RFA et de la RDA à l'ONU. Coup d'État de Pinochet au Chili.

1975 ▶ Le Vietnam du Nord envahit le Sud. Conférence d'Helsinki sur la sécurité en Europe. Premier Sommet du G6 à Rambouillet (devient G7 l'année suivante avec l'entrée du Canada).

1977 ▶ Prix Nobel de la paix pour Amnesty International.

1978 ▶ L'archevêque de Cracovie (Pologne), Karol Wojtyla, devient le Pape Jean-Paul II. Les « Quatre Modernisations » en Chine. Invasion du Cambodge par le Vietnam.

1979 ▶ Voyage de Deng Xiaoping, n° 1 chinois, aux États-Unis. Attaque chinoise contre le Vietnam. Révolution iranienne, arrivée au pouvoir de l'Ayatollah Khomeini. Accords de Camp David entre Israël et l'Egypte. Invasion de l'Afghanistan par l'URSS (décembre). Début de la crise des Euromissiles qui provoque en Europe de grands mouvements pacifistes.

1980 ▶ Ronald Reagan devient président des États-Unis.

1982 ▶ Début de la crise de la dette, d'abord au Mexique.

1983 ▶ Attentats massifs contre les troupes françaises et américaines au Liban. Pic de tension entre Américains et Soviétiques.

1985 ▶ Gorbatchev devient Secrétaire Général du Parti communiste de l'URSS.

1987 ▶ Premier traité de désarmement américano-soviétique.

1988 ▶ Fin de la guerre Iran-Irak, commencée en 1980. Première résolution à l'ONU sur le droit d'ingérence.

1989 ▶ L'armée soviétique évacue l'Afghanistan (février). Invasion du Koweit par l'Irak (août). Dernier sommet de la guerre froide à Malte (décembre). Chute du Mur de Berlin (9 novembre). Chute des régimes communistes d'Europe centrale.

1990 ▶ Ouverture du premier McDonald à Moscou (31 janvier). Libération de Nelson Mandela en Afrique du Sud. Réunification allemande (officialisée le 3 octobre).

1991 ▶ Démission de M. Gorbatchev et dissolution de l'Union soviétique (25 décembre). Opération *Tempête du Désert* menée par une coalition internationale contre l'Irak (17-27 janvier).

1991-1999 ▶ Guerres de Yougoslavie.

1992 Sommet de la Terre à Rio de Janeiro (3-4 juin). Début de l'opération *Restaurer l'espoir* en Somalie (9 décembre). Présentation de l'Agenda pour la Paix de B. Boutros Ghali (17 juin).

1994 ▶ Création de l'OMC (traité de Marrakech) (15 avril).

1999 ▶ Bombardements de l'Otan sur la Serbie (intervention au Kosovo) (23 mars-10 juin). Création du G20 (décembre).

2000 ▶ Création de la Fondation Bill et Melinda Gates. Sommet du millénaire des Nations unies (6-8 septembre).

2001 ▶ Attentats d'Al-Qaïda contre le World Trade Center et le Pentagone aux États-Unis (11 septembre). Début de la guerre contre les Talibans en Afghanistan (7 octobre). Adhésion de la Chine à l'OMC (11 décembre).

2003 ▶ Intervention militaire en Irak (20 mars-9 avril).

2004 ▶ Élargissement de l'Otan à 26 membres (2 avril). Premier sommet du « Global compact » des Nations unies (Juin).

2005 ▶ Réforme du système de coordination de l'aide humanitaire de l'ONU.

2007 ▶ Discours de Munich prononcé par V. Poutine (10 février).

2008 ▶ Proclamation de l'indépendance du Kosovo (février). Commercialisation du Bitcoin. Faillite de la quatrième banque d'investissement américaine Lehman Brothers, crise financière mondiale (15 septembre). Réactivation du G20 à l'échelle des Chefs d'État et de gouvernement (novembre).

2009 ▶ Premier sommet des BRICS à Ekaterinbourg (Russie) (16 juin). Discours du Caire adressé par le Président Obama au monde musulman (juin).

2013 ▶ Début de la crise en Ukraine suite au refus du président de signer l'accord d'association avec l'Union européenne (21 novembre).

2014 ▶ Annexion de la Crimée à la Russie suite au référendum (16 mars). Exclusion de la Russie du G8 (Juin). L'organisation État islamique en Irak et au Levant proclame la renaissance du « califat » (29 juin).

2013 ▶ Lancement officiel du programme des « Nouvelles routes de la Soie » par la Chine (septembre).

2015 ▶ Les demandes d'asile dépassent un million en Europe (niveau jamais atteint depuis la Seconde Guerre mondiale). Accord sur le programme nucléaire iranien (juillet). Accord de Paris sur le Climat (COP 21) (décembre).

2016 ▶ Référendum favorable à la sortie du Royaume-Uni de l'Union européenne (juin). Donald Trump élu à la présidence des États-Unis d'Amérique (novembre). L'Organisation internationale des migrations devient une organisation affiliée aux Nations unies.

2017 ▶ Tensions États-Unis-Corée du Nord sur les essais nucléaires et balistiques nord-coréens. L'État islamique perd le contrôle de ses territoires et notamment Raqqa (octobre).

PARTIE 1

LES SYSTÈMES INTERNATIONAUX DANS L'HISTOIRE

▲

Cette carte circulaire a été réalisée aux alentours de 1450 par le moine italien Fra Mauro, à la demande du roi Alphonse V du Portugal. Elle est orientée Sud-Nord, comme les cartes arabes de l'époque, mais déroge à la convention européenne qui plaçait alors l'Est, direction supposée du jardin d'Eden, au sommet. Par rapport aux cartes de son époque, celle-ci représente de manière relativement précise l'océan Indien et la partie australe de l'Afrique, où aucun Européen ne s'était alors aventuré, mais dont le récit avait certainement été véhiculé par des marchands.

Des systèmes connectés, à la diffusion du modèle interétatique

Longtemps, l'enseignement des relations internationales s'est ouvert sur un rappel de la date des traités de Westphalie, signés en 1648, présentés comme l'acte fondateur d'un système international contemporain reposant sur les interactions entre des États souverains. Durant les périodes antérieures, d'autres modèles politiques ont pourtant coexisté, entretenant des relations politiques ou commerciales qui invitent à élargir le regard porté sur les relations internationales (au sens d'échanges entre des communautés politiques se considérant comme distinctes), trop souvent réduites à leur composante interétatique. On identifie par exemple un ancêtre de traité international dès 2 400 ans avant notre ère, à travers l'accord politique passé entre les cités sumériennes de Lagash et d'Uruk.

On ne peut saisir la pluralité des relations internationales qu'en revenant sur celle des systèmes qui composaient le monde avant la généralisation du modèle de l'État-nation territorialisé, récente à l'échelle de l'histoire puisqu'elle n'est devenue effective qu'après le processus de décolonisation qui a suivi la Seconde Guerre mondiale. À cette diversité de systèmes, correspondaient autant de rapports à l'altérité susceptibles de produire différents modes de relations avec le reste du monde. Si les systèmes pré-étatiques interagissaient et s'influençaient mutuellement, la logique de conquête et de domination qui a suivi la colonisation européenne a conduit à masquer leurs influences croisées. Leur apport pour la compréhension des relations internationales est d'autant plus occulté que le prisme interétatique constitue le socle des théories fondatrices du champ académique des relations internationales.

I. Pluralité des systèmes internationaux

Élargir la notion de relations internationales aux échanges entre toutes les formes d'unités politiques et leurs ressortissants conduit à observer la présence de « systèmes internationaux », avant même la formation des États, progressivement apparus dans l'Europe féodale. Ces systèmes se distinguent du système international contemporain, fondé sur le principe de souveraineté, en s'appuyant sur une conception centralisée et hiérarchisée du monde. La mise en évidence de connexions entre ces systèmes internationaux invite à souligner leur internationalisation précoce et la richesse des échanges auxquels elle a donné lieu, bien avant l'ère dite des « grandes découvertes » européennes.

1. Des systèmes pré-westphaliens au système international

Ne pas confondre !
Structure du système : la répartition des capacités de puissance entre les différents acteurs.

Nature du système : partage ou non de valeurs et de principes politiques par les acteurs (système homogène, système hétérogène).

La notion de **système international,** au cœur des grandes théories des relations internationales, fait référence à la configuration des relations entre unités politiques formant un ensemble d'interdépendances complexes. Avant que le système interétatique ne se généralise, plusieurs types de systèmes internationaux ont coexisté, se caractérisant par des conceptions distinctes de la souveraineté et entretenant différentes modalités d'interactions.

Un « système international » désigne la configuration des relations entre des unités politiques impliquées dans des interactions régulières, l'évolution d'une unité ou de ses relations produisant des effets sur les autres. La diffusion mondiale du modèle étatique permet d'évoquer « le » système international contemporain. L'analyse de son fonctionnement forme le cœur des principales théories en relations internationales.

- Pour les **auteurs néoréalistes**, la structure anarchique du système (l'absence d'autorité supérieure aux États) est le premier déterminant des relations internationales. Dans ce contexte, la configuration des rapports de puissance détermine les intérêts des États et donc leurs comportements internationaux. La configuration du système (unipolaire, bipolaire, multipolaire) peut être plus ou moins propice à la stabilité, mais la paix n'est considérée que comme un état transitoire (Waltz K., *Man, the state, and war*, 1959 ; *Theory of international politics*, 1979).

- Pour les **libéraux institutionnalistes**, la condition anarchique du système n'est pas déterminante. Elle peut être régulée par des institutions destinées à former une société d'États conscients de leur intérêt à coopérer pour gérer des biens communs : paix, sécurité, développement, etc. (Keohane R. and Nye J., *Power and Interdependence : world politics in Transition*, 1977).

- Pour les **constructivistes**, les politiques internationales dépendent des représentations que les États se font de leurs intérêts, plutôt que de données strictement matérielles. Les États ne sont donc ni complètement indépendants, ni complètement déterminés par la structure du système, qu'ils contribuent à transformer. L'anarchie peut ainsi donner lieu à des interactions conflictuelles, compétitives ou coopératives (Wendt A., « Anarchy is what states make of it : the social construction of power politics », *International Organization*, vol. 46(2), 1992, p. 391-425).

Avec les interactions entre **cités-États** sumériennes, en Mésopotamie, on retrouve dès le IVe millénaire avant notre ère les traces d'un premier système international marqué par la distinction entre l'ordre interne des unités politiques (régi par des lois) et leurs relations extérieures (régies par des accords ou des conflits). Buzan et Little soulignent également que des caractéristiques similaires pouvaient être identifiées en Mésoamérique, dès le IIIe millénaire avant notre ère, au regard notamment des relations stables qu'entretenaient les cités-États mayas.

Définitions

> **L'État** se définit par trois attributs principaux : un territoire ; une population ; l'exercice de la souveraineté. Cette dernière se traduit par la capacité des institutions à mettre en œuvre leur autorité sur l'ensemble du territoire, et par la reconnaissance de l'État par ses pairs.

> **L'empire**, qui rassemble différents peuples sous l'autorité d'un souverain, se caractérise par l'aspect fluctuant de son territoire. Contrairement à l'État, qui exerce son autorité dans des frontières précises, l'empire se définit par son centre et se caractérise par un territoire variable, dont les marches peuvent avancer au gré des conquêtes ou de l'évolution des relations tributaires.

> **La cité-État** désigne un espace politique exclusivement contrôlé par une ville, qui y exerce la souveraineté. La notion inclut les cités étendant leur domination sur des colonies (Athènes, Sparte ou Rome dans l'Antiquité) ainsi que les cités-États opérant en réseaux dès lors qu'elles ne délèguent pas leur souveraineté à un ordre politique supérieur.

FOCUS **Les relations internationales oubliées des «peuples sans États»**

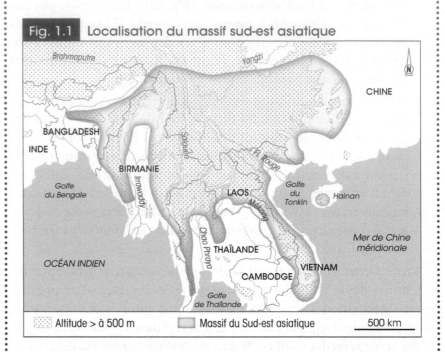

Fig. 1.1 Localisation du massif sud-est asiatique

Aux confins de la Chine, de l'Inde et du Vietnam, une centaine de millions de personnes vivent éparpillées dans une vaste zone montagneuse que l'historien William Van Schendel a nommée «Zomia» (du tibétain «*Zomi*», désignant les habitants des hauts plateaux). Jusqu'à la deuxième moitié du XXe siècle, ces populations se sont largement soustraites au contrôle des gouvernements basés dans les plaines voisines, faisant d'eux les peuples restés le plus longtemps «sans État». Pour l'anthropologue James C. Scott, cette résistance à l'assimilation étatique (c'est-à-dire, en particulier, à l'impôt et à l'intégration dans un récit national véhiculé à travers des programmes d'instruction centralisés) a été le produit d'une stratégie délibérée, associant un mode de vie nomade rendant difficile leur contrôle administratif, la transmission orale de leurs histoires et traditions, et le fait d'avoir été l'objet de peu d'efforts d'intégration à travers des politiques de développement ou de conquête en raison de leur implantation dans des régions difficiles d'accès et peu dotées en ressources naturelles.

Si l'histoire des peuples « sans État » et de leurs interactions avec d'autres communautés est difficile à retracer, faute d'institutions conçues pour pérenniser et promouvoir un récit officiel, ces sociétés se sont bien entendu investies dans des relations extérieures avec d'autres groupes ou même les États avoisinants, formant de véritables systèmes de relations extérieures à défaut d'être inter(stato)nationales. Claude Levi-Strauss évoquait ainsi dans un article paru en 1964 la complexité de « la politique étrangère d'une société primitive », les Nambikwara du Brésil, préfigurant le travail de Pierre Clastres dans *La Société contre l'État* (1974). Ces interactions pouvaient avoir pour fonction de négocier la nature des relations, et en particulier le degré d'autonomie dont bénéficiaient ces populations vis-à-vis des entités politiques voisines, mais elles contribuaient aussi à fixer les contours externes des communautés humaines concernées.

2. Universalisme et conception centralisée du monde

La diversité des systèmes pré-westphaliens renvoie à une pluralité de conceptions du monde et de l'altérité, occultée par l'approche exclusivement interétatique des relations internationales. Ainsi, la norme égalitaire et le caractère décentralisé des relations internationales westphaliennes, qui procèdent de la souveraineté, font figure d'exception à l'échelle de l'histoire mondiale. L'on peut relever à l'inverse une pluralité de conceptions à la fois universalistes, centralisées et hiérarchiques de l'international.

Le pouvoir, dans les anciens empires chinois, reposait ainsi sur une conception du monde intégrée et centralisée autour de la personne de l'Empereur, qu'exprime l'idée suivant laquelle ce dernier avait vocation à étendre son règne sur l'ensemble des territoires « sous le ciel » (Tian Xia). En découlait une approche des relations internationales en cercles concentriques, autour de l'empereur puis de la Cité interdite, de l'empire puis des régions tributaires, et enfin d'un monde extérieur « barbare », ne s'inscrivant pas dans cette conception et vis-à-vis duquel l'usage de la guerre était donc légitime. À l'intérieur du cercle tributaire, les relations politiques étaient à géométrie variable, conditionnées par la reconnaissance symbolique de la souveraineté de l'Empereur et la négociation du tribut symbolisant la nature hiérarchique de la relation. Ce modèle aurait permis de stabiliser les relations internationales en Asie orientale, avant l'arrivée des missions occidentales, en favorisant l'instauration sous la dynastie Qing de ce qui a été qualifié de « longue paix » (1644-1839) durant laquelle la Chine agissait pacifiquement à l'égard de ses voisins confucéens dès lors que ces derniers avaient intégré sa suprématie. Si plusieurs travaux ont remis en question le caractère trop simpliste et uniformisant de cette approche, elle a le mérite d'inviter à considérer la possibilité de relations internationales fondées sur d'autres modèles que celui formé à partir de l'expérience politique européenne.

La controverse de Valladolid

La controverse de Valladolid est un débat moral, politique et religieux, organisé en 1550 et 1551 par Charles Quint. Le souverain avait temporairement fait cesser la colonisation du Nouveau Monde, le temps de déterminer officiellement la légitimité ou l'illégitimité de l'asservissement des peuples amérindiens et de l'anéantissement de leur mode de vie. Contrairement aux populations noires faisant l'objet d'une traite esclavagiste, l'humanité des Amérindiens n'était pas questionnée, sans quoi la question du salut de leur âme par leur conversion religieuse n'aurait pu être posée. La controverse portait donc essentiellement sur les moyens de les convertir. Las Casas prônait une action missionnaire et des conversions par l'exemple, au motif que toutes les sociétés sont d'égale dignité. À l'inverse, Sepúlveda justifiait l'usage de la force au regard des pratiques des sociétés précolombiennes, jugées contraires à la loi naturelle (sacrifices humains, anthropophagie, inceste royal). Les deux parties revendiquèrent la victoire à l'issue de ces échanges oratoires et épistolaires, débouchant sur une inflexion modérée de la politique coloniale du royaume d'Espagne – la colonisation se poursuivit, mais des lois furent adoptées pour en limiter la violence. La tenue de cette controverse souligne l'existence de réflexions portant moins sur l'universalisme de la civilisation chrétienne (la nécessité d'étendre cette dernière à l'ensemble du monde ne faisant doute pour aucune des parties) que sur les moyens de la diffuser et sur la légitimité de recourir aux armes pour mettre fin à des pratiques contrevenant aux principes conçus comme universels.

Du point de vue européen et à partir du XVIIᵉ siècle, parallèlement à l'affirmation de la souveraineté comme norme des relations internationales, qui alors ne s'appliquait qu'à l'Europe occidentale et en temps de paix, les entreprises coloniales furent légitimées par des universalismes – religieux ou politiques – justifiant la domination sur le reste de l'humanité tant que celle-ci n'avait pas été «sauvée» (par la conversion) ou «civilisée» (par la transformation de ses modes de vie et référents politiques). L'égalité souveraine, et la conception décentralisée et anarchique des relations internationales qu'elle induit, a donc longtemps cohabité avec d'autres formes de rapport au monde. Les différents modèles pré-westphaliens, loin d'être hermétiques, ont par ailleurs longtemps coexisté et interagi.

3. Des systèmes connectés

Si l'histoire conventionnelle est le plus fréquemment celle des vainqueurs ou, *a minima*, celle des structures politiques qui sont parvenues à s'imposer dans la durée, il faut souligner que ces dernières ont elles-mêmes été transformées au cours de leurs interactions avec d'autres systèmes. Ce rappel forme l'un des enjeux de l'étude de l'histoire connectée▶, qui souligne l'importance de ces échanges et enrichissements mutuels pour démonter le mythe suivant lequel le référent occidental se serait imposé, d'une manière exclusivement descendante, à des sociétés «sans histoire».

▶ Voir Focus, p.30.

Ainsi, alors que l'empire hellénistique d'Alexandre le Grand s'étendait en 326 avant J.-C. sur l'Asie mineure, le Moyen-Orient, l'Égypte, la Mésopotamie, la Babylonie, l'Asie centrale et le bassin de l'Indus, diffusant la langue et la culture grecques sur ses territoires, certaines pratiques originaires de ces régions ont été adoptées en retour et ont produit des hybridations avec les éléments de culture ou de pratiques religieuses grecques. Ce fut en particulier le cas d'éléments de la culture égyptienne, révérée par les Grecs. Le culte d'Isis s'est par exemple répandu en Grèce aux alentours du 1er siècle av. J.-C. à travers les connexions impériales, et fut par la suite adapté jusque dans l'empire romain, en Gaule ou dans l'actuelle Andalousie, au cours du 1er siècle après J.-C. L'historien Denys Lombard démontre quant à lui que le «carrefour javanais» est le produit d'une histoire globale faite d'influences culturelles, religieuses et économiques venues du sous-continent indien, de Chine ou du monde musulman, avec lesquels les royaumes javanais entretenaient des relations politiques. Ces connexions ont façonné des structures politiques et sociales complexes, bien avant l'arrivée des Européens à la fin du XVIe siècle, invitant à souligner que ces derniers ne se sont pas contentés d'imposer leur modèle à des sociétés dites «primitives».

Loin d'être le simple produit d'une histoire unidirectionnelle débutée avec l'arrivée des Européens et l'imposition de leur modèle politique, les sociétés extra-occidentales ont ainsi hybridé les pratiques et systèmes de valeurs qu'ils ont successivement adaptés tandis que les « conquérants » eux-mêmes se trouvaient influencés par ces interactions.

FOCUS En quête d'une histoire plus juste de la mondialisation

Paru en 1963, l'ouvrage de William McNeil, *The Rise of the West. A History of the Human Community*, inspira le mouvement popularisé dans les années 1990 sous le nom d'« histoire globale » et différents courants soulignant le fait que l'histoire du Monde ne peut être réduite au récit de son occidentalisation. En effet, les mondes extra-occidentaux n'étaient pas des pages blanches sur lesquelles des systèmes politiques ou économiques européens furent projetés par la colonisation. Ces travaux poursuivent une approche globale des hybridations politiques et sociales, évitant à la fois l'eurocentrisme (qui tend à ne considérer le politique que lorsqu'il est le produit d'institutions étatiques, et à aborder la modernisation comme inéluctablement liée à l'occidentalisation) et le discours de l'incommensurabilité (qui refuse le parallèle entre des systèmes politiques, culturels et sociaux différents).

L'historien Sanjay Subrahmanyam souligne ainsi les interactions entretenues du XVe au XVIIIe siècles entre les sociétés d'Europe et d'Asie, connectées par des échanges économiques, sociaux et politiques dont la réciprocité est masquée dans les « grands récits » unidirectionnels des grandes découvertes et de la colonisation. Romain Bertrand invite quant à lui à une histoire « à parts égales », accordant aux sources javanaises la même légitimité qu'aux sources occidentales. Le courant de l'histoire transnationale souligne enfin que l'étude des interactions entre acteurs non étatiques et des phénomènes échappant à la médiation des États, bien implantée en science politique et en relations internationales, devrait infuser une production historique trop focalisée sur les relations interétatiques.

Ces démarches reposent sur des approches pluridisciplinaires de l'évolution des sociétés humaines (ancrées dans l'historiographie, la science politique, la sociologie, l'économie politique ou l'anthropologie), pour retracer plus justement la genèse de la mondialité contemporaine.

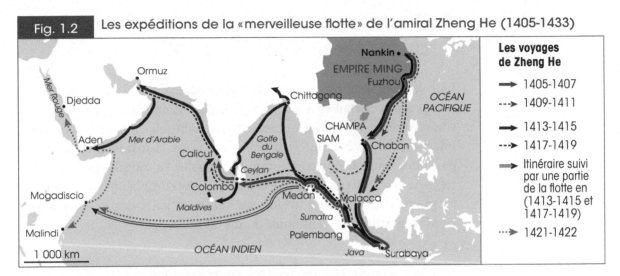

Fig. 1.2 — Les expéditions de la «merveilleuse flotte» de l'amiral Zheng He (1405-1433)

L'explorateur maritime Zheng He (1371-1433) était un eunuque chinois musulman au service du troisième empereur Ming, Yongle, désireux d'étendre le territoire de la Chine vers le nord et le sud. Placé à la tête de la flotte impériale, qui comptait à son apogée jusqu'à soixante-dix «bateaux-trésors» (des jonques en bois d'une longueur estimée entre 60 et 135 mètres, surmontées d'un gréement de quatre à neuf mâts, quand les navires européens de l'époque ne dépassaient pas les 30 mètres) et trente mille hommes, Zheng He commanda sept expéditions qui le conduisirent jusqu'à la côte africaine, qu'il aurait descendue jusqu'au Mozambique, et en mer Rouge jusqu'à l'Égypte. Si ces voyages d'exploration ne débouchèrent pas sur une expansion outre-mer, ils permirent d'établir des relations diplomatiques (par exemple avec le sultan de Malindi, actuel Kenya, en 1414) et d'importer curiosités et connaissances de ces territoires (le traducteur Ma Huan a ainsi compilé dans ses *Merveilles des océans* les détails de la géographie et des systèmes politiques ou économiques des contrées visitées).

Ces expéditions furent loin de faire l'unanimité. En 1477, justifiant la fin des expéditions, le vice-ministre de la Guerre de l'empereur Chenghua commenta la saisie des archives de Zheng He en des termes peu amènes : «Des exagérations de choses bizarres, éloignées du témoignage des yeux et des oreilles du peuple [...] Les expéditions de San Bao vers l'océan Ouest ont gaspillé des dizaines de myriades de monnaie et de grains et [...] les gens qui y rencontrèrent la mort peuvent être comptés en myriades. Bien qu'il en soit revenu avec de merveilleuses choses précieuses, quels bénéfices cela a-t-il apporté à l'État ?» Ainsi se referma la parenthèse ouverte par les voyages d'exploration de cette flotte capable de franchir les mers et océans. La construction d'embarcations de plus de deux mâts fut interdite, avant que ne soit ordonnée en 1525 la destruction de la flotte, repliant sur ses frontières l'empire dont les dirigeants décidèrent d'interdire l'exploration et la diplomatie, décrétées inutilement coûteuses. Cet acte conclut la parenthèse expansionniste de l'universalisme confucéen, laissant la voie libre aux autres empires qui commençaient alors à entreprendre leurs conquêtes du monde. La mémoire de Zheng He a néanmoins été mobilisée par le gouvernement chinois, notamment à l'occasion du 600e anniversaire de ses expéditions maritimes, pour souligner le caractère pacifique de cette première expansion chinoise.

II. Des connections à l'uniformisation du système international

La colonisation européenne se distingue moins par son emprise territoriale (celle-ci était également exercée par l'Empire ottoman) que par son étendue géographique et ses effets structurels en termes d'uniformisation du système international. Alors que la justification de l'expansionnisme par une conception universelle du monde (politique ou religieuse) n'était pas l'apanage des puissances européennes, elles furent les premières à étendre aussi loin les limites de leurs empires et à négocier la répartition de l'ensemble du monde.

1. «Partages du monde» européens

S'il faut attendre le début du XXᵉ siècle pour que la totalité du monde émergé soit cartographiée, le traité de Tordesillas établit dès 1494 un «partage du monde» en zones d'influences. Celles-ci soulignent la territorialisation d'entreprises jusqu'alors essentiellement missionnaires et commerciales, autant que la volonté d'endiguer le risque d'un conflit armé entre l'Espagne et le Portugal. L'Espagne obtient, selon les termes du traité, les terres situées à l'ouest d'une ligne passant à 370 lieues du Cap-Vert, tandis que le Portugal reçoit celles situées à l'est. Les autres puissances, exclues du traité, ne le reconnaissent pas. Leurs entreprises maritimes sont donc condamnées à l'illégalité le temps que dure la suprématie navale de l'Espagne et du Portugal, jusqu'à la fin du XVIᵉ siècle et la soustraction des îles de la Sonde par les Néerlandais au Portugal, qui rend le traité caduc.

D'autres traités, d'une moindre ampleur, ont succédé à Tordesillas. Ils sont autant la conséquence de la rencontre entre des velléités impériales que celle de l'évolution des situations politiques et rapports de forces sur le continent européen. Ainsi, les traités anglo-hollandais de 1814 et 1824 établissent les limites de l'expansion des deux royaumes notamment dans le monde malais, figeant ce qui est resté la frontière entre Indonésie et Malaisie. Ces traités faisaient suite aux guerres napoléoniennes, qui avaient conduit la couronne des Pays-Bas à transférer sa souveraineté sur les colonies néerlandaises alors que la France occupait les Provinces Unies et contrôlait de ce fait leurs colonies stratégiques. En 1842, le traité de Nankin ouvre la série des traités inégaux imposés militairement à la Chine, au Japon et à la Corée par le Royaume-Uni et les autres puissances occidentales, qui acquièrent ainsi des droits commerciaux et consulaires et des enclaves territoriales dans ces territoires qui servent à asseoir leur puissance sur la région.

Ces traités signent le tournant de l'impérialisme européen, qui dépasse les entreprises commerciales et missionnaires des premières entreprises coloniales. Progressivement, s'intensifie la militarisation des expéditions avec un agenda de domination territoriale et non plus de sécurisation des cargaisons et des comptoirs commerciaux, ces derniers se transformant en portes d'entrée d'une colonisation de peuplement et de domination.

2. Les déterminants de la domination européenne

Les historiens s'accordent sur le fait qu'une forme d'économie politique globale existait dès le VIe siècle en Orient et sur le fait que les technologies qui en étaient issues se sont diffusées vers l'Europe, nourrissant en retour les moyens de l'expansionnisme des empires européens. Les raisons du succès de ces entreprises coloniales font en revanche débat.

Kenneth Hobson soutient que c'est une combinaison de chance, d'intégration d'influences et de savoirs orientaux, et de sentiment de supériorité exprimé sous la forme d'une mission civilisatrice justifiant le pillage des autres sociétés, qui auraient pavé le chemin de cette expansion impériale. D'autres, comme Philippe Norel estiment que si l'Europe a pu s'imposer tout en intégrant des techniques et influences originaires d'autres continents, c'est aussi en raison des spécificités de son économie politique. Il rejoint ainsi en partie la thèse de la « grande divergence » de Pomeranz, qui soutient que les niveaux de développement de la Chine et de l'Europe occidentale étaient comparables au tournant du XVIIIe siècle. La divergence aurait eu lieu au moment de la révolution industrielle et économique, dont le succès serait largement dû à la disponibilité locale du charbon et à la structure des échanges commerciaux, tournés vers les Amériques plutôt qu'une Asie alors désavantagée dans ce système.

Fig. 1.3 Les grandes découvertes et la première division du monde

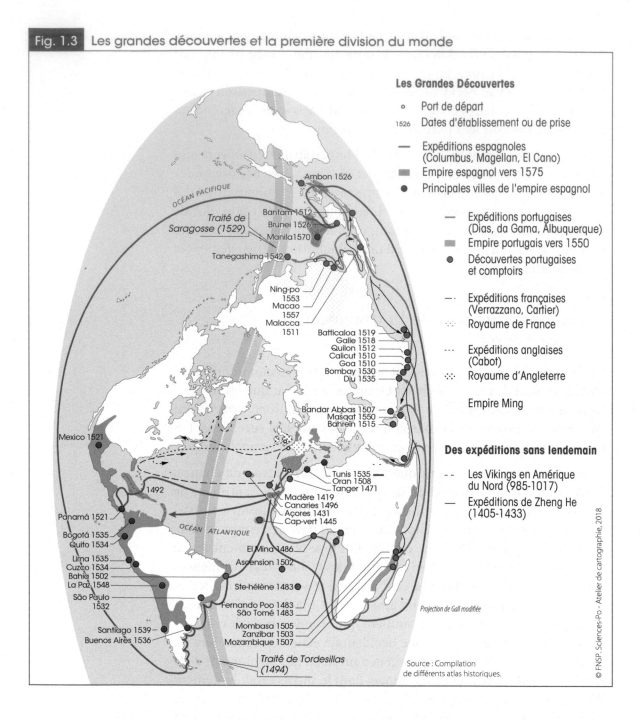

Les Grandes Découvertes

○ Port de départ

1526 Dates d'établissement ou de prise

— Expéditions espagnoles
(Columbus, Magellan, El Cano)

▨ Empire espagnol vers 1575

● Principales villes de l'empire espagnol

— Expéditions portugaises
(Dias, da Gama, Albuquerque)

▨ Empire portugais vers 1550

● Découvertes portugaises
et comptoirs

—· Expéditions françaises
(Verrazzano, Cartier)

⋰ Royaume de France

- - - Expéditions anglaises
(Cabot)

⋰ Royaume d'Angleterre

Empire Ming

Des expéditions sans lendemain

- - Les Vikings en Amérique
du Nord (985-1017)

— Expéditions de Zheng He
(1405-1433)

Projection de Gall modifiée

Source : Compilation
de différents atlas historiques.

© FNSP, Sciences-Po - Atelier de cartographie, 2018

OCÉAN PACIFIQUE

Ambon 1526
Bantam 1512
Brunei 1526
Manila 1570
Tanegashima 1542

Traité de
Saragosse (1529)

Ning-po
1553
Macao
1557
Malacca
1511

Batticaloa 1519
Galle 1518
Quilon 1512
Calicut 1510
Goa 1510
Bombay 1530
Diu 1535

Bandar Abbas 1507
Masqat 1550
Bahreïn 1515

Mexico 1521

1492

Tunis 1535
Oran 1508
Tanger 1471

Madère 1419
Canaries 1496
Açores 1431
Cap-vert 1445

Panamá 1521

Bogotá 1535
Quito 1534

Lima 1535
Cuzco 1534
Bahia 1502
La Paz 1548
São Paulo
1532

El Mina 1486
Ascension 1502

Ste-hélène 1483

Fernando Poo 1483
São Tomé 1483

Santiago 1539
Buenos Aires 1536

Mombasa 1505
Zanzibar 1503
Mozambique 1507

OCÉAN ATLANTIQUE

Traité de Tordesillas
(1494)

« L'âge des découvertes » fait référence à la période historique durant laquelle des Européens explorent et cartographient la planète, du XVe au début du XVIIe siècle, préfigurant la conquête coloniale des « nouveaux mondes ». L'accent mis par l'historiographie conventionnelle sur les « grandes découvertes » et le partage du monde par les puissances européennes tend à occulter l'existence d'interactions préalablement établies entre d'autres régions, qui ont eu une moindre résonance dans la mesure où elles étaient plus fréquemment le fruit d'entreprises commerciales ou missionnaires que d'impulsions politiques. Dès le XIIe siècle, des routes commerciales stables existaient entre le Moyen-Orient et la Chine, à la faveur de la « Pax Mongolica » qui s'étendait sur l'essentiel de l'Eurasie. Ibn Battûta (1304-1368) avait ainsi voyagé de Tombouctou jusqu'à la Volga et de Tanger à GuangZhou. Au XVe siècle, les marins originaires du Yémen et d'Oman dominaient quant à eux les routes maritimes de tout l'océan Indien, assurant le commerce des épices de l'Asie du Sud-Est à la mer Rouge et l'approvisionnement des marchands vénitiens qui les convoyaient ensuite en Europe.

3. La diffusion de l'héritage westphalien

Simultanément au déploiement de ces entreprises coloniales, se confirme en Europe l'institutionnalisation du système international dont les cadres et référents se diffuseront progressivement au reste du monde.

Alors que s'affaiblit l'autorité du pape dans le contexte de la Réforme protestante, qui ne reconnaît plus cette autorité, le Saint-Empire romain germanique se trouve fragmenté par les tensions religieuses et politiques entre catholiques et protestants. Dans le contexte de cette déstabilisation, renforcée par la maison de Habsbourg qui prétend instaurer une monarchie universelle, émerge la guerre de Trente Ans. Celle-ci voit en particulier s'affronter l'autorité du pape, qui se veut universelle, et celle des souverains qui entendent imposer leur règne aux populations présentes sur les territoires dont ils revendiquent le contrôle. L'issue de ce conflit est marquée en 1648 par la signature des traités d'Osnabrück et de Munster, dits traités de Westphalie, qui formalisent les notions de **souveraineté interne et externe**.

Le **principe de souveraineté** comprend deux variantes : la souveraineté externe (il n'existe aucune autorité supérieure aux États) ; et la souveraineté interne (les États ne s'immiscent pas dans les affaires internes des autres États, chacun exerçant librement son autorité sur son territoire et la population qui s'y trouve).

C'est en référence à ce principe naissant que se détermineront dès lors les relations internationales en Europe puis, progressivement, dans le reste du monde. De l'égalité souveraine, découle ainsi la notion d'équilibre des puissances comme moyen d'assurer la stabilité internationale, consacrée en 1815 par le congrès de Vienne. Celui-ci vise à refonder la carte de l'Europe après les guerres napoléoniennes en fixant à la fois une répartition égalitaire des capacités entre les grandes puissances et des zones tampons à leurs marges.

Le système westphalien ne s'est pas diffusé de manière linéaire, puisqu'il a coexisté pendant plusieurs siècles avec l'impérialisme colonial imposé par les inventeurs de la conception moderne du principe de souveraineté. C'est aux Amériques qu'il s'est d'abord étendu, dès la fin du XVIIIe siècle avec la guerre d'indépendance des États-Unis contre la Grande-Bretagne (1775-1783) puis la vague d'indépendances latino-américaines (1806-1830) qui voient les Créoles (descendants de colons, souvent issus de mariages avec des Indiens) revendiquer leur indépendance au nom des principes de liberté et d'émancipation diffusés par les Lumières vis-à-vis de métropoles affaiblies par les guerres européennes. Ce mouvement prendra une ampleur globale avec les indépendantismes afro-asiatiques, qui se développent au XIXe siècle et préfigurent la diffusion mondiale du modèle étatique à l'issue de la Seconde Guerre mondiale▸.

▶ Voir chapitre 3.

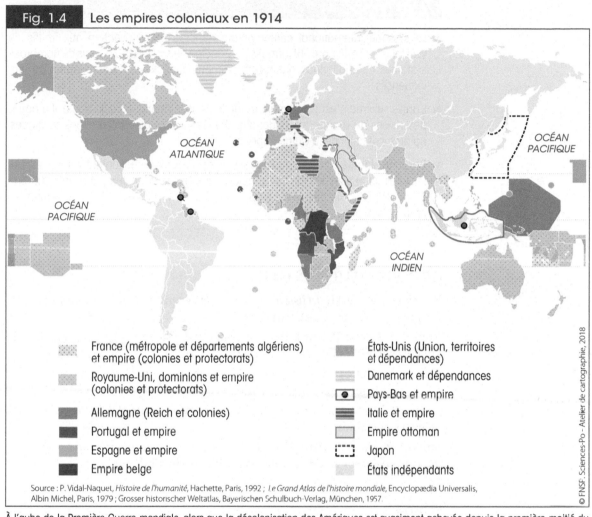

Fig. 1.4   Les empires coloniaux en 1914

France (métropole et départements algériens) et empire (colonies et protectorats)

Royaume-Uni, dominions et empire (colonies et protectorats)

Allemagne (Reich et colonies)

Portugal et empire

Espagne et empire

Empire belge

États-Unis (Union, territoires et dépendances)

Danemark et dépendances

Pays-Bas et empire

Italie et empire

Empire ottoman

Japon

États indépendants

Source : P. Vidal-Naquet, *Histoire de l'humanité*, Hachette, Paris, 1992 ; *Le Grand Atlas de l'histoire mondiale*, Encyclopædia Universalis, Albin Michel, Paris, 1979 ; Grosser historischer Weltatlas, Bayerischen Schulbuch-Verlag, München, 1957.

© FNSP, Sciences-Po – Atelier de cartographie, 2018

À l'aube de la Première Guerre mondiale, alors que la décolonisation des Amériques est quasiment achevée depuis la première moitié du XIXᵉ siècle, la majeure partie du continent africain et le sud de l'Asie restent aux mains de puissances européennes, tandis que l'Empire ottoman contrôle le sud de la péninsule arabique et la Mésopotamie. Si les comptoirs commerciaux, qui prédominaient aux origines des entreprises coloniales, ont laissé place à des entreprises politiques, la notion d'empire colonial recouvre des réalités diverses. Celles-ci se traduisent par autant de degrés d'autonomie et de modes de relation à la puissance coloniale, préfigurant différentes formes d'hybridation du modèle statonational (voir chapitre 5).

À RETENIR

- Le système international contemporain remonte par convention aux traités de Westphalie (1648), qui ont formalisé le principe de souveraineté, mais de nombreux systèmes internationaux ont précédemment coexisté et se sont mutuellement influencés.

- L'universalisme n'est pas l'apanage de la pensée politique occidentale. Il a nourri des visions du monde au fondement d'autres systèmes d'interactions politiques, notamment celui de la Chine impériale.

- L'histoire globale souligne que ces systèmes se sont mutuellement influencés. Les sociétés colonisées, loin d'avoir simplement subi l'héritage européen, ont contribué à l'hybrider, tandis que leurs propres normes et pratiques ont pu influencer les empires coloniaux.

📖 POUR ALLER PLUS LOIN

BERTRAND R., 2011, *L'Histoire à parts égales : récits d'une rencontre, Orient-Occident (XVᵉ-XVIIᵉ siècle)*, Paris, Seuil.

BUZAN B., LITTLE R. (dir.), 1998, *International systems in World history. Remaking the study of international relations*, Oxford, Oxford University Press.

CAILLÉ A., DUFOIX S. (dir.), 2013, *Le « tournant global » des sciences sociales*, Paris, La Découverte.

NOREL P., TESTOT L. (dir.), 2012, *Une histoire du monde global*, Paris, Éditions Sciences humaines.

SUBRAHMANYAM S., 2016, *L'éléphant, le canon et le pinceau. Histoires connectées des cours d'Europe et d'Asie, 1500-1750*, Paris, Alma Éditeur.

Films

Junya Sato, *Sur la route de la soie*, 1988.

Jean-Daniel Verhaeghe, *La controverse de Valladolid*, 1992.

Édouard Molinaro, *Le souper*, 1992.

ENTRAÎNEMENT

Tester ses connaissances

Corrigés en ligne

1. La nature anarchique du système international signifie :

☐ que les relations internationales sont désorganisées

☐ qu'il n'existe pas d'autorité supérieure aux acteurs du système international

☐ qu'il n'existe pas de lois pouvant réguler les relations internationales

2. Le système international contemporain :

☐ s'est imposé à l'échelle mondiale en 1648

☐ a cohabité avec d'autres systèmes internationaux jusqu'au xxe siècle

☐ repose sur le principe de souveraineté

3. Les systèmes internationaux pré-westphaliens :

☐ ne se sont jamais généralisés à l'échelle mondiale

☐ reposaient, le plus souvent, sur une conception décentralisée des relations internationales

☐ reposaient, le plus souvent, sur une conception centralisée des relations internationales

4. Reliez chaque affirmation à l'école théorique correspondante :

A. Néoréalisme ●

B. Constructivisme ●

C. Libéralisme institutionnaliste ●

● **1.** L'anarchie internationale peut donner lieu à des relations internationales conflictuelles, compétitives ou coopératives, selon ce que les États en font.

● **2.** Les conflits internationaux sont une conséquence de la configuration des rapports de puissance dans un système international anarchique.

● **3.** L'anarchie internationale peut être régulée par des institutions favorisant la coopération internationale et la paix.

Sujets

Comment est-on passé de la coexistence entre plusieurs systèmes internationaux à la généralisation du système interétatique ?

Quelles sont les principales caractéristiques du système international contemporain ?

Expliquez la différence entre les conceptions centralisée et décentralisée des relations internationales.

« nous vaincrons parceque nous sommes les plus forts »

SOUSCRIVEZ AUX BONS d'ARMEMENT

Cette affiche française, placardée sur les murs de France quelques mois avant la déroute rapide de l'armée française en mai-juin 1940, peut faire sourire. Néanmoins, elle prévoit bien que, dans une guerre totale, les ressources et les combattants des empires vont permettre aux Alliés de battre l'Allemagne, qui de son côté crée brutalement un empire en Europe. Le Royaume-Uni et la France chercheront dès lors à garder leur empire après 1945, afin de garantir leur rang face aux puissances que sont devenues les États-Unis et l'Union soviétique. Mais ils n'auront plus les moyens ni la légitimité pour le conserver.

Des relations internationales marquées par la guerre totale (1914-1945)

Depuis 1945, les choix de politique internationale sont déterminés en fonction du souvenir des années 1914-45, parfois qualifiées de «nouvelle guerre de Trente ans» (après celle de 1618-48) ou de «guerre civile européenne». En 1914, une guerre mondiale est née de l'escalade d'une crise locale. Dès lors, des millions d'hommes ont été mobilisés dans des guerres totales, qui ont provoqué des radicalisations idéologiques (communisme et fascisme) et d'immenses souffrances humaines, notamment de civils. La crise de 1929 a mis à mal le libre-échange et l'ordre monétaire international, tandis que l'industrie militaire semblait devenir un moyen de sortir de la crise. Des régimes et des tyrans expansionnistes ont pu se lancer dans des conquêtes, alors que le monde fermait les yeux sur l'extermination organisée des Juifs. Les empires coloniaux n'ont jamais été plus vastes et plus intrusifs, tandis que l'idéologie colonialiste et les représentations racialistes du monde régnaient partout.

Le spectre d'un retour à cette période terrible existe donc toujours. Mais d'un autre côté, elle semble former une anomalie dans une histoire du progrès des échanges internationaux et de l'organisation de la société mondiale par le droit, progrès qui s'est poursuivi durant cette période.

I. Le choc de la Première Guerre mondiale

À l'orée du xxe siècle, c'est le progrès qui semble l'emporter. Le commerce mondial est dynamique : on assiste à une première mondialisation économique. Le droit international commence à réguler la guerre (voir encadré). Les coopérations internationales sont de plus en plus nombreuses, permises par les évolutions des moyens de communication et de transport et par la diffusion des sciences : ainsi des réseaux se constituent dans les domaines de l'éducation, de la justice pénale, de l'hygiène et de la médecine (pour combattre les épidémies), ou dans la connaissance géographique et ethnologique du monde.

Comment réguler la guerre par le droit ?

Le droit international, qui s'institutionnalise comme discipline dans plusieurs pays à partir des années 1870, s'efforce d'encadrer la guerre dans le temps (avec une déclaration de guerre et un traité de paix), dans l'espace (en développant le droit des neutres) ainsi que dans les formes, puisqu'on s'efforce d'interdire les armes trop destructrices et de protéger les prisonniers de guerre. En réalité, ce droit n'est valable que pour la famille des « États civilisés ». Comme il repose sur la réciprocité, les « non-civilisés » ne sont pas concernés : les violences sont donc nombreuses durant les conquêtes coloniales, et pour mater les révoltes coloniales. En effet, s'il n'y a plus de guerre générale en Europe depuis la fin des guerres napoléoniennes en 1815, les violences sont nombreuses à la « périphérie ». Le Japon s'efforce de se réformer pour intégrer cette « famille ». Toutefois, à l'intérieur de celle-ci, la guerre reste considérée comme naturelle, car prérogative de l'État souverain, et n'a pas besoin d'être justifiée. Cela n'empêche pas les « interventions d'humanité », comme celle de la France au Liban en 1860, pour protéger des chrétiens victimes de violences, voire une diplomatie de la canonnière pour ouvrir des pays au commerce ou leur faire payer leurs dettes.

Les grandes puissances, qui sont souvent des empires mondiaux, sont en rivalité entre elles mais trouvent des moyens pour **coopérer**, souvent pour se partager le « gâteau » colonial ou faire des affaires, ou du moins pour limiter leurs rivalités afin d'éviter la reproduction des guerres qui ont ravagé le continent européen de 1792 à 1815. Les États-Unis se joignent à la compétition, notamment en se saisissant de Cuba et des Philippines en 1898, après leur victoire contre l'Espagne, même s'ils prétendent être moins colonialistes et s'ils n'entendent pas entrer dans des jeux d'alliance à l'européenne. Toutefois, les **crises** se multiplient au début du siècle, les guerres sont nombreuses au début des années 1910 (invasion de la Libye par l'Italie, guerres balkaniques), et la Grande Guerre commence en 1914.

1. Le tonneau de poudre ou l'étincelle ?

La question du déclenchement de la Première Guerre mondiale a d'abord donné lieu à des affrontements politiques, dès 1914. Britanniques et Français ont dénoncé la responsabilité allemande, et Berlin celles de la Russie et de la France. Ces affrontements ont continué jusqu'à ce que des historiens allemands de gauche mettent en valeur, dans les années 1960, une continuité entre les politiques de l'Allemagne impériale et nazie. Mais depuis longtemps, il est question de responsabilités partagées, le doigt pointant aussi l'Autriche-Hongrie, dont les dirigeants voulaient en finir avec la Serbie, et les provocations de la Serbie elle-même.

Le débat existe surtout sur ce qui a provoqué la guerre : des « causes profondes » qui ont constitué un tonneau de poudre, l'attentat de Sarajevo n'étant qu'une étincelle ? Ou bien des dirigeants qui ont transformé l'étincelle en incendie ?

Controverse | **Les causes profondes de la guerre**

On a d'abord évoqué le militarisme, avec la course aux armements navals (anglo-allemande, mais qui se termine en 1912) et surtout terrestres, dans toute l'Europe (en particulier entre France et Allemagne, et Russie et Allemagne), sans compter le rôle des militaires dans les processus de décision, des plans de guerre très rigides, et l'idéologie de l'offensive. La deuxième cause serait le jeu des alliances. Devenues rigides (Allemagne-Autriche-Hongrie d'une part, France-Russie-Royaume-Uni d'autre part, la seconde semblant encercler la première), elles auraient entravé le fonctionnement du concert européen, une instance commune aux grandes puissances et assez souple, leur permettant de privilégier la paix générale en contenant leurs ambitions et rivalités. En réalité, la Triple Entente n'était pas une alliance aussi rigide que le prétend sa représentation, chaque membre envisageant de pouvoir se rapprocher de l'Allemagne sur certains enjeux. La troisième cause aurait été l'impérialisme : les marxistes ont insisté sur ce facteur, les classes dirigeantes des pays capitalistes étant accusées de rivaliser pour obtenir de nouvelles possessions qui garantiraient leurs taux de profit. Mais ces rivalités étaient surtout fortes entre Royaume-Uni et Russie d'une part, et entre Royaume-Uni et France d'autre part, alignés contre l'Allemagne. Il n'y eut jamais de guerre pour des questions coloniales. La quatrième cause évoquée est le nationalisme, de plus en plus vif, qui permettait aux gouvernants de masquer les tensions politiques et sociales dans leur pays. En Allemagne et en Autriche, il avait des connotations darwiniennes et raciales, vantant la guerre qui déterminerait quelle était la race supérieure. Mais le nationalisme extrême était minoritaire. Les peuples ne se sont pas précipités avec enthousiasme dans la guerre, et il existait des mouvements pacifistes et internationalistes forts. Il faut tenir compte aussi de l'inquiétude à l'égard de la montée en puissance de l'Allemagne, qui était à la fois sûre d'elle et inquiète de la progression de la Russie, laquelle rebondit après sa défaite contre le Japon en 1905.

En définitive, ce sont moins les causes profondes qui sont aujourd'hui mises en avant que les mauvais choix et calculs des dirigeants après l'assassinat de l'archiduc autrichien François-Ferdinand par un activiste serbe de Bosnie, le 26 juin 1914. La guerre n'était pas inévitable, et le printemps 1914 avait été calme. Des valeurs traditionnelles, comme l'honneur, ont pesé dans ces choix, de même que les valeurs masculines, l'Allemagne craignant son « autocastration » si elle ne choisissait pas la guerre.

La guerre est rapidement devenue mondiale, du fait de la mobilisation des ressources des empires. Le Japon est entré en guerre du côté de la Triple Entente, et l'Empire ottoman du côté de l'Allemagne, proclamant le djihad pour tenter de soulever les populations musulmanes des empires britannique, russe et français. Les États-Unis ne sont quant à eux entrés en guerre qu'en avril 1917. La guerre de mouvement n'a guère duré : dès l'hiver 1914, la guerre qu'on pensait être courte devient une guerre longue. C'est une guerre de positions sur le front ouest, dans des tranchées, mais avec des millions de soldats se lançant dans des opérations meurtrières, hachés par l'artillerie, mais aussi des combats rapprochés. Verdun ou la bataille de la Somme sont des hécatombes. La France perd 1,4 million d'hommes au combat, et l'Allemagne 2 millions. D'autres fronts en Italie ou dans les Balkans semblent aussi gelés. Il reste des guerres de mouvement à l'est de l'Europe et au Moyen-Orient, et une violence terrible sur le front russo-turc. Parce que la guerre doit être longue, elle devient totale : il faut en effet mobiliser la population, les esprits, les économies, et justi-fier le prolongement de la guerre. Déportations et massacres de popula-tions arméniennes commencent en Turquie au tournant 1914-1915, qui incitent États et historiens (en Turquie également) à parler aujourd'hui de génocide. La Russie s'en prend aux Juifs et à des populations musulmanes rétives à la conscription. Elle sort de la guerre après les révolutions de 1917. Toutefois, Allemagne, Autriche-Hongrie et Empire ottoman sont vaincus par de grandes offensives à l'automne 1918.

2. Reconfigurations territoriales et impériales

La Première Guerre mondiale constitue un séisme géopolitique. Une part significative de la carte du monde actuel est en effet issue des traités de paix de 1919-1920, imposés aux vaincus.

Les perdants et gagnants des traités

L'Allemagne juge que le traité de Versailles (1919) est un *diktat* qui lui a été im-posé, alors que traditionnellement le vaincu participait aux négociations de paix. Elle perd des territoires, doit limiter son armée et payer de lourdes réparations car elle est jugée responsable de la guerre. La Hongrie voit les deux tiers de son territoire retranchés par le traité de Trianon (1920). La Turquie se bat quant à elle pour ne pas perdre trop de territoire : en 1923, par le traité de Lausanne, elle met fin à l'humiliant traité de Sèvres (1920) et aux prétentions françaises, grecques et italiennes, mais aussi à l'espoir des Kurdes et des Arméniens d'acquérir leur propre État. Cette Turquie républicaine abolit le califat en 1924, interrompant une histoire de treize siècles dans le monde musulman sunnite.

Parmi les gagnants en Europe centrale, il y a d'abord la Pologne qui renaît après avoir été dépecée au XVIIIe siècle. Elle bénéficie de frontières avantageuses, tout comme la Roumanie. La Serbie domine désormais un large royaume qui sera renommé Yougoslavie. La Tchécoslovaquie naît des ruines de l'empire austro-hongrois.

Après une longue et violente guerre civile, ponctuée d'interventions étrangères, et après avoir essayé d'exporter la révolution en Europe, le régime bolchevique parvient à reconstituer l'empire tsariste qui s'était défait. Toutefois, la nouvelle URSS n'inclut pas les États baltes, la Finlande ni la Pologne, désormais indépendants. Les puissances coloniales française et surtout britannique font face à des secousses, les colonisés ayant participé à l'effort de guerre et se fondant sur le discours américain du droit des peuples à disposer d'eux-mêmes. Mais elles répriment ces mouvements de révolte, de même que le Japon en Corée qu'il a annexée en 1910. En Chine, l'anti-impérialisme est de plus en plus vigoureux. Britanniques et Français se sont saisis de colonies allemandes, mais surtout de territoires au Proche-Orient, que la Société des nations leur attribue légalement sous forme de mandats : le Liban et la Syrie pour la France, la Palestine, la Transjordanie et l'Irak (finalement indépendant en 1932) pour le Royaume-Uni. En 1917, par la déclaration Balfour, Londres promet aux sionistes un foyer national juif en Palestine.

| Fig. 2.1 | Le démantèlement des Empires au XXᵉ siècle |

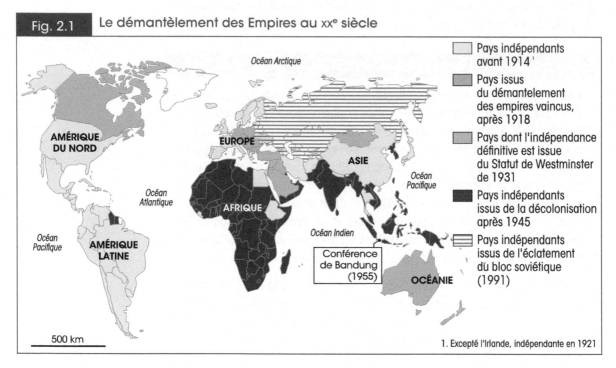

Mais la révolte arabe de 1936, puis le terrorisme sioniste en Palestine mandataire à l'encontre de civils arabes et des autorités britanniques, rendront le mandat ingouvernable pour les Britanniques qui se tournent vers l'ONU en 1947, avant que la fondation de l'État d'Israël ne soit proclamée en 1948.

Controverse | **La déclaration Balfour**

En 2017, le centenaire de la déclaration Balfour a suscité des controverses. Les Palestiniens ont exigé des Britanniques qu'ils présentent des excuses pour cette lettre adressée à Lord Rotschild. Les historiens mettent l'accent sur son contexte : les Britanniques voulaient utiliser les sionistes pour tenir la Palestine, stratégiquement importante comme protection du canal de Suez. Un courant protestant pensait que la reconstitution d'Israël allait dans le sens de l'histoire religieuse. Des dirigeants ont écouté les leaders sionistes leur expliquer que le soutien des Juifs était indispensable pour que la finance américaine continue de prêter au Royaume-Uni et pour que la nouvelle Russie révolutionnaire reste dans la guerre. Pour Israël aujourd'hui, la déclaration est entrée dans le droit international lorsque la Palestine est devenue un mandat britannique en 1920, et a été renforcée par un texte de 1922 affirmant le lien historique entre les Juifs et la Palestine ; il y aurait alors eu un quasi-consensus des démocraties sur ce « foyer national ».

Si l'Empire russe et les empires coloniaux perdurent, l'Empire ottoman et l'Empire austro-hongrois disparaissent. Ce dernier avait une place importante dans l'équilibre européen. À partir de 1918 naissent de petits États en Europe centrale (Pologne, Tchécoslovaquie, Hongrie), coincés entre l'Allemagne et la Russie revanchardes. Cet espace se retrouvera sous domination allemande durant la Seconde Guerre mondiale, puis russe durant la guerre froide. Ces États, qui ont des contentieux territoriaux entre eux, servent à la France de cordon sanitaire face à la menace bolchevique, et pour prendre en étau l'Allemagne, puisque l'ancien allié russe est désormais communiste. L'Allemagne a certes été amputée de certains territoires et largement désarmée, mais elle reste forte, et la France n'obtient pas de garantie américaine et britannique en cas de revanche car les États-Unis ne ratifient pas le traité de Versailles de 1919. La France compte donc sur son armée de terre, la première du monde, sur ses petits alliés à l'Est, et sur les réparations importantes que l'Allemagne doit payer. Cette dernière se sent humiliée. Quant à l'Italie, elle estime sa victoire « mutilée » car elle n'a pas obtenu tous les territoires escomptés.

3. Le premier moment d'internationalisme libéral et ses contestations

Les années 1920, surtout à partir de 1923-1924, semblent renouer avec le dynamisme économique de l'avant-guerre. Le monde revient à la stabilité monétaire avec la convertibilité des monnaies en or et des liens forts entre grandes banques centrales, facilitant la circulation des capitaux. Des accords de désarmement naval sont signés à Washington en 1921, fixant des quotas. Le Japon participe à cette ambiance internationaliste et semble évoluer vers plus de démocratie. La Société des nations et les organisations internationales qui lui sont liées font progresser les questions sociales, celles du développement et de la coopération intellectuelle ; elles s'efforcent de lutter contre le trafic d'êtres humains et contre le terrorisme. Les États-Unis cherchent à stabiliser l'Europe et l'Asie grâce à leur puissance financière, leur activité diplomatique et le rôle de leurs fondations privées (Carnegie, Rockefeller). Une nouvelle génération de dirigeants français se prend de passion pour la sécurité collective et la paix par le droit, œuvre au rapprochement franco-allemand, facilité par la stabilisation de la situation intérieure en Allemagne, et envisage même des formes de coopération européenne face aux États-Unis et à l'Union soviétique.

Pourtant, dans le sillage de la révolution bolchevique en Russie (octobre 1917) une vague révolutionnaire a saisi l'Europe au sortir de la guerre, notamment en Allemagne et en Hongrie, mais aussi en Chine. La naissance de l'Union soviétique, qui stabilise ses frontières en 1922-1923 et commence à être reconnue internationalement, inquiète toute l'Europe, à cause des réseaux militants communistes aux ordres de Moscou, qui s'en prennent aux régimes en place et à l'ordre colonial dans les empires. À partir de 1928, avec Staline au pouvoir, ces communistes sont mis au service de la puissance de l'Union soviétique, grâce à la IIIe Internationale, le Komintern. Le fascisme, foncièrement anticommuniste, utilise des méthodes assez similaires pour pousser à une autre révolution, de régénération nationale, en conspuant la démocratie parlementaire. Le culte du chef, de la nation mobilisée et de la violence créatrice se répand de l'Italie (Mussolini arrive au pouvoir en 1922) au Japon. Hitler arrive au pouvoir en Allemagne en 1933. Des régimes autoritaires vantant les valeurs nationales traditionnelles émergent du Portugal aux pays baltes et aux Balkans. Les Soviétiques critiquent le droit international, accusé de favoriser l'impérialisme des classes possédantes. Pour la nébuleuse fasciste, il est le droit des puissances nanties qui empêchent la montée en force des puissances jeunes, mais aussi qui protège excessivement les faibles et contraint la volonté de puissance et le libre exercice de la souveraineté. La lutte entre races et entre nations (fascisme) ou entre classes (communisme) serait le sens même de l'histoire.

Nation, nationalisme, patriotisme

D'où vient le sentiment national ? L'appartenance est-elle une donnée à la naissance, un héritage (Fichte), un «plébiscite de tous les jours» (Renan), ou encore une identité manipulée par la classe dirigeante qui disparaîtra dans une société sans classes sociales (marxisme) ? Les symboles et rituels nationaux créent un sentiment d'appartenance (Benedict Anderson). La modernité accélère la construction des nations : un marché national se constitue, l'État crée le sentiment national grâce à l'école, l'administration, le service militaire, les élections nationales (Ernest Gellner). Être patriote signifie aimer son pays, être nationaliste amène à placer la nation au-dessus de tout, comme une nouvelle religion. Le nationalisme peut être «défensif» ou bien «offensif» (conquérir des territoires ou reconstituer un territoire «historique», faire disparaître des minorités…).

II. L'apogée de la guerre totale

Dès 1940, le président américain Roosevelt utilise le terme de Seconde Guerre mondiale, alors que les États-Unis ne sont pas encore entrés en guerre. En fait, il n'y a encore qu'une guerre européenne, commencée en 1939 mais qui mobilise les empires coloniaux, et une guerre sino-japonaise, commencée en 1937 voire 1931 si l'on part des attaques japonaises, notamment en Mandchourie. Le terme officiel en Chine est la «guerre de résistance antifasciste de quatorze ans». En Union soviétique, puis en Russie, la seule appellation est la «grande guerre patriotique», commencée en juin 1941, lors de l'attaque de l'URSS par l'Allemagne nazie et ses alliés. Par là-même, on oublie l'invasion de la Pologne par l'Union soviétique en septembre 1939, et sa guerre contre la Finlande en 1940, à l'ombre du pacte germano-soviétique d'août 1939 qui divisait l'Europe du Nord-Est entre Allemagne et Russie.

Fig. 2.2   La Seconde Guerre mondiale

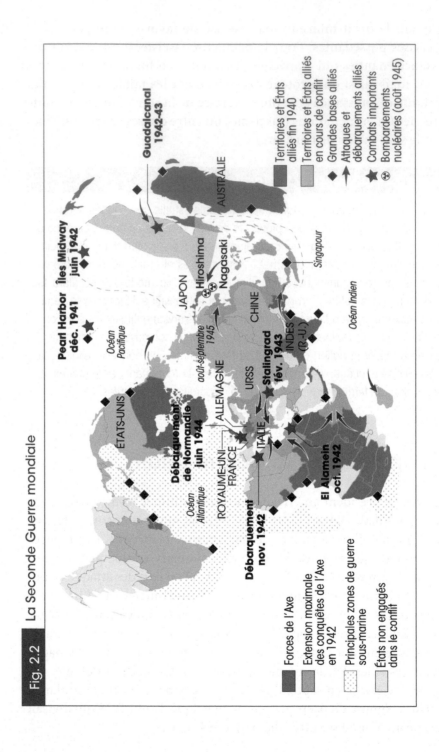

Forces de l'Axe

Extension maximale
des conquêtes de l'Axe
en 1942

Principales zones de guerre
sous-marine

États non engagés
dans le conflit

Territoires et États
alliés fin 1940

Territoires et États alliés
en cours de conflit

Grandes bases alliées

Attaques et
débarquements alliés

Combats importants

Bombardements
nucléaires (août 1945)

ÉTATS-UNIS

Océan
Atlantique

ROYAUME-UNI

FRANCE

ITALIE

ALLEMAGNE

URSS

CHINE

INDES
(R.-U.)

JAPON

Océan
Pacifique

AUSTRALIE

Océan Indien

Singapour

Hiroshima

Nagasaki

Stalingrad
fév. 1943

El Alamein
oct. 1942

Débarquement
nov. 1942

Débarquement
de Normandie
juin 1944

Pearl Harbor
déc. 1941

Îles Midway
juin 1942

Guadalcanal
1942-43

août-septembre
1945

Les États-Unis entrent en guerre suite à l'attaque japonaise sur Pearl Harbor le 7 décembre 1941, et les conflits européens sont reliés par la déclaration de guerre de l'Allemagne aux États-Unis le 11 décembre. Le lien entre les deux théâtres ne s'est pas fait par l'URSS, car le Japon ne l'attaque pas lorsque l'Allemagne l'envahit en 1941. Il faut attendre août 1945 pour que l'Union soviétique attaque le Japon. La guerre en Asie, pour les Américains, est avant tout la «guerre du Pacifique» (1941-45), ce qui minimise le rôle de la Chine et les combats en Asie du Sud-Est (notamment le front birman, où les soldats de l'empire britannique et de Chine bloquent l'expansion japonaise vers les Indes). Le Japon nommait sa guerre «guerre de la Grande Asie orientale», mais cette expression n'est plus utilisée que par l'extrême-droite depuis 1945. À gauche, on parle de «guerre de quinze ans», pour faire valoir l'agression japonaise. La guerre est donc bien mondiale; seul l'hémisphère américain n'est pas directement touché.

1. Interpréter les causes de la guerre et en tirer des leçons

Si les causes de la Grande Guerre sont restées controversées, ce n'est pas le cas pour la Seconde Guerre mondiale. Les leçons qui en ont été tirées ont marqué le monde depuis 1945. La première cause invoquée est le traité de Versailles de 1919, qui aurait été trop dur pour l'Allemagne et qui n'a pas été ratifié par le Sénat américain. Dès lors, les Américains estiment depuis 1945 qu'ils doivent s'engager en Europe pour éviter une nouvelle catastrophe, et ne pas trop humilier un vaincu, ce que Washington appliqua en 1990-1991 à l'égard de l'URSS de Gorbatchev.

La seconde cause invoquée est la crise économique commencée en 1929, qui a provoqué des retours au protectionnisme et la recherche par l'Allemagne et le Japon de «blocs autarciques», tandis que l'URSS se coupait plus encore du commerce mondial. L'absence de coopération sur les questions monétaires a provoqué une cascade de dévaluations compétitives. Dès lors, les Américains valorisent le libre-échange comme facteur de paix et cherchent à stabiliser le système monétaire international. Lors de la crise de 1973, les dirigeants des grandes puissances économiques s'empressent de créer le G7 pour coordonner leurs politiques.

La troisième cause invoquée, plus importante encore, est que la guerre fut le produit de la volonté de puissances expansionnistes, parce que fascistes et/ou militaristes (l'Allemagne, le Japon, l'Italie), qui méprisaient l'ordre international libéral dominé par les Anglo-Saxons et les Français. Mais elle fut aussi le résultat de la faiblesse de ces démocraties et de la Société des Nations pour leur résister, comme le symbolise la conférence de Munich.

Dès lors, pour assurer une paix durable, il faut démilitariser, défasciser et démocratiser ces pays, quoique les démocraties et l'URSS n'aient pas les mêmes conceptions. Pour cette dernière, il suffisait d'éradiquer la classe dirigeante et d'instaurer une démocratie populaire. Pour les démocraties, il faut créer une organisation internationale forte, avec des moyens de lutter contre les futurs agresseurs. Il faut enfin être prêt militairement pour faire face le plus rapidement possible à toute puissance expansionniste (et éviter ainsi l'effet domino des conquêtes), créer des alliances fortes pour l'isoler, et négocier de manière ferme en position de force.

Voir Pierre Grosser, *Traiter avec le diable ? Les vrais défis de la diplomatie au xxie siècle*, Odile Jacob, 2013, chap. 1.

Le syndrome de Munich

La conférence de Munich (septembre 1938) est restée le symbole de la faiblesse des démocraties (et notamment du Premier ministre britannique Neville Chamberlain) à l'égard d'Hitler ; elles le laissent annexer les régions germanophones de la Tchécoslovaquie contre une promesse de paix durable qu'il ne tiendra pas. Depuis, dans les débats politiques, être «munichois» et pratiquer l'«*appeasement*» d'un dictateur en négociant avec lui sont des insultes. Depuis 1945, les démocraties ont comparé l'URSS, l'Égypte de Nasser, l'Irak de Saddam Hussein ou l'Iran révolutionnaire à l'Allemagne nazie expansionniste et ont invoqué le «plus jamais Munich».

En réalité, la marche à la guerre a été un processus complexe. Comment les démocraties pouvaient-elles se lancer dans une course aux armements et aux alliances alors que celle-ci était considérée comme la cause de la Première Guerre mondiale ? Il leur était difficile d'entrer dans une guerre qu'on imaginait plus destructrice encore (avec notamment des capacités de bombardements massifs sur les civils), et de mobiliser des hommes et des empires vingt ans après l'hécatombe de la Grande Guerre, seulement pour empêcher l'Allemagne de revenir sur un traité de Versailles jugé injuste et de regrouper les populations allemandes (d'Autriche et de Tchécoslovaquie)

au nom du droit des peuples à disposer d'eux-mêmes. Pour l'empire britannique et l'URSS, le défi était global, avec le risque d'avoir à affronter
à la fois l'Allemagne en Europe, le Japon en Asie, et l'Italie qui pouvait
empêcher en Méditerranée le passage de la flotte britannique vers l'Asie,
à savoir l'Inde, Singapour et la Chine où les intérêts britanniques restaient
importants. Les États-Unis s'étaient de surcroît repliés sur eux-mêmes,
mais se montraient intransigeants avec le Japon tout en commerçant avec
lui. Il était difficile de s'allier avec le régime soviétique, qui avait alors bien
plus de sang de sa propre population sur les mains que l'Allemagne nazie,
avait affaibli son armée par des purges, nourrissait des ambitions à l'est de
l'Europe et demeurait un défi politique pour les démocraties et leurs colonies. Une partie des élites occidentales voyait ainsi en Hitler un rempart
contre le bolchevisme. Britanniques et Français ont réarmé, mais ne pouvaient imiter la mobilisation à l'allemande sans renoncer à leurs valeurs et
aux fondements libéraux de leur économie. Il n'empêche que leurs forces
étaient considérables en 1939, et leurs populations déterminées, lorsqu'il
est apparu que les ambitions d'Hitler n'avaient pas de limites. La défaite de
la France en 1940 était bien moins prédéterminée qu'on ne le dit souvent.

2. Un cataclysme sans précédent

La guerre totale est pensée par les stratèges dès les années 1920, car il
fallait tirer les leçons de la Grande Guerre et imaginer la guerre future.
C'est surtout l'Allemagne qui en avait tiré les leçons, la droite considérant que la défaite était liée d'une part à l'incapacité du pouvoir civil à
mobiliser l'économie et à faire face au blocus britannique, d'autre part
au « coup de poignard dans le dos » des socialistes et des Juifs en 1918,
considérés comme ayant fait tomber le pouvoir et ayant traité avec l'ennemi. Les bolcheviques en Union soviétique savaient aussi que le régime
tsariste avait été miné par son incapacité à mobiliser suffisamment, puis
par l'action des révolutionnaires. Dès lors, le mot d'ordre totalitaire,
pour préparer une guerre inévitable et qui devrait faire avancer l'histoire (pour l'URSS, le triomphe du communisme, et pour l'Allemagne
nazie, celui de la race aryenne), est d'accroître le rôle de l'État, de lancer
d'immenses programmes de réarmement, et d'enfermer ou d'éliminer
préventivement les populations qui pourraient être des traîtres ou nuire
à la mobilisation. En Union soviétique, des groupes nationaux sont
visés (Ukrainiens, Coréens) dès les années 1930, puis les populations

allemandes et les Tchétchènes durant la guerre. Le Japon, comme l'Allemagne, veut un empire qui fournirait des matières premières et réduirait sa dépendance à l'égard du commerce international. Toutefois, en 1939, l'Allemagne n'a pas mobilisé complètement son économie pour la guerre. De fait, la mobilisation totale a surtout eu lieu en Union soviétique (les dépenses militaires pèsent durant la guerre pour la moitié du PNB), au Japon, et en Allemagne à partir de 1943. Les États-Unis sont moins mobilisés mais peuvent à la fois soutenir leur effort de guerre et aider leurs alliés, notamment le Royaume-Uni, l'Union soviétique, mais très peu la Chine. La puissance industrielle américaine a permis la victoire. Les Britanniques et les Français ont largement compté sur leur empire : près de trois millions d'Indiens ont combattu à travers le monde, et Londres a également puisé dans l'argent des Indes. Mais ce sont bien les forces soviétiques qui ont décimé l'essentiel des troupes allemandes, dans un combat titanesque.

La guerre a surtout été totale à cause des destructions, notamment humaines (60 à 80 millions de morts, notamment 27 millions de morts soviétiques, 25 % de la population de l'actuel Belarus, 17 % de la population polonaise, 10 % de la population grecque et yougoslave). Des famines liées à la guerre ont été terribles en Chine, au Bengale, au Vietnam. La nouveauté, par rapport à la Grande Guerre, est que les morts civils sont bien plus nombreux que les décès de soldats en uniforme. Certes, il ne faut pas oublier les millions de soldats morts sur le front de l'Est européen ou en Chine, et la violence des combats dans les îles du Pacifique. Mais depuis les années 1930, les bombardements de villes se multiplient (durant la guerre civile espagnole 1936-39 et la guerre sino-japonaise) et deviennent massifs durant la guerre. Les bombardements « classiques » sur Dresde ou Tokyo font autant de morts que les bombes atomiques d'Hiroshima et de Nagasaki. De plus, la Seconde Guerre mondiale fait rejouer et exploser de multiples conflits civils, entre groupes nationaux, entre collaborateurs et résistants, entre communistes et anticommunistes, notamment de la mer Baltique à la Méditerranée orientale. Partout, l'ennemi est démonisé et il est question de l'annihiler.

La guerre est une opportunité pour de l'ingénierie démographique. Les nazis voient l'occasion de coloniser l'est de l'Europe, les habitants slaves devenant une force de travail quasi-esclavagisée ou étant condamnés à migrer vers l'Est où ils ne pourraient se nourrir. La guerre

Le saviez-vous ?
La **capitulation japonaise** est due aux bombardements atomiques américains des 6 et 9 août 1945, mais aussi à l'attaque soviétique contre le Japon, en Mandchourie et en Corée, le 8 août 1945.

« moderne », les plans « modernes » de mise en valeur économique et les expériences médicales « modernes » sur les prisonniers (en Allemagne et au Japon) s'accompagnent de pillages et de mises au travail forcé d'un autre temps. Surtout, la guerre est l'occasion pour Hitler d'en finir avec ce qu'il appelle le « problème juif ». Entre cinq et six millions de Juifs d'Europe sont assassinés, soit de manière « moderne » (déportations organisées vers des camps d'extermination, pour une mort industrielle), soit par des pogroms et une « Shoah par balles », là où ils se trouvent. Nombre de gouvernements et de populations en Europe sont complices, voyant le moyen de régler ce qu'ils considèrent aussi comme un « problème juif », ce qui n'empêche pas des efforts dispersés pour sauver des Juifs. Les Tziganes connaissent également un sort terrible, tandis que nombreux résistants ou condamnés, juifs et non juifs, ont bien du mal à survivre dans des camps de concentration. Trois quarts des prisonniers de guerre soviétiques aux mains des Allemands décèdent, ainsi que le quart des prisonniers américains aux mains des Japonais. De 1944 à 1948, des millions d'individus sont rapatriés (les Japonais quittant l'empire), réfugiés, mais aussi expulsés en masse pour en finir avec les « minorités » et créer des nations homogènes (Allemands expulsés d'Europe centrale, Polonais d'Ukraine et Ukrainiens de Pologne…). Les violences ne finissent pas avec la capitulation allemande le 9 mai 1945 et japonaise le 2 septembre.

3. Une scène internationale reconfigurée

La défaite de la France en 1940 a amené en fin de compte les États-Unis à soutenir le Royaume-Uni et à entrer dans la guerre, tandis qu'Hitler a pu se tourner vers sa cible de toujours, l'Union soviétique. Les deux grandes puissances périphériques à l'Europe ont désormais une place centrale dans les relations internationales, avec le Royaume-Uni, qui s'aperçoit toutefois rapidement qu'il a du mal à peser face à elles. Comme l'Allemagne est au milieu du continent européen, ce sont les opérations militaires qui mènent à la division de l'Europe et de l'Allemagne, qui dure de 1945 à 1990. La **Grande Alliance** entre Américains, Soviétiques et Britanniques met du temps à se former : la première rencontre entre Roosevelt, Staline et Churchill ne se tient qu'en novembre 1943. Staline reproche à ses alliés de ne pas débarquer en Europe du Nord-Ouest pour affronter les troupes allemandes, que l'Armée rouge combat seule.

Les Britanniques ont des relations difficiles avec les Américains, car ils ne veulent pas de ce débarquement qui mènerait à des combats meurtriers. Ils privilégient la stratégie « périphérique » par la Méditerranée, et craignent les ambitions soviétiques, tandis que les Américains jugent que les Britanniques se battent d'abord pour préserver leur empire. La **conférence de Yalta** (février 1945) laisse penser que l'alliance est durable. Certes Roosevelt fait des concessions à Staline sur la Pologne et sur la Chine au détriment des alliés polonais et chinois, mais il obtient la participation de l'URSS à la future Organisation des Nations unies (ONU), et la promesse d'une entrée en guerre soviétique contre le Japon. L'accord se fait sur une occupation conjointe de l'Allemagne et sur le principe de sa démilitarisation, dénazification et démocratisation.

Les mythes de Yalta

- Pour les Polonais, les occidentaux ont abandonné la Pologne à Yalta : l'URSS lui prend des territoires à l'Est et lui impose un gouvernement communiste.

- Pour de Gaulle et les Français, Yalta est un partage du monde entre les trois Grands, en l'absence de la France.

- Pour les républicains américains, le démocrate Roosevelt, très malade (il meurt en avril), cède sur presque tout à Staline, comme Chamberlain face à Hitler à Munich en 1938.

Les Grands préparent dès 1942 l'ordre d'après-guerre. L'URSS veut annexer certains territoires stratégiques et récupérer des territoires de l'empire des tsars perdus face au Japon en 1905 ou à l'Ouest en 1918 ; mais aussi créer des glacis de sécurité (avec des régimes « amis ») à l'Ouest, au Sud et en Extrême-Orient (notamment en Mongolie et en Mandchourie). Le Royaume-Uni souhaite avant tout retrouver son empire et s'assurer que les soldats américains ne rentreront pas chez eux comme en 1918, alors que l'URSS sera la grande puissance européenne. C'est pour ne pas être seul face à l'URSS en Europe qu'il coopte la France, notamment au Conseil de sécurité de l'ONU et pour l'occupation conjointe de l'Allemagne. Roosevelt veut créer une organisation efficace : l'ONU ne doit pas ressembler à la Société des nations. Pour lui, il s'agit avant tout de quatre gendarmes (États-Unis, URSS, Chine, Royaume-Uni, puis France) chargés d'intervenir si un pays en agresse un autre, comme l'ont fait le Japon et l'Allemagne. Tout repose sur la solidarité entre les vainqueurs, qui seront membres permanents du Conseil de sécurité et auront un droit de veto. Sa cooptation de la Chine, alors dirigée par les nationalistes de Tchang Kaï-chek, permet de contenir en Asie le Japon et l'URSS, de donner satisfaction au nationalisme chinois, et d'éviter que le Conseil ne soit un club de blancs. Ces membres permanents auraient des bases et des armées dévouées à la sécurité collective.

Est finalement ajoutée une Assemblée générale, rendant le système plus démocratique. Si, au départ, les Nations unies était un slogan inventé en janvier 1942 pour rallier contre l'Allemagne, elle devient une organisation qui n'intègre que les États ayant formellement déclaré la guerre à l'Allemagne et au Japon. L'ONU naît officiellement en octobre 1945. Après une compétition entre villes, son siège est finalement situé à New York. C'est à Bretton Woods (Washington) que sont signés en 1944 des accords qui fixent les règles du jeu du nouveau système monétaire international et créent le Fonds monétaire international. Les États-Unis, enrichis par la guerre quand le reste du monde est ruiné, dominent le FMI et font du dollar l'étalon monétaire de référence à l'égal de l'or sur lequel il est indexé. Il est alors beaucoup question de droits de l'homme dans les discussions sur l'ordre futur : des tribunaux internationaux (Nuremberg et Tokyo) jugent les dirigeants allemands et japonais accusés d'avoir mené le monde vers l'abîme, tandis que sont signées en 1948 une Déclaration universelle des droits de l'homme et une Convention pour la prévention et la répression du crime de génocide, puis en 1951 une Convention relative au statut des réfugiés. Mais la souveraineté des États prime encore et la question coloniale reste entière. Surtout, la Grande Alliance se mue en affrontement entre deux camps : les États-Unis vont relever les anciens ennemis (l'Allemagne de l'Ouest et le Japon) contre l'ancien allié, l'Union soviétique. L'ordre international est alors surtout marqué par la guerre froide.

À RETENIR

- La première moitié du siècle est marquée par la prétention à mener une guerre totale, surtout pour les régimes totalitaires (l'Allemagne nazie et l'Union soviétique notamment). Les États mobilisent leurs populations et leurs économies dans des affrontements gigantesques (à cause des capacités industrielles), jusqu'à la capitulation totale de l'adversaire.

- La guerre était considérée comme une activité normale entre États. Progressivement, elle est devenue une anomalie qu'il faut justifier, la normalité devenant la paix. La victoire totale sur l'Allemagne et le Japon en 1945 conduit à entraver la capacité de ces deux pays à faire la guerre, et à encadrer cette dernière par la Charte des Nations unies et la coopération entre grands vainqueurs.

- Les mobilisations totales justifiaient de posséder de vastes territoires. Britanniques et Français pensaient qu'il était indispensable de préserver leurs empires, tandis que les Allemands, Italiens et Japonais voulaient créer ou agrandir leur empire. En revanche, les empires austro-hongrois et ottoman se sont effondrés à la fin de la Première Guerre mondiale. Les forces du nationalisme finissent par l'emporter et les empires coloniaux succombent après 1945.

📖 POUR ALLER PLUS LOIN

CLARK C., 2014, *Les Somnambules. Été 1914, comment l'Europe a marché vers la guerre*, Paris, Flammarion.

COCHET F., 2014, *La Grande Guerre*, Paris, Perrin.

KERSHAW I., 2016, *L'Europe en enfer (1914-1949)*, Paris, Seuil.

TRAVERSO E., 2009, *À feu et à sang. De la guerre civile européenne*, Paris, Flammarion.

OVERY R., 2009, *1939. Demain, la guerre*, Paris, Seuil.

AGLAN A. et FRANK R. (dir.), 2015, *1937-1947. La guerre-monde*, 2 volumes, Paris, Folio Gallimard.

LOPEZ J. et WIEVIORKA O. (dir.), 2015 et 2017, *Les Mythes de la Seconde Guerre mondiale*, Paris, Perrin, 2 volumes.

Sur le facteur asiatique : GROSSER P., 2017, *L'Histoire du monde se fait en Asie. Une autre vision du xxe siècle*, Paris, Odile Jacob.

Sur le Moyen-Orient : LEMIRE V. *et al.*, 2016, *Le Moyen-Orient de 1876 à 1980*, Malakoff, Armand Colin.

Mission du centenaire de la guerre de 1914-18 : centenaire.org/fr

Revue d'histoire de la Shoah : www.memorialdelashoah.org/archives-et-documentation/publications/la-revue-dhistoire-de-la-shoah.html

Films

Marcel Carné, *La Grande Illusion*, 1937.
Volker Schlöndorff, *Le Tambour*, 1979.

Lire un texte :

Interpréter et discuter les expressions en italique.

La « guerre de quatorze ans » vue de Chine

Aujourd'hui est un jour mémorable pour les peuples du monde. Il y a soixante-dix ans, jour par jour, le peuple chinois, *après 14 ans de combat d'une âpreté inouïe* (1), a remporté la grande victoire de la guerre de résistance contre l'agression japonaise, ce qui a marqué la victoire totale de la *guerre mondiale antifasciste* (2) et permis au soleil de la paix de briller de nouveau sur notre terre.

La guerre de résistance du peuple chinois contre l'agression japonaise et la guerre mondiale antifasciste ont été les grands combats décisifs du bien contre le mal, de la lumière contre les ténèbres et du progrès contre la réaction. Dans cette guerre mondiale meurtrière, la guerre de résistance du peuple chinois contre l'agression japonaise *a commencé le plus tôt et duré le plus longtemps* (1). Face aux envahisseurs, les Chinois ont opposé une résistance résolue et intrépide. Et au prix du sang, ils ont infligé une défaite totale aux envahisseurs militaristes japonais, préservé les acquis de la civilisation chinoise cinq fois millénaire, défendu la paix mondiale, réalisé un exploit glorieux dans l'histoire de la guerre et celle de la nation chinoise.

La victoire de la guerre de résistance du peuple chinois contre l'agression japonaise est *la première victoire totale de la Chine contre l'agression étrangère depuis les temps modernes* (3).

Cette grande victoire a brisé complètement la tentative des militaristes japonais de coloniser et d'asservir la Chine et *lavé les humiliations subies par la Chine depuis les temps modernes dans une succession d'échecs face aux agresseurs étrangers* (3). Cette grande victoire a permis à la Chine de *retrouver sa place de grand pays dans le monde* (4) et au peuple chinois de gagner le respect de tous les peuples épris de paix. Cette grande victoire a ouvert un avenir radieux pour le grand renouveau de la nation chinoise et inauguré une nouvelle ère de renaissance pour la Chine, une nation très ancienne.

La Chine était le *principal théâtre oriental de la guerre mondiale antifasciste* (5). Le peuple chinois, au prix d'un énorme sacrifice national, a apporté une contribution de poids à la victoire de cette guerre. Il a bénéficié, dans sa résistance contre l'agression japonaise, d'un *large soutien de la communauté internationale* (6), et il n'oubliera jamais la contribution des autres peuples du monde à la victoire de sa guerre de résistance.

La guerre mondiale a touché l'Asie, l'Europe, l'Afrique et l'Océanie, et fait plus de 100 millions de morts et blessés, militaires et civils confondus, dont *plus de 35 millions de Chinois et plus de 27 millions de morts soviétiques* (7). Tout faire pour éviter à jamais la reproduction d'une telle tragédie historique est la meilleure façon pour nous d'honorer la mémoire des héros ayant sacrifié leur vie pour la défense de la liberté, de la justice et de la paix et la mémoire des victimes innocentes des tueries atroces.

Discours de Xi Jinping, 3 septembre 2015.

Évacuation de l'ambassade américaine à Saïgon, 30 avril 1975. © Bettmann/Getty Images

▲

La conquête du Sud-Vietnam par les troupes communistes en 1975 signe la fin des guerres en Indochine, commencées trente ans plus tôt par une guerre coloniale française. Le communisme semble alors triompher partout dans les pays du Sud. Les Américains se sont désengagés de la guerre par les accords de Paris de janvier 1973, mais cette évacuation de 1975, laissant sur place des dizaines de milliers de Sud-Vietnamiens compromis avec eux et dont beaucoup seront exécutés ou rééduqués dans des camps, apparaît comme la première défaite militaire de la puissance américaine. La victoire dans la guerre du Golfe de 1991 met fin au « syndrome vietnamien », mais celui-ci réapparaît avec l'enlisement américain en Irak et en Afghanistan dans les années 2000.

Le temps de la guerre froide (1945-1990)

PLAN DU CHAPITRE

La guerre froide ne commence pas par une déclaration de guerre et ne finit par aucune conférence de paix. L'après-1989 est nommé « post-guerre froide », même si le terme « entre-deux-guerres » a été utilisé pour caractériser la période entre le 9/11 (chute du mur de Berlin, 1989) et le 11/9 (début de la « guerre contre le terrorisme », 2001), et s'il est question de « nouvelle guerre froide » entre l'Occident et la Russie, surtout depuis 2014. Dans les années 1990, les analystes vantaient un monde nouveau débarrassé de la guerre froide, mais les turbulences récentes créent une certaine nostalgie pour ce qui est souvent perçu comme une période d'ordre et de stabilité. C'est méconnaître ce que fut le risque nucléaire, les guerres chaudes, et les angoisses de l'Occident face aux avancées du communisme, à l'affirmation des « peuples de couleur » et à la possibilité d'ondes révolutionnaires globales.

Durant les années 2010, nombre d'analystes déplorent la crise de l'ordre international libéral, que les Américains auraient défendu face à l'Union soviétique et ses alliés depuis 1945. Mieux, l'histoire de la guerre froide n'aurait été qu'un épisode mineur dans la longue marche du progrès, qu'il s'agisse de l'évolution du droit international, de l'extension des droits humains, ou de la démocratisation du monde. En effet, l'expression « guerre froide », utilisée dès les années 1946-47, n'épuise pas la diversité des relations internationales qui sont marquées par d'autres dynamiques notamment la fin des empires coloniaux.

I. La guerre froide

Dans les décennies qui suivent la fin de la Seconde Guerre mondiale, les relations internationales sont caractérisées par la rivalité et l'affrontement entre deux camps qualifiés alors d'Ouest et Est. À la tête de chaque camp se trouve une « **superpuissance** », à savoir les États-Unis et l'Union soviétique. Ces deux camps se reconnaissent autour de valeurs, le « monde libre » d'un côté, et le communisme de l'autre, mais aussi dans leur commune détestation de l'autre camp. En réalité, cette apparente symétrie est trompeuse.

D'une part, les États-Unis dominent bien moins l'Ouest que l'Union soviétique ne domine son bloc. Dans une large mesure, les premiers sont à la tête d'un « empire par invitation », comme le nomme l'historien Geir Lundestad, tandis que la seconde domine, surtout dans les années 1940-1950, un empire qui mêle coercition (à l'ère stalinienne, de 1945 à 1953, et lors d'interventions brutales en Hongrie en 1956 et en Tchécoslovaquie en 1968), et une solidarité coûteuse à l'égard des partis frères, comme la Chine dans les années 1950. Ce qui n'empêche pas le bloc communiste de connaître des « **schismes** » et des guerres.

D'autre part, l'Ouest et l'Est sont loin d'être uniformes, d'autant que la mondialité de la guerre froide amène les deux Grands à avoir des alliés et clients de nature diverse. Ainsi, le « monde libre », traditionnellement associé à la démocratie de marché et aux droits de l'homme, accepte-t-il le protectionnisme économique, le maintien du colonialisme (et de l'apartheid en Afrique du Sud), les régimes dictatoriaux pourvu qu'ils soient anticommunistes, et il instrumentalise précocement l'islam conservateur contre le socialisme athée. L'Est oscille entre le soutien aux partis communistes, qui suivent la ligne définie à Moscou, et le soutien à des leaders « bourgeois » dans le tiers-monde, du moment qu'ils sont hostiles aux États-Unis, quitte à les laisser réprimer leurs partis communistes.

1. Aux origines de la guerre froide

La question de savoir « qui » est responsable de la guerre froide s'est longtemps posée et donne lieu à des lectures contrastées.

Le saviez-vous ?

Le terme « **superpuissance** » est utilisé pour la première fois par le politiste William Fox, dans un livre publié en 1944. Pour lui, le Royaume-Uni avec son empire est une des trois superpuissances, avec les États-Unis et l'Union soviétique.

Repères chronologiques

Les « schismes » dans le monde communiste : URSS/Yougoslavie (1948), Albanie/URSS (1961), Chine/URSS (progressivement effectif de la fin des années 1950 au début des années 1960).

Les guerres intestines au monde communiste : affrontement sino-soviétique de 1969, invasion du Cambodge par le Vietnam en 1978, guerre sino-vietnamienne de 1979.

Pour l'Ouest, celle-ci naît des **ambitions expansionnistes du monde communiste**, dirigé par Moscou, qui utilise l'idéologie pour renforcer les ambitions impériales russes traditionnelles. L'Ouest doit donc empêcher ce projet de domination mondiale, qui s'appuie sur des armées pléthoriques mais aussi sur des partis communistes portant partout la subversion de l'ordre social, ainsi que sur la propagande et la désinformation. Les communistes estiment en effet qu'il y a un sens de l'histoire, les régimes bourgeois étant condamnés à disparaître ou à être renversés par la révolution. Toute situation de désordre social ou de guerre semble favoriser les progrès du communisme, en Europe après 1917 et après 1945, ou en Asie à partir des années 1940. L'Union soviétique est accusée d'instrumentaliser l'anti-impérialisme dans les pays du Sud, quitte à soulever les « masses de couleur » contre les États-Unis et l'Europe alors qu'elle est elle-même un empire, subjuguant des « peuples captifs » (les pays baltes par exemple) et imposant son joug aux pays d'Europe de l'Est et aux populations musulmanes d'Asie centrale soviétique. La diplomatie traditionnelle ne semble pas pouvoir être utilisée avec les pays communistes qui affichent leur volonté renverser l'ordre établi. Dans cette analyse, la résistance aux ambitions mondiales de Moscou et des communistes est menée par les États-Unis qui créent une « *pax americana* » entre alliés (construction européenne, rapprochement entre le Japon et ses anciennes victimes), pour les protéger de l'ennemi soviétique.

Pour le monde communiste, la guerre froide existe depuis la révolution bolchevique de 1917. Selon cette lecture, les classes possédantes n'ont jamais accepté la naissance d'un État communiste et ont tout fait pour l'anéantir. En Allemagne, elles ont utilisé Hitler contre l'Union soviétique. Après 1945, inquiètes des aspirations des peuples et des succès de l'Union soviétique, ces classes utilisent le militarisme et l'anti-communisme le plus primaire pour mettre au pas les travailleurs dans leur pays et généraliser partout un capitalisme à leur profit. Surtout, en faisant du camp communiste un ennemi, elles justifient la préservation (pour les Britanniques et les Français) et l'extension (pour les Américains) de leurs empires. Elles relèvent et réarment les anciens ennemis de l'Union soviétique, l'Allemagne et le Japon, et mènent une guerre économique permanente pour asphyxier le camp communiste. Plus la corrélation des forces leur est défavorable, notamment lors des crises économiques (dans les années 1930, dans les années 1970), plus elles sont agressives. Pour Moscou, les États-Unis n'ont jamais accepté le statut de parité de l'Union soviétique, et n'ont jamais cessé d'affirmer leur hégémonie. Dans cette analyse, la guerre froide est avant tout le produit des ambitions mondiales des États-Unis qui veulent changer le monde à leur image et à leur profit.

À côté du débat sur le « qui », existe aussi un débat sur le « quoi ». La fracture de la Grande Alliance de la Seconde Guerre mondiale, dont Staline et Roosevelt voulaient la préservation, était-elle inévitable ?

Premièrement, la guerre froide serait un produit naturel de la bipolarité du système international après 1945. Les deux superpuissances sont maîtresses du jeu, ce qui pousse tous les États à choisir leur camp. Mais en même temps, elles ont intérêt à préserver ce jeu qui les avantage, en se reconnaissant mutuellement des zones d'influence et en contrôlant leur rivalité pour qu'elle ne dégénère pas : il y eut, d'une certaine manière un « concert » des deux Grands, symbolisé par les « sommets » à deux des années 1970 et 1980, comme il y avait eu un concert des grandes puissances avant 1914.

Tableau 3.1 Les grands « sommets » américano-soviétiques

1972	Sommet Nixon-Brejnev à Moscou, le premier des grands sommets.
1979	Sommet Carter-Brejnev à Vienne, signature d'un deuxième traité de limitation des armements (SALT 2), jamais ratifié par les États-Unis.
1985	Sommet Reagan-Gorbatchev à Genève, après une interruption de plus de cinq ans.
1987	Sommet Reagan-Gorbatchev à Washington, signature du premier traité de désarmement.
1989	Sommet Bush-Gorbatchev à Malte, dernier sommet de la guerre froide.

Deuxièmement, les deux Grands se trouvent devant un vide de puissance en 1945, avec la ruine de l'Europe et celle de l'Asie. C'est pourquoi, par exemple, les États-Unis aident l'Europe de l'Ouest et le Japon à se relever, pour éviter que les communistes profitent du désordre et pour « équilibrer » la puissance soviétique. Ensuite, avec la décolonisation, apparaissent d'autres théâtres potentiels de rivalité, en Asie, au Moyen-Orient ou en Afrique. Les Américains remplacent notamment l'empire britannique pour contenir l'empire russe sur les marges de l'Eurasie, par exemple au Moyen-Orient. Partout, il faut préventivement **combler un vide de pouvoir**, avant que l'autre camp ne le fasse, et soutenir les forces politiques qui empêchent un pays de basculer dans l'autre camp.▸

▶ Voir carte p. 46.

Enfin, chaque superpuissance (ainsi que ses alliés) est certaine des intentions hostiles de l'autre, ennemi absolu, qui ne veut pas moins qu'éradiquer son système politique et social. Révolutionnaires et contre-révolutionnaires en Amérique latine craignent la domination et la violence de leurs adversaires. Les guerres civiles sont internationalisées. Le dilemme de sécurité n'est plus un dilemme : il faut toujours se préparer au pire et interpréter chaque action de l'ennemi comme part d'un grand plan de domination mondiale. Les faiblesses et contestations internes ne peuvent qu'être manipulées par l'ennemi. La guerre froide est née de la paranoïa et l'a entretenue, parce qu'elle avait des raisons d'être.

2. Les multiples facettes de la guerre froide

La guerre froide, loin d'être une guerre classique, est une réalité qui a touché le monde entier et dans tous les domaines. La plupart des conflits sont lus à travers ce prisme : c'est le cas pour la décolonisation du Congo belge à partir de 1960, ou pour la guerre indo-pakistanaise de 1971. Des pays sont divisés en deux États par la guerre froide, l'Allemagne de 1949 à 1990, la Corée et la Chine encore aujourd'hui, le Vietnam de 1954 à 1975, et le Yémen de 1967 à 1990. Les choix économiques sont souvent liés à des logiques stratégiques, comme par exemple le redressement économique du Japon facilité par l'ouverture du marché américain aux produis japonais. La recherche scientifique est, pour une bonne part, financée en fonction des oppositions issues de la guerre froide. Le monde intellectuel est marqué par les rivalités idéologiques.

Pourtant, ce n'est pas une guerre totale mobilisant en profondeur les protagonistes, sauf exceptionnellement (la Corée du Nord ou la République du Vietnam communiste durant leurs guerres). La part des dépenses militaires dans les PNB était forte, sans doute 20 % en URSS en 1980, de même en Corée du Sud dans les années 1960, entre 5 et 8 % aux États-Unis selon les périodes. La course aux armements concerne surtout Américains et Soviétiques.

Équilibre de la terreur ou terreur du déséquilibre ?

D'un côté, la vulnérabilité mutuelle aux frappes nucléaires est un facteur de stabilité entre les deux Grands (équilibre de la terreur). De l'autre, la course aux armements nucléaires ne cesse jamais. Dans le domaine nucléaire, c'est une course à la puissance des bombes (le maximum étant un essai soviétique de 1961 d'une bombe 4 000 fois plus puissante que celle d'Hiroshima), course à la distance de projection (avec les missiles intercontinentaux), course à la précision des frappes, course à l'invulnérabilité (sous-marins lanceurs d'engins et missiles mobiles pour assurer une seconde frappe invulnérable, recherche de boucliers et armes anti-missiles), course au nombre (avec un pic de 32 000 têtes nucléaires pour les États-Unis au milieu des années 1960, et de 45 000 pour l'URSS au milieu des années 1980), qui résulte de la multiplication des cibles visées. La sécurité ne semble pouvoir être assurée que par la supériorité, et toute infériorité, présente ou future, en quantité ou en qualité, est source d'inquiétude (terreur du déséquilibre).

Comme dans toutes les rivalités, il y eut une course aux alliances. Les Américains sont touchés par une « pactomanie » (multiplication des alliances et pactes) dans les années 1950, et les Soviétiques par une fièvre de traités d'amitié et de coopération dans les années 1970. Les changements d'alliance sont rares, mais possibles : la Chine, alliée de l'URSS en 1950, devient quasi-alliée des États-Unis en 1978. L'Égypte abandonne l'Union soviétique dans les années 1970 pour se tourner vers les États-Unis. Favorisée par les alliances, la guerre froide se traduit par une course aux bases militaires à travers le monde, initiée par les États-Unis dès 1945. En 1989, ces derniers possèdent 16 000 bases dans le monde et stationnent près de 400 000 hommes dans plus de trente pays.

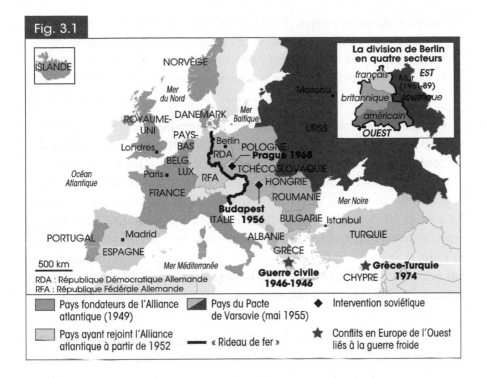

Fig. 3.1

La division de Berlin en quatre secteurs

RDA : République Démocratique Allemande
RFA : République Fédérale Allemande

- Pays fondateurs de l'Alliance atlantique (1949)
- Pays ayant rejoint l'Alliance atlantique à partir de 1952
- Pays du Pacte de Varsovie (mai 1955)
- « Rideau de fer »
- Intervention soviétique
- Conflits en Europe de l'Ouest liés à la guerre froide

FOCUS Les dilemmes des alliances

Les États-Unis craignent à la fois d'être entraînés dans une guerre par un petit allié (« *fear of entrapment* »), et d'être abandonnés par lui s'ils entrent en guerre (« *fear of abandonment* »). Ils doivent donc empêcher leurs alliés de se lancer dans des aventures militaires (la Corée du Sud par exemple qui voudrait réunifier la Péninsule), se montrer crédibles à leurs yeux (ce qui les amène à se battre pour l'allié sud-vietnamien) mais pas trop agressifs (par exemple les Britanniques s'affolent en 1950-51 de la possibilité que les États-Unis bombardent la Chine avec l'arme nucléaire durant la guerre de Corée). Ils regrettent de payer cher pour la défense de leurs alliés et demandent un « partage du fardeau » (« *burden sharing* »), pour éviter une attitude de « passager clandestin » (comme le Japon qui ne dépense qu'un pour cent de son PNB pour la défense, est protégé par les États-Unis, et devient pour eux un concurrent commercial redoutable). En même temps ils ne veulent pas que leurs alliés aient trop d'autonomie militaire et stratégique. Les petits alliés, eux, craignent aussi d'être abandonnés en cas d'attaque soviétique (les Américains sacrifieraient-ils Chicago aux tirs nucléaires soviétiques pour sauver Hambourg d'une attaque terrestre de l'Armée rouge ?) ou d'être entraînés dans une guerre américaine. Ils veulent toujours plus de garanties américaines, mais sans provoquer l'adversaire.

Comme dans toutes les guerres, chaque camp essaie d'affaiblir l'autre. Par des opérations clandestines, Américains et Britanniques tentent de soutenir des guérillas antisoviétiques et anticommunistes dans les pays baltes et en Albanie au début de la guerre froide, puis la CIA œuvre depuis Taïwan et au Tibet aux marges de la Chine communiste dans les années 1950. Soviétiques, Allemands de l'Est, Chinois, Cubains ou Nord-Coréens aident les mouvements révolutionnaires à travers le monde, et l'Ouest soutient les régimes qui les combattent, notamment par la contre-insurrection. À la fin de la guerre froide, l'Ouest aide également des insurgés anticommunistes au Nicaragua, en Afghanistan ou en Angola.

Dans les années 1950 et 1980, l'Union soviétique cherche à séparer les « peuples » à l'Ouest de leurs dirigeants, par des campagnes pacifistes, critiquant le militarisme de l'OTAN. Les sociétés ouvertes occidentales sont vulnérables et donc promptes à voir la main de Moscou dans les troubles sociaux, raciaux ou coloniaux, tandis que la propagande occidentale a du mal à traverser le rideau de fer où la surveillance est impitoyable. Moscou et Pékin essaient de tendre la main aux Européens pour qu'ils prennent leurs distances vis-à-vis des Américains. Par une politique de « différenciation », les Occidentaux s'efforcent de jouer des spécificités nationales des pays d'Europe de l'Est pour distendre le bloc soviétique.

Une « longue paix » trompeuse

S'il n'y a pas de guerre majeure entre grandes puissances durant la guerre froide, la violence est omniprésente. Premièrement, le monde vit avec le risque bien réel d'une guerre nucléaire. Les plans de guerre américains, connus aujourd'hui, tablent sur des dizaines de millions de morts dans chaque camp. Deuxièmement, la paix à l'Ouest est obtenue par l'acceptation de la domination totalitaire de Berlin à Hanoï. Les régimes communistes utilisent la menace extérieure pour justifier la privation des libertés individuelles, des purges massives, des enfermements dans des camps, voire des massacres de masse (comme dans le Cambodge des Khmers rouges, où un tiers de la population a péri entre 1975 et 1978). Troisièmement, l'Ouest accepte, voire encourage des répressions menées en invoquant la menace communiste, comme en Indonésie en 1965-66 (plus de 500 000 morts), ou en Amérique centrale dans les années 1980. Enfin, la guerre froide est souvent chaude. Des guerres terribles ont lieu pour faire barrière au communisme, en Corée (1950-1953) et dans la péninsule indochinoise (1946-1973). L'Union soviétique envahit l'Afghanistan en 1979, plongeant le pays dans un cycle de guerres qui dure encore.

3. La chronologie des événements

Il faut se garder de considérer la période de la guerre froide comme un ensemble uniforme. Il y eut des ambiances différentes selon les périodes.

■ Des tensions à la rupture (1947-1947)

Les tensions à l'intérieur de la Grande Alliance mènent progressivement à une rupture, en 1947. Les vainqueurs de la Seconde Guerre mondiale ne parviennent pas à se mettre d'accord ni sur l'Allemagne (occupée conjointement par l'Union soviétique, les États-Unis, le Royaume-Uni, et la France), ni sur la Corée (occupée conjointement par les Soviétiques et les Américains), ni sur l'avenir de l'arme nucléaire. Staline accepte mal que les États-Unis aient le monopole de la bombe et de l'occupation du Japon. L'occupation soviétique en Europe de l'Est se mue vite en soviétisation. Dès 1946, Churchill parle d'un **rideau de fer** tombé sur l'Europe. Les Britanniques, épuisés, passent la main aux Américains pour aider la monarchie grecque qui fait face à la guérilla communiste ainsi que la Turquie qui subit les pressions soviétiques. En mars 1947, le président Truman habille ce soutien en combat mondial pour la liberté. Il existera donc une tentation américaine de s'engager partout où la liberté semble menacée. Mais il existe une approche de l'endiguement (« *containment* ») qui est plus géopolitique qu'universelle, en s'appuyant sur des « points forts ». En juin, Washington lance le plan Marshall qui vise à reconstruire l'Europe occidentale, pour équilibrer l'Union soviétique en Eurasie. Il faut relever l'Allemagne, mais aussi le Japon à l'autre bout de l'Eurasie.

> **Le saviez-vous ?**
> L'expression « **rideau de fer** » est issue du discours prononcé par Churchill à Fulton (USA) le 5 mars 1946 : « De Stettin sur la Baltique à Trieste sur l'Adriatique, un rideau de fer s'est abattu sur le continent. »

■ De l'apparente stabilisation européenne à l'escalade (1948-1950)

Staline lance le blocus de Berlin, aussi occupée à quatre, pour empêcher ce redressement de l'Allemagne. Mais la République fédérale d'Allemagne (RFA) naît bien en mai 1949. Avant sa création, le traité de l'Atlantique Nord est signé le 4 avril. Les Américains signent donc, contrairement à leurs traditions, un traité en temps de paix. Il faut rassurer les Européens face à l'Union soviétique, mais aussi face à une possible résurgence de la puissance allemande. Une République démocratique allemande (RDA, la zone soviétique) naît en octobre. En 1948, deux États coréens sont créés : communiste au Nord, et anticommuniste au Sud.

Les États-Unis ont l'impression d'avoir stabilisé l'Europe occidentale. Mais trois événements vont changer la guerre froide, en la militarisant et en la radicalisant :

- le premier essai nucléaire soviétique (août 1949) ;
- la victoire du communiste Mao Zedong dans une Chine de 450 millions d'habitants (octobre 1949) ;
- et l'attaque de la Corée du Nord contre la Corée du Sud (juin 1950).

■ Le pic de tension (1950-1953)

Les États-Unis mobilisent l'ONU pour sauver la Corée, mais provoquent l'intervention de la Chine. En même temps, ils craignent que l'Union soviétique n'en profite pour attaquer en Europe. Ils poussent au réarmement allemand, ce qui inquiète les Soviétiques, mais divise aussi les Français. Ils transforment l'OTAN en organisation formelle et institutionnalisée et signent des alliances bilatérales en Asie, notamment avec le Japon, la Corée du Sud et Taïwan, où ils décident de protéger le régime nationaliste qui a fui la Chine.

■ Deux blocs en Europe, extensions de la guerre froide dans le tiers-monde (1953-1956)

La mort de Staline en mars 1953 clôt cette période dramatique de la guerre froide. Les guerres asiatiques prennent fin en Corée (1953) et en Indochine (1954), l'Allemagne rentre dans l'OTAN (1955) et les Soviétiques instituent la même année le pacte de Varsovie avec leurs satellites est-européens. Les lignes ne bougeront plus en Europe entre les deux

Le saviez-vous ?

Il n'y a toujours pas de traité de paix entre la Russie et le Japon depuis 1945. Le Japon a signé un traité avec ses anciens adversaires en 1951 à San Francisco, puis avec la Chine communiste en 1978. Un problème majeur est l'annexion par l'URSS des îles Kouriles.

camps, surtout après la construction du mur de Berlin par la RDA en 1961. Les discussions entre Ouest et Est reprennent et la guerre froide se joue davantage désormais dans les nouveaux pays du tiers-monde.

■ La radicalisation révolutionnaire du Sud dans les années 1960

Avec la révolution cubaine en 1959, la guerre froide semble s'étendre en Amérique latine. En installant des missiles sur l'île en 1962, Moscou provoque une crise avec les États-Unis. Les missiles sont enlevés, malgré la volonté de Castro de les utiliser, et en échange de concessions américaines. Le monde est passé près d'un affrontement nucléaire, même si aucun des deux Grands ne le souhaitait. Une ligne directe est installée entre la Maison-Blanche et le Kremlin, pour mieux communiquer, et des discussions commencent pour limiter la prolifération nucléaire. Mais une vague révolutionnaire semble emporter le monde. Dans les pays du tiers-monde, la Chine de Mao pousse à la radicalisation, de même que l'Algérie, ou Cuba. Les États-Unis répondent par des programmes d'aide et de modernisation économique (Kennedy en Amérique latine), le soutien aux coups d'État militaire, et à des États clés (Israël et l'Arabie Saoudite au Moyen-Orient), et surtout par l'escalade militaire (au Vietnam à partir de 1965). Mais les États-Unis sont entraînés dans une profonde crise interne, sociale, raciale et morale, tandis que 1968 est une année durant laquelle l'Ouest fait aussi face à une poussée d'extrême gauche et de fortes mobilisations.

■ Détente Est-Ouest et rivalités au Sud (années 1970)

L'Ouest entre en crise économique au début des années 1970. Les États-Unis doivent se retirer du Vietnam en 1973. La détente américano-soviétique semble un moyen de stabiliser le jeu international, mais les Soviétiques profitent des difficultés américaines pour avancer leurs pions dans le monde, notamment en Afrique australe et de l'Est et au Vietnam. Les États-Unis trouvent des points d'appui pour ne pas porter seul le fardeau de l'endiguement anticommuniste : ils se rapprochent de la Chine, misent sur les dictatures en Amérique latine, s'appuient sur la France en Afrique, et sur les piliers iranien et saoudien pour tenir le golfe arabo-persique après le retrait britannique de la région. La détente Est-Ouest a lieu en Europe aussi, marquée notamment par le rapprochement entre les deux Allemagne, et la multiplication des contacts à travers le rideau de fer : l'ordre européen de guerre froide semble devoir durer.

■ La «guerre fraîche»: le retour aux tensions (1979-1984)

Les Européens, qui craignent une guerre Est-Ouest limitée sur le continent, s'inquiètent donc du nouveau durcissement de la guerre froide, qu'ils attribuent aux Soviétiques, lesquels continuent leurs efforts d'armement et envahissent l'Afghanistan. Moscou accuse les «forces antisoviétiques» de miner la détente: le complexe militaro-industriel américain et les croisés de l'anticommunisme (notamment le président Reagan et son entourage aux États-Unis), mais aussi une Chine devenue quasi-alliée des États-Unis, qui s'ouvre au monde et se réforme économiquement, et qui mène en 1979 une brève guerre contre le Vietnam allié de Moscou. Les années 1980-1984 sont glaciales. 1983 fut sans doute l'année la plus tendue de la guerre froide, avec 1951.

■ La fin de la guerre froide (1985-1990)

Le saviez-vous ?

Le seul pays communiste européen où le régime a chuté dans le sang est la **Roumanie**. Plusieurs régimes ont pourtant été tentés par une solution « à la chinoise », Pékin ayant réprimé les manifestations du printemps 1989, notamment place Tiananmen.

L'arrivée de Gorbatchev au pouvoir à Moscou en 1985, ainsi que l'évolution de Reagan, changent la donne. Le premier cherche à réformer son pays et a donc besoin d'améliorer les relations avec les États-Unis. La détente revient, mais avec désormais des accords de désarmement et le règlement de certains conflits régionaux. Union soviétique et Chine se rapprochent, tandis que les États-Unis considèrent désormais le Japon comme une menace économique. En 1989, les régimes communistes d'Europe tombent les uns après les autres, pendant que la Chine joue la carte de la répression. Gorbatchev choisit la non-intervention, même quand le mur de Berlin est ouvert en novembre. L'Union soviétique, en pleine crise interne, doit accepter l'absorption de la RDA par la RFA en 1990. Elle-même disparaît sans violence en 1991, remplacée par quinze États, alors que la guerre froide est déjà terminée. Malgré leurs propres difficultés économiques, les États-Unis sont certains de l'avoir emporté: le modèle soviétique n'existe plus, l'OTAN est préservée, et ils ont gagné la guerre en 1991 contre l'Irak, après l'invasion du Koweit par les troupes de Saddam Hussein. Ils n'ont plus d'ennemi, mais ont toujours un empire.

Fig. 3.2   La guerre froide globale

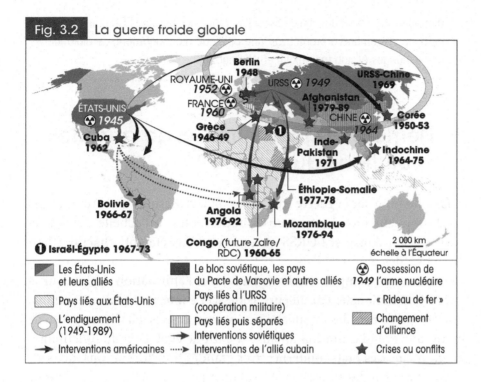

FOCUS   Les leçons de la fin de la guerre froide

Interpréter la manière dont a fini la guerre froide conduit à promouvoir des politiques qui doivent permettre de répéter l'histoire.

1. Penser que la politique agressive de Reagan I (1980-1984) a mis l'URSS à genoux, amène à promouvoir le «refoulement» (le «*roll back*») par les sanctions économiques, l'offensive idéologique et l'utilisation de l'outil militaire (vision des néoconservateurs américains).

2. Penser que la patience stratégique de l'endiguement, en préservant les pôles de puissances européen et asiatique hors de l'influence soviétique, et en ne négociant qu'en position de force (Reagan II, 1984-1988), a mené l'URSS à jeter l'éponge, amène à promouvoir une politique d'équilibre, sans aventures militaires ni dépenses excessives (vision des réalistes américains).

3. Penser que les contacts humains et les échanges commerciaux, permettant de montrer les succès occidentaux, de «socialiser» les élites de l'Est, et de gagner les cœurs (par la culture populaire occidentale), ont amené la dissolution du communisme à l'Est et l'attirance des pays de l'Est pour l'Union européenne, amène à promouvoir une politique d'engagement, de dialogue, et d'échanges (vision majoritaire en Allemagne).

II. Derrière la guerre froide, de grandes évolutions du monde ?

La focalisation sur la guerre froide ne doit pas masquer d'autres grandes évolutions du monde, tout aussi importantes, à l'échelle des XXe et XXIe siècles. Ainsi, si l'URSS et les États-Unis étaient, chacun à leur manière, des empires, l'après-1945 marque surtout la fin des empires coloniaux, le triomphe des États-nations et l'affirmation du Sud sur la scène internationale. Par ailleurs, cette scène internationale a été transformée par le rôle des organisations internationales, par l'émergence de nouveaux agendas internationaux, et par une évolution du fonctionnement même des États modernes. Ces grandes transformations, qui s'affirment à partir des années 1970, expliquent pourquoi l'Union soviétique et la guerre froide ont paru obsolètes et ont disparu.

1. La dimension Nord-Sud des relations internationales après 1945

Alors que 51 États sont membres fondateurs des Nations unies, l'Organisation en compte 159 lorsque la guerre froide prend fin. Le processus de décolonisation a marqué les années 1945-1975.

Il commence en Asie dès la fin de la Seconde Guerre mondiale, et se transforme en vague de fond en Afrique dans les années 1960. C'est à la fin des années 1950 qu'il est perçu comme un mouvement historique irréversible. Pourtant, les métropoles ont essayé de construire de grands ensembles multiraciaux (Union puis Communauté française, Commonwealth britannique), qui devaient éviter que les nouveaux nationalismes mènent à des guerres régionales, mais qui devaient surtout leur permettre de renforcer leur puissance face aux deux Grands. Le colonialisme est officiellement condamné par l'ONU en 1960.

Le processus est souvent **violent**. Les Français mènent de véritables guerres (Indochine, Algérie, mais aussi Cameroun) ; c'est également le cas pour les Néerlandais (en Indonésie), les Belges (Congo), les Britanniques (du Kenya à la Malaisie en passant par Chypre ou Oman), et les Portugais (Angola et Mozambique). Il existe une solidarité anticommuniste dans ces guerres (solidarité franco-américaine en Indochine), et parfois raciale (solidarité blanche en Afrique à l'égard des Portugais ou des blancs d'Afrique du Sud). La solidarité joue aussi entre mouvements de libération nationale : l'Algérie bénéficie de cette solidarité et se montre ensuite solidaire d'autres mouvements. Les luttes des Palestiniens et la lutte contre l'apartheid mobilisent dans le monde entier. Celle des noirs américains semble liée à cette cause de l'émancipation raciale globale. Même lorsque le départ des colonisateurs est négocié, des situations conflictuelles perdurent, parfois jusqu'à nos jours, qu'il s'agisse du Nigeria, du Soudan, de la Palestine, du Cachemire ou du Timor oriental.

Les élites nationalistes, pour la plupart issues des écoles des colonisateurs, importent les modèles de construction d'État et de nation, souvent en y voyant un moyen de contrôle des populations, et parfois d'accumulation de pouvoir et de richesses. Les liens de clientélisme et d'exploitation sont maintenus par la métropole, surtout en Afrique française ; fixés par les élites à Paris et en Afrique, ils donnent lieu à des accusations de « néocolonialisme ». À partir des années 1970, le discours anti-impérialiste dans le monde musulman n'est plus porté par le nationalisme (notamment arabe) mais par l'islamisme politique (notamment en 1979 avec la révolution islamique en Iran) qui critique les élites occidentalisées issues de la décolonisation et leurs échecs, ainsi que la domination des puissances occidentales.

> **Le saviez-vous ?**
> L'Organisation de l'unité africaine (OUA), réunie au Caire en 1964, proclame « l'intangibilité » des frontières en Afrique. Ce principe « déclare solennellement que tous les États membres s'engagent à respecter les frontières existant au moment où ils ont accédé à l'indépendance ». La plupart des tentatives de sécession ont échoué (Katanga au Congo, Biafra au Nigéria…), jusqu'à la naissance de l'Érythrée, qui fait sécession de l'Éthiopie (1993), et du Soudan du Sud (2011).

Ces nouveaux États revendiquent l'application de la Charte des Nations unies, et donc le respect de leur souveraineté. Pour exister sur la scène internationale, la conférence afro-asiatique de **Bandung** (1955) a été la première grande conférence sans puissance blanche. Elle reste un symbole d'émancipation. Mais la Chine a tenté de radicaliser l'afro-asiatisme, avec une connotation raciale et un agenda révolutionnaire. C'est donc le mouvement des non-alignés, plus modéré, lancé en 1961 par la Yougoslavie, l'Inde et l'Égypte, qui a semblé être la voix du Sud.

L'objectif est de peser dans le monde, mais aussi d'éviter d'être entraîné dans la guerre froide, qui absorberait des ressources

▶ Voir chapitre 11.

Le saviez-vous ?

Une seconde **conférence de Bandung** était prévue en 1965 à Alger, à l'initiative du gouvernement Chinois, pour critiquer l'impérialisme occidental et soviétique, et la modération de l'Inde. Elle a été annulée au dernier moment, à cause notamment du coup d'État Boumediène contre Ben Bella en Algérie.

indispensables au développement. Pourtant, la plupart des pays du Sud jouent du clientélisme avec un Grand, voire profitent de la compétition entre les puissances (ainsi de l'Inde). Les clients manipulent souvent leur patron, pour obtenir plus d'aide et d'armes : ainsi la Syrie à l'égard de l'URSS ou Israël à l'égard des États-Unis. En fait les deux Grands ont une vision assez similaire de la modernisation (comprise comme alphabétisation, industrialisation, urbanisation…) et du développement, au-delà de leur rivalité. Cette idéologie du développement, alors partagée dans le monde entier, bénéficie des ressources de l'aide au développement, des rentes stratégiques, de l'abondance des capitaux et du prix élevé des matières premières dans les années 1970. En effet, les élites nationales affirment alors leur souveraineté sur leurs ressources naturelles par des nationalisations massives qui leur permettent de contrôler les prix (par exemple, ceux du pétrole à travers le cartel de l'OPEP).▶

Définitions

> L'expression « **tiers-monde** », inventée par le démographe Alfred Sauvy en 1952, sur le modèle du Tiers État en France au XVIIIe siècle, désigne les 80 % d'individus qui ne sont ni de l'Ouest capitaliste, ni de l'Est communiste, et qui cherchent à exister dans les relations internationales.

> L'expression « **pays sous-développés** », devenue « pays en voie de développement » à la fin des années 1960, fait référence d'une part à des critères économiques, d'autre part à un sens de l'histoire vers le développement.

> L'expression « **Sud** » s'affirme dans les années 1970, afin de décrire à la fois la confrontation et le dialogue Nord-Sud pour fixer les règles de l'ordre économique international. Rapidement, on parle de « **Suds** », les situations étant variées entre les pays les plus pauvres d'Afrique sahélienne et les « nouveaux pays industrialisés » d'Asie orientale (Corée du Sud, Taïwan, Singapour).

Durant ces années 1970, alors que s'estompent les dénonciations chinoises à l'encontre de l'impérialisme conjoint des Américains et des Soviétiques, les pays du Sud demandent un nouvel ordre international (NOEI) parce que la division internationale du travail semble les contraindre à n'être que des exportateurs de matières premières. Pourtant, c'est durant les années 1950-1973 que les pays de la « périphérie » (Sud et Est) connaissent les plus forts taux de croissance industrielle de leur histoire en misant sur le protectionnisme et l'impulsion des États, par des politiques d'industrialisation en substitution aux importations.

Ces efforts pour changer les règles du jeu (voire pour se «déconnecter» du système capitaliste) échouent pourtant, malgré la bonne volonté d'une partie de la gauche des pays capitalistes.

Au contraire, les pays du Sud et de l'Est rentrent eux aussi dans une période de difficultés économiques, sauf ceux qui misent sur des stratégies d'exportation et l'ouverture aux investissements, à savoir les nouveaux pays industrialisés (NPI) d'Asie (Corée du Sud, Taïwan, Singapour…) alliés des États-Unis. De plus, les élites du Nord, appuyées sur un néolibéralisme en plein essor, s'efforcent de contrer les revendications du Nouvel ordre économique international (NOEI) et de contraindre tous les pays à accepter les méthodes des institutions financières internationales (FMI, Banque mondiale), à savoir l'ouverture des marchés, la limitation des dépenses de l'État et les privatisations. Ces procédés peuvent être d'autant mieux imposés que l'Est et le Sud sont pris dans une crise de la dette, liée à l'augmentation des taux d'intérêts à partir de 1979, mais surtout à l'épuisement des rentes (baisse du prix des matières premières dans les années 1980, et des aides stratégiques avec le déclin de la guerre froide). Enfin le mouvement des non-alignés est en crise, à cause des rivalités entre pays du Sud (Algérie-Maroc, Irak-Iran, Vietnam-Cambodge…), mais aussi à cause de l'essai de récupération du mouvement par l'Union soviétique, alors même que celle-ci, en envahissant l'Afghanistan, se prive du soutien de nombre de pays du Sud.

Ainsi, d'une certaine manière, le Sud est vaincu avant l'Est dans la guerre froide. Mais l'Est, à savoir l'Union soviétique et les pays de l'Est européen se trouve aussi asphyxié par ses modèles économiques inefficaces et son endettement. C'est pour cela qu'il se tourne vers l'Europe de l'Ouest, tandis que la Chine de Deng Xiaoping a su se réformer à temps, après 1978, en prenant pour modèle le Japon et les NPI. L'objectif devient alors de se « reconnecter » au centre du système capitaliste.

> **Le saviez-vous ?**
> Il y eut deux chocs pétroliers : en 1973 (lié à la guerre du Kippour/ d'Octobre) et en 1979 (lié à la révolution en Iran et à la guerre Irak-Iran), avec une très forte augmentation du prix du pétrole. Ce sont les pays pauvres non-pétroliers qui en ont le plus souffert. Il y eut ensuite un contre-choc pétrolier en 1985, l'Arabie saoudite augmentant sa production. La baisse des prix a pénalisé l'URSS, mais aussi un pays comme l'Algérie dont elle a précipité la crise.

2. Les évolutions de la société internationale

Les règles du jeu établies en 1944-45, au temps de la Grande Alliance, subissent les conséquences de la guerre froide. Dans les dix premières années de l'après-guerre, le Conseil de sécurité des Nations unies ne peut pas fonctionner, car les Soviétiques mettent fréquemment leur veto. France et Royaume-Uni l'utilisent aussi sur les questions coloniales. À partir des années 1960, l'Assemblée générale est bien plus favorable à l'URSS, avec l'entrée de dizaines de pays du Sud. Les Américains commencent à utiliser leur veto à partir des années 1970, surtout pour défendre Israël. Leur intérêt pour l'ONU diminue et ils quittent même l'UNESCO en 1984. Les organisations internationales sont le lieu de rivalité entre les deux camps, pour rallier des pays du Sud dont les voix sont parfois achetées par des promesses d'aide ou de prêts. Néanmoins, il y a parfois des collaborations, notamment dans le domaine sanitaire pour éradiquer des épidémies.

De même, si l'ONU semble pro-américaine lors de la guerre de Corée ou de son intervention musclée au Congo au début des années 1960, elle met en place les premières opérations de maintien de la paix, en se positionnant entre les belligérants, par exemple au Proche-Orient (à partir de 1956) et à Chypre (à partir de 1964). Une vraie collaboration entre les deux Grands au Conseil de sécurité n'intervient qu'à la fin des années 1980, pour mettre un terme à la guerre Irak-Iran, commencée en 1980, et surtout pour expulser l'Irak du Koweït en 1990. Enfin, les deux Grands impulsent un traité de non-prolifération (TNP) signé en 1968.

Le traité de non-prolifération (1968)

Il distingue les États dotés en 1968 de l'arme nucléaire : États-Unis (bombe en 1945), URSS (1949), Royaume-Uni (1952), France (1960), Chine (1964), à savoir les membres permanents du Conseil de sécurité de l'ONU. Ceux-ci s'engagent à faciliter l'accession des États non dotés à la technologie nucléaire pour un usage civil pacifique, mais aussi à s'orienter vers leur propre désarmement, ce qu'ils ne mettront pas en œuvre. Les autres pays s'engagent à ne pas chercher à obtenir des technologies nucléaires à usage militaire. La France et la Chine ne ratifient le TNP qu'en 1992, craignant que les deux Grands ne leur imposent des contraintes. Quelques États ne signent pas ce traité qui semble discriminatoire (Inde et Pakistan notamment). Les États-Unis ne font que des efforts modérés pour empêcher certains de leurs alliés d'acquérir la bombe (Israël, Pakistan, Afrique du Sud), mais font pression sur d'autres alliés (Allemagne, Corée du Sud, Taïwan) qui renoncent à l'obtenir. La Corée du Nord se retire du TNP en 2003.

L'affrontement de la guerre froide masque la constitution d'un espace pacifique, démocratique et prospère, qui s'étend vers l'Est avec la chute des régimes communistes en 1989. Les anciennes puissances expansionnistes, l'Allemagne, l'Italie et le Japon, deviennent rapidement des démocraties pacifiques. La réconciliation franco-allemande, dès les années 1950, et la coopération-intégration européenne, lancée en 1950 par le plan Schuman puis par la création de la Communauté économique européenne (CEE) en 1957, transforment l'Europe des guerres en une Europe où la guerre interne ne paraît plus possible, tandis que la communauté de valeurs qu'est l'OTAN protège l'Europe avec le parapluie nucléaire américain et la présence de 300 000 soldats américains. La démocratie s'étend en Europe du Sud au milieu des années 1970 (fin des dictatures en Espagne, au Portugal et en Grèce), ouvrant leur adhésion à la CEE dans les années 1980. Le Japon signe un traité de paix avec ses voisins (hormis l'URSS et, avant 1978, la Chine communiste) et semble contrôlé par les États-Unis, qui l'encouragent à reprendre les relations commerciales en Asie du Sud-Est. Washington voit également avec faveur la création de l'Association des États du Sud-Est asiatique en 1967, qui accepte de respecter la souveraineté de chaque membre et qui résiste à l'expansion communiste.

Sous impulsion franco-allemande, le G7 est créé au milieu des années 1970 pour coordonner l'action des États les plus industrialisés face à la crise, mais aussi face au terrorisme et à la menace soviétique. Des « rounds » de négociations dans le cadre du GATT (General Agreement on Tariffs and Trade) conduisent à une nette diminution des barrières douanières. La plupart des pays de l'Ouest connaissent une dérégulation financière dans les années 1980. La démocratie et le marché ouvert semblent les nouveaux critères de civilisation. Cet espace démocratique, pacifique et prospère est un aimant que les populations de l'Est veulent rejoindre.

> **Le saviez-vous ?**
> Au départ, il n'y avait qu'un G5 (1974) : États-Unis, Allemagne, Royaume-Uni, France, Japon. Puis ont été ajoutés l'Italie (1975) et le Canada (1976), formant ainsi le G7.

Le monde des années 1950 ressemble encore beaucoup à celui des années 1930 : il est fondé sur la verticalité des pouvoirs, sur les masses (les partis de masse) et le discours de classe, sur le culte de la nation homogène et de l'État tout-puissant et efficace. Les pays communistes en sont la caricature. C'est ce monde qui a vu naître les guerres totales, les nettoyages ethniques et les génocides, et qui permet d'imaginer une troisième guerre mondiale plus terrible encore. Or il vacille dans les années 1960-1970. Il est alors question de l'entrée dans un monde post-moderne et post-industriel, centré sur l'individu. Si des grands textes sur les droits humains ont été signés à la fin des années 1940, c'est seulement dans les années 1970 que se déploient des mobilisations transnationales en leur faveur.

FOCUS Sport, boycott et droits humains

En 1976, de nombreux pays africains boycottent les Jeux olympiques de Montréal, à cause de la participation de la Nouvelle-Zélande, dont les rugbymen ont affronté ceux d'Afrique du Sud, le pays de l'apartheid symbole du racisme anti-noir. Il y a des appels au boycott de la Coupe du monde de football de 1978, car elle se déroule en Argentine, sous dictature militaire. Les États-Unis et plusieurs de leurs alliés (mais pas la France) refusent de participer aux Jeux olympiques de Moscou de 1980, car l'URSS vient d'envahir l'Afghanistan. En représailles, l'Union soviétique et ses alliés boycottent les Jeux olympiques de Los Angeles en 1984.

> **Le saviez-vous ?**
> La première conférence sur l'environnement a lieu à Stockholm en 1972. On y trouve des diplomates, mais aussi des scientifiques et des membres d'ONG.

Aux États-Unis, les droits humains sont une arme pour combattre l'URSS, mais aussi un moyen de faire oublier les horreurs commises durant la guerre du Vietnam en revenant aux valeurs fondamentales de l'Amérique. Il est question de droits des minorités, de droits des femmes, mais aussi de lutte internationale contre la torture et l'emprisonnement politique. Le discours des pays communistes et des pays du Sud sur la primauté des droits sociaux sur les droits civils et politiques est critiqué, car il légitime la dictature à l'intérieur des frontières souveraines. Les droits humains deviennent une nouvelle idéologie, dirigée contre les États qui sont considérés coupables de toutes les horreurs du siècle et de préparer ensemble l'apocalypse nucléaire. La question environnementale émerge et l'écologie sert aux mouvements nationalistes à critiquer le communisme modernisateur de l'URSS, par exemple dans les pays baltes et en Arménie. La musique rock ou punk circule à travers le rideau de fer et devient symbole d'émancipation, sinon de révolte.

Dès lors, le discours politique en Union soviétique et en Europe de l'Est tourne à vide, car il semble appartenir à une autre époque. Les affrontements de guerre froide semblent aussi appartenir à un monde révolu, en menaçant d'atomiser la planète. Les sociétés civiles des deux côtés du rideau de fer ont de plus en plus de contacts. En conséquence, la guerre froide et les régimes communistes s'effondrent aisément, faute de soutien des peuples notamment à l'intérieur de ces régimes. Gorbatchev lui-même explique qu'il y a désormais des défis communs, l'environnement, la pauvreté, le militarisme… et des penseurs soviétiques parlent dès 1989 de « gouvernance globale ». La guerre froide prend fin parce que l'Union soviétique n'est plus adaptée aux évolutions du monde, mais aussi parce que l'agenda n'est plus à la guerre froide. La puissance n'apparaît d'ailleurs plus exclusivement militaire, mais économique, avec les succès insolents du Japon ou du petit Singapour. Pourtant, depuis les années 1990, Russes et Chinois accusent les Américains d'avoir, en réalité, grâce à leur victoire, conservé un discours et une mentalité de guerre froide pour imposer encore leur modèle, leurs ambitions mondiales et leur militarisme.

Le saviez-vous ?

En 1989, l'opinion américaine estime que la menace numéro 1 n'est pas l'URSS mais la puissance économique japonaise, qui investit aux États-Unis et rachète des entreprises américaines. Certains pensent alors que le Japon est le vrai vainqueur de la guerre froide.

À RETENIR

- La guerre froide est un affrontement entre puissances et entre idéologies, qui a eu des répercussions mondiales. Elle a duré plus de quarante ans alternant des périodes de tensions et de détente. Elle ne se réduit pas à un affrontement Est-Ouest, puisqu'il y eut également des rivalités sino-américaine et sino-soviétique.

- La guerre froide n'a pas donné lieu à un affrontement général entre grandes puissances, mais son coût financier (les dépenses d'armement) et humain (conflits « périphériques » liés à la guerre froide) a été très élevé.

- Les dynamiques de guerre froide n'ont pas été les seules à transformer les relations internationales. Cette période a aussi été marquée par la fin des empires coloniaux, la constitution d'un espace euro-atlantique démocratique, prospère et en paix, et l'émergence de nouveaux enjeux internationaux (le développement, les droits humains, l'environnement).

📖 POUR ALLER PLUS LOIN

DULLIN S. et JEANNESSON S., 2017, *Atlas de la guerre froide*, Paris, Autrement.

GROSSER P., 1995, *Les Temps de la guerre froide. Réflexions sur l'histoire de la guerre froide et les causes de sa fin*, Bruxelles, Éditions Complexe.

GROSSER P., 2009, *1989, l'année où le monde a basculé*, Paris, Perrin.

GROSSER P., 2017, *L'Histoire du monde se fait en Asie. Une autre histoire du xxe siècle*, Paris, Odile Jacob.

SOUTOU G.-H., 2011, *La Guerre froide, 1943-1990*, Paris, Fayard, coll. « Pluriel ».

WESTAD O., 2007, *La Guerre froide globale, le tiers-monde, les États-Unis et l'URSS (1945-1991)*, Paris, Payot.

Revues spécialisées sur la guerre froide (en anglais) :

- *Cold War History*, www.tandfonline.com/loi/fcwh20

- *Journal of Cold War Studies*, www.mitpressjournals.org/loi/jcws

Documents d'archive :

- nsarchive.gwu.edu/

- www.wilsoncenter.org/program/cold-war-international-history-project

Films

Stanley Kubrick, *Docteur Folamour*, 1964.

Tester ses connaissances

Corrigés en ligne

1. La guerre froide est :

☐ une rivalité de puissance entre États-Unis et Union Soviétique

☐ une rivalité idéologique entre capitalisme et communisme

☐ un conflit territorial entre États-Unis et Union Soviétique

2. Les États divisés par la guerre froide sont :

☐ la Corée

☐ le Soudan

☐ l'Allemagne

3. Qu'est-ce que le « partage du fardeau » ?

☐ la demande des États-Unis que leurs alliés payent davantage pour leur sécurité

☐ l'aide américaine aux pays en voie de développement

☐ les accords de limitation des armements américano-soviétiques

4. Staline meurt :

☐ l'année suivant la naissance de l'OTAN

☐ quatre ans après le premier essai nucléaire soviétique

☐ six ans avant la prise de pouvoir de Castro à Cuba

5. Gorbatchev arrive au pouvoir en Union Soviétique

☐ quatre ans avant la chute du Mur de Berlin

☐ deux ans après l'invasion de l'Afghanistan

☐ pendant le premier mandat du président américain Reagan

6. Qui a inventé le terme « Tiers-Monde » ?

☐ le roi d'Arabie saoudite lors du choc pétrolier de 1973

☐ le chef d'État indonésien lors de la conférence de Bandung en 1955

☐ le démographe Albert Sauvy en 1952

Sujets

Le système international était-il vraiment bipolaire durant la guerre froide ?

L'existence de l'arme nucléaire est-elle la seule raison pour laquelle la guerre froide est restée froide ?

Le continent européen fut-il l'enjeu majeur dans la guerre froide globale ?

Le contexte de guerre froide a-t-il facilité ou retardé la fin des empires coloniaux ?

Au vu des définitions de la guerre froide et de son histoire, peut-on dire que les années 2010 constituent entre l'Ouest et la Russie une « nouvelle guerre froide » ?

▲

Le célèbre stade national baptisé « Nid d'oiseau » est l'un des sites emblématiques des Jeux olympiques organisés à Pékin en 2008. Prouesse architecturale inspirée par l'artiste Ai Weiwei, il constitue une vitrine de la puissance chinoise. Celle-ci ne repose pas seulement sur une croissance économique, toujours forte (estimation de 6,5 % en 2017) malgré un certain tassement ces dernières années, ou l'augmentation et la modernisation de son appareil de défense. Elle comporte également une dimension culturelle et médiatique. Le XXIe siècle serait-il le siècle de la Chine ?

Depuis 1991 : une recomposition à l'œuvre

L'actuel système international est travaillé par une recomposition de sa structure, dont l'issue fait l'objet de désaccords : maintien de l'unipolarité, retour à la multipolarité voire à l'oligopolarité, essor de l'apolarité, naissance d'une nouvelle bipolarité. Ce dernier scénario correspond à l'opposition entre les États-Unis et la Chine. Si les qualifications divergent, les diagnostics sur lesquels elles reposent convergent : c'est le phénomène d'émergence qui explique la recomposition des pôles à l'œuvre.

Trois phénomènes méritent d'être soulignés au-delà de cette incertitude sur la structure du système actuel. D'abord, l'unipolarité se révèle une illusion : le moment unipolaire n'a en effet duré que quelques années après la chute du mur de Berlin. Ensuite, la critique de l'Occident n'aboutit pas à une révision pleine et entière des principes sur lesquels les relations internationales se fondent. Enfin, les transformations actuelles du système ne résultent pas d'une guerre majeure entre États mais d'une modification du poids économique de ces derniers.

I. L'unipolarité disparue

▶ Voir chapitre 3.

Contrainte réciproque :
les décisions adoptées par
l'une des superpuissances
pèsent immédiatement sur
l'autre, l'obligeant à réagir
(par exemple : la crise
de Cuba en 1962).

▶ Voir Figure 4.1.

« 2 – 1 = 1 » Ce calcul élémentaire est encore convoqué aujourd'hui chez certains analystes. La fin de l'Union soviétique aurait entraîné automatiquement l'unipolarité▶du système international (Battistella, 2010 ; Monteiro, 2014). Les deux mécanismes propres à la bipolarité, à savoir la maîtrise de l'ordre international par les deux Grands (États-Unis et Union soviétique) ainsi que la **contrainte réciproque** qui pèse sur chacun d'eux, auraient disparu au profit du vainqueur américain. Le monde serait devenu unipolaire car aucun rival ne semble en mesure de contester l'ordre établi par les États-Unis. Leur supériorité militaire demeure malgré la diminution du budget de défense américain ces dernières années▶.

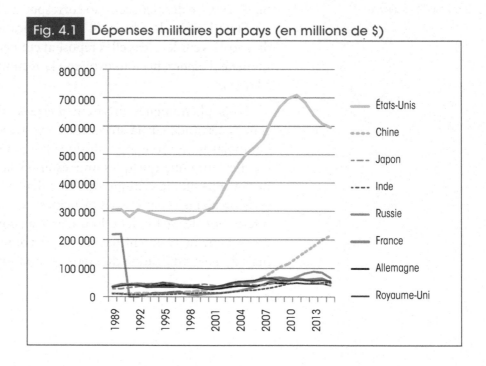

Fig. 4.1 Dépenses militaires par pays (en millions de $)

Les normes et les valeurs que portent les États-Unis conservent une attractivité majeure. Ainsi, la puissance américaine exercerait encore une hégémonie sur le système international tant par ses ressources matérielles, notamment militaires et économiques, que par la volonté des autres États d'accepter cette domination. Ce constat amène les théoriciens réalistes et libéraux ▸ à formuler un même diagnostic relatif à la primauté américaine. Cependant, ces deux courants se distinguent quant à la manière dont l'hégémonie perdure. Pour les réalistes, elle repose sur la concentration des moyens militaires (Monteiro, 2014). Pour les libéraux, elle dépend du leadership américain capable d'enrôler les autres États dans sa conception de l'ordre international (Ikenberry, 2012).

▸ Voir chapitre 1.

L'erreur de ces interprétations réside dans une confusion temporelle : l'unipolarité ne correspond pas à un état permanent depuis 1991 mais à un moment transitoire. Elle n'a duré que quelques années, aux alentours de la guerre du Golfe.

1. L'illusion stratégique

Ce qui a révélé dans un premier temps la supériorité des États-Unis, tant militaire que diplomatique, est devenu un cauchemar stratégique. En effet, l'intervention **Tempête du désert** enclenchée suite à l'invasion du Koweït par l'Irak sonne l'avènement d'un nouvel ordre international au sein duquel les États-Unis jouent un rôle déterminant. Cette opération fonctionne comme un révélateur qui confirme le changement de système international. Pour la première fois depuis la guerre du Vietnam, les États-Unis remportent une victoire militaire à la tête d'une coalition multinationale. Pour la première fois depuis 1945, l'immense fossé qui les sépare de leurs alliés en termes de capacités militaires apparaît. Pour la première fois depuis leur création, les Nations unies semblent vivre une véritable phase de reconnaissance et de légitimité grâce au leadership exercé par Washington. Non seulement cette guerre émancipe les États-Unis des contraintes inhérentes à la bipolarité puisque l'URSS ne soutient pas l'Irak (elle n'en a ni les capacités, ni l'intention), mais elle ouvre une ère dans laquelle l'unipolarité apparaît comme la clé de voûte d'une ONU renouvelée et plus robuste. Mais son succès dans la guerre du Golfe apparaît progressivement comme une illusion.

Cette liberté d'action recouvrée par les États-Unis est limitée et de courte durée. Plusieurs éléments scellent progressivement la fin d'un multilatéralisme à la fois redoré et efficace, qui s'est un temps renforcé grâce à cette unipolarité. Le cas irakien n'est en aucun cas réglé. Il devient la pierre d'achoppement des administrations successives, entraînant

Le saviez-vous ?
Initiée le 17 janvier 1991, l'opération **Tempête du désert** est essentiellement aérienne. Elle est qualifiée de « guerre Nintendo » en raison de la mise en scène des « frappes chirurgicales » par l'armée américaine. Elle a surtout entraîné une série d'adaptations des armées occidentales. Par exemple, la création de la Délégation aux affaires stratégiques au sein du ministère de la Défense en France.

▶ Pour la distinction entre chiites et sunnites, voir le chapitre 13.

dans son sillage amertumes et revendications néoconservatrices (voir Le saviez-vous ?) en faveur d'un changement de régime à Bagdad. Le courant des **néoconservateurs** les plus intransigeants se sent floué par la guerre du Golfe. Pour eux, la liberté a été trahie car l'intervention aurait dû se solder par le renversement de Saddam Hussein. Le 11-Septembre est l'occasion pour ce courant de réinvestir le terrain irakien par la force, en inscrivant le régime parmi les membres de **l'axe du mal**. D'autant plus que, parmi ces intransigeants, certains accèdent à des postes clés de la nouvelle administration, tel le vice-président Dick Cheney.

> **Définition**
>
> ❯ En écho à « l'empire du mal » (formule de Ronald Reagan) qui désignait l'URSS, l'expression « **axe du mal** » est utilisée par le président George W. Bush lors de son discours sur l'état de l'Union en janvier 2002. Il se compose d'États non démocratiques, soupçonnés de vouloir acquérir des armes de destruction massive, en lien avec les terroristes islamistes, et qui expriment une hostilité à l'égard des États-Unis (à l'époque Corée du Nord, Iran, Irak). Les contours du groupe ainsi désigné fluctuent en fonction de l'évolution.

Fondée sur deux arguments erronés (la présence d'armes de destruction massive et l'alliance avec Al-Qaïda), l'intervention en Irak de 2003 est un succès militaire mais un désastre politique. Le démembrement de l'armée irakienne, l'absence d'équilibre confessionnel au sein des nouvelles institutions, l'instauration d'un pouvoir chiite▶ à dominante autoritaire : l'ensemble de ces éléments fait le lit de frustrations et de tensions qui prennent une dimension identitaire, tout en fragilisant les projets de construction étatique. Elles sont en partie le terreau sur lequel a fleuri l'État islamique, les mouvements islamistes ayant considéré l'intervention de 2003 comme une « divine guerre » leur ayant permis d'accentuer une influence jusqu'alors limitée en Irak.

Mais l'unipolarité ne s'éteint pas seulement en raison de facteurs stratégiques liés à la situation au Moyen-Orient. D'autres facteurs doivent être pris en considération.

2. L'illusion économique

De multiples crises financières émaillent l'histoire de l'après-guerre froide, qu'elles soient à dimension régionale comme celle de 1997 en

Asie ou bien globale comme en 2008. Cette dernière est déclenchée sur la base de la crise des **subprimes** aux États-Unis, révélant ainsi le rôle déstabilisant que l'économie américaine peut jouer sur l'ensemble du système financier mondial. L'incapacité des États-Unis à anticiper et maîtriser les conséquences de la crise remet en question la thèse de l'unipolarité.▶

Subprime : prêt considéré « à risque » car accordé à un emprunteur dont la solvabilité est fragile.

▶ Voir chapitre 9.

Qui plus est, les fragilités économiques résultent de l'échec de l'insertion de la Russie dans le système commercial mondial. Dans les années 1990, Washington cherche à accompagner la transition économique en Russie. Or, la reconstruction russe à partir de 2000 s'émancipe des principes néolibéraux prônés par l'Agence américaine de développement. L'État russe adopte une politique très interventionniste, prévoyant un contrôle plus étroit des fluctuations du rouble, de la sortie des capitaux et de la spéculation.

3. L'illusion idéologique

Les États-Unis traversent également une crise de domination idéologique qui tient tout d'abord au manque d'inclusion de la Russie après la chute du mur de Berlin. Les contestations formulées par Vladimir Poutine, notamment sous son second mandat présidentiel, se font de plus en plus vives. En 2013, le **Concept de la politique extérieure**, approuvé par le président Poutine, indique que la Russie joue depuis des siècles un rôle unique dans le monde et qu'elle contribue à forger le système international. Devant l'Assemblée générale des Nations unies en 2015, Vladimir Poutine appelle à un partage de la gouvernance mondiale qui ne pourra pas se réaliser sans associer la Russie. Le *Concept* adopté en 2016 ne fait plus référence à cet attachement au multilatéralisme.

Le saviez-vous ?
Les principes, orientations et instruments privilégiés de l'action internationale russe sont formulés au cours de chaque présidence dans le **Concept de la politique extérieure**. Il se définit comme le document de référence quant aux priorités du pays.

Ces discours s'enracinent dans un double sentiment : celui du ressentiment à l'égard des Occidentaux et celui du déclassement historique depuis l'effondrement de l'URSS. Interprétant celui-ci comme la plus grande catastrophe du XXᵉ siècle, Vladimir Poutine adopte une posture anti-unipolaire qui repose sur trois piliers : reconquête d'une politique de prestige, reconstruction de l'outil militaire, renationalisation du secteur de l'énergie. Poursuivant une quête de réaffirmation et de reconnaissance, le jeu global russe présente tout d'abord un recentrage géographique sur son étranger proche. La Russie cherche à étendre sa profondeur stratégique. Cela entraîne un déni d'accès des puissances occidentales dans l'espace post-soviétique, voire une conception extensive de ses intérêts vitaux au-delà de son territoire, lorsque la survie des minorités russes est jugée menacée (la protection du monde russe dépasse ainsi la logique purement territoriale de l'ancien empire russe et soviétique sous contrôle).

Enracinée sur le plan normatif, la Russie défend également une conception classique du droit international. Elle accorde une primauté à la défense des principes de la souveraineté et de l'intégrité territoriale. Diversifiée sur le plan de ses ressources, la politique étrangère russe articule rénovation de son appareil de défense et mise en place de nouveaux dispositifs d'influence, allant de la **diplomatie du robinet** à la diplomatie culturelle (promotion d'une image à partir des outils audiovisuels et du marketing). En d'autres termes, l'ancien ennemi d'hier ne disparaît pas de la scène internationale. La Russie cherche d'autant plus à maintenir son rang qu'elle lutte contre l'humiliation politique résultant, certes, de l'ère bipolaire révolue, mais également de l'expérience traumatique du Kosovo en 1999 et d'une exclusion des mécanismes de gouvernance (notamment du G8 en 2014).

Diplomatie du robinet : ouverture ou fermeture des flux de ressources naturelles et en particulier du gaz envers ses voisins

Le saviez-vous ?
En 1999, le Kosovo est créé sous impulsion américaine au cœur d'un espace sous influence russe (voir chapitre 5).

Par ailleurs, les valeurs américaines font l'objet de contestations de plus en plus vives. Certes, ces valeurs sont parfois confondues avec celles portées par les Occidentaux dans leur ensemble, comme la raison, la liberté, le progrès dans l'histoire, ou encore la démocratie fondée sur la préservation des droits humains. Le rapport que les Occidentaux entretiennent avec ces valeurs n'est pas identique, notamment d'une rive à l'autre de l'Atlantique. Néanmoins, les États-Unis sont perçus comme la figure de proue de l'Occident. Avec le revirement au XXe siècle de leur politique étrangère fondée jusqu'alors sur la neutralité en matière internationale, ils cherchent à promouvoir ces valeurs avec énergie, non sans être animés par une conviction : la stabilité du système dépend de leur implication. Ces valeurs ainsi que ce rôle mondial sont de plus en plus décriés car le réel vient parfois les contredire. Peut-on par exemple soutenir la démocratisation par les armes ?

Cette triple illusion stratégique, économique et idéologique favorise le développement de conceptions alternatives qui sont essentiellement portées par les États que l'on qualifie d'émergents.

II. La redistribution des cartes *via* les émergents

Le terme d'*émergents* apparaît dans les années 1980, sous l'impulsion d'économistes qui perçoivent l'éclosion de nouveaux marchés au Sud fondés sur une dynamique de développement dans certains pays (Corée du Sud, Taïwan, Singapour par exemple). L'émergence s'accentue aujourd'hui, provoquant un net basculement quant à la production des richesses, qui va au-delà des pays désignés sous ce vocable dans les années 1980. Le terme évoque aussi et surtout une volonté de se distinguer de l'Occident, en tant qu'initiateurs d'un ordre international alternatif.

1. Une tendance économique

D'ici 2030, plus de la moitié de la contribution au PIB mondial proviendrait selon l'OCDE des États comme la Chine, l'Inde, le Brésil, la Russie, l'Indonésie, le Mexique et la Turquie, à savoir des pays non-membres de l'OCDE. Ces économies – ou marchés émergents – se caractérisent par une progression du commerce extérieur supérieure à celle des échanges internationaux, une hausse régulière du PIB et du revenu par habitant, des entreprises de taille mondiale, un taux élevé d'investissements directs étrangers, une économie diversifiée au-delà de l'exportation des matières premières, un dynamisme démographique qui élargit le nombre de consommateurs. Contrairement aux tigres ou dragons asiatiques des années 1980, cette nouvelle génération d'émergents correspond à de grands pays.

> **Définition**
>
> ❭ Imaginé en 2001 par Jim O'Neill dans un article de *Global Economics*, l'acronyme **BRIC** (Brésil, Russie, Inde, Chine) devient le terme clé pour rendre compte de l'émergence actuelle. Les leaders de ces États se l'approprient même, à partir de 2006, pour nommer le forum au sein duquel ils se réunissent.

Cette qualification purement économique est problématique. Tout d'abord, la catégorie des émergents pose question puisque les économies en présence ne sont pas toutes de même nature. Par exemple, classer la

Russie parmi les émergents n'est pas seulement incongru du point de vue politique mais également problématique sur le plan économique. L'économie russe ne bénéficie pas d'un processus de transformation similaire à celui qui se manifeste en Chine ou en Inde. Elle repose d'abord et avant tout sur une économie de rente issue de la vente des ressources naturelles, la rendant dépendante des aléas du marché.

2. Une mise en récit politique

La qualification de **BRIC** est également partielle car l'émergence ne se limite pas à un fait économique. Elle comprend aussi une dimension politique. Celle-ci renvoie aux fonctions de la mise en récit, qui entend « faire voir » la réalité tout en imaginant un nouvel avenir. Cette double fonctionnalité de la **mise en récit** surgit dans les prises de position adoptées par les émergents, que ce soit collectivement (le communiqué final du sommet de Sanya des BRICS en avril 2011 l'illustre bien) ou bien individuellement. En cela, une similitude apparaît avec le discours des années 1960 porté par les leaders du tiers monde se définissant aussi comme des émergents contre le colonialisme et contre le clivage idéologique Est-Ouest comme produit de l'Occident. Le cas chinois est assez révélateur de cette logique.

Mise en récit : acte par lequel le locuteur rend compte d'une expérience temporelle : existence d'un avant et d'un après avec établissement d'une intrigue (Paul Ricœur).

Les dirigeants chinois procèdent en effet à une distinction permanente lorsqu'ils font référence à l'émergence : soit sous forme de substantif (l'émergence en tant que phénomène applicable tant aux Occidentaux qu'aux États actuels), soit sous forme adjectivale (les pays émergents d'aujourd'hui). Ils opposent alors la politique étrangère des puissances traditionnelles à celle des émergents. La première s'est constituée par recours à la force tandis que la seconde reposait sur une logique de coopération. L'émergence ou le qualificatif d'émergent sont ainsi utilisés pour mettre en relief un changement dans les représentations comme dans les pratiques des États. En effet, les BRICS sont engagés dans un processus de transformation des relations internationales traditionnelles. Les dirigeants chinois insistent sur la manière dont cette rupture se matérialise, c'est-à-dire en tournant le dos aux formes de domination telles qu'elles ont été exercées par les occidentaux. Ils ne revendiquent pas une unipolarité au profit de Pékin. En d'autres termes, l'émergence est une mise en récit fondée sur la dénonciation de l'Occident et l'aspiration à un autre ordre mondial.

Le Brésil adopte une rhétorique plus modérée mais avec des fins similaires. Il se définit comme un pont entre les différents États du Nord comme du Sud. Il cherche également à se distinguer des puissances du Nord en soulignant que les BRICS n'entendent pas reproduire une aristocratie telle que les pays développés du G7 l'ont constituée. À cet égard, le Brésil demeure réticent quant à une éventuelle adhésion à l'OCDE puisque cela reviendrait à rejoindre un club de dominants.

Controverse Que veulent les émergents ?

La politique des émergents génère deux types d'interprétations contradictoires. La première de nature pessimiste (J.J. Mearsheimer, R.A. Pape) voit dans cette politique l'aspiration à une transformation totale de l'ordre mondial, y compris par des moyens violents. Dans cette perspective, les émergents présenteraient les traits de puissances révisionnistes remettant en cause le statu quo. Une seconde interprétation (J. G. Ikenberry, R. Keohane, M. Kahler) insiste sur la logique réformiste qui préside jusqu'alors dans la politique étrangère des émergents. Loin de susciter un changement de système international par le biais de la force armée, les émergents appelleraient à une redéfinition des règles au sein des institutions existantes et non à l'abolition de celles-ci. Cette seconde thèse se révèle plus adéquate. Les émergents se présentent comme des protagonistes actuellement insatisfaits au sein du système international. Mais leurs revendications restent formulées dans le cadre des structures existantes. Ils défendent une réforme du mode décisionnel du FMI, non la disparition de celui-ci. Ils adhèrent au principe d'une responsabilité commune mais différenciée, adopté au Sommet de Rio, quant au changement climatique. Ils investissent le G20 car ce forum symbolise lui-même la reconnaissance de leur rôle dans la recherche d'une régulation mondiale en matière économique et financière.

III. Une pluralité de scénarios

L'émergence en tant que phénomène politique suscite la formulation de divers scénarios concernant la structure actuelle du système international. Ils peuvent se classer selon un critère discriminant : l'existence ou non de pôles de puissance, à savoir des États qui constituent des systèmes d'alliances.

1. La bipolarité Chine/États-Unis

Le scénario d'une nouvelle bipolarité s'appuie sur le renforcement des capacités chinoises du point de vue matériel (militaire et économique), mais aussi immatériel *via* la mise en place de dispositifs d'influence culturelle, à l'instar des instituts Confucius. Les orientations de la politique américaine alimentent également cette conception. L'investissement en Asie de la présidence Obama et sa stratégie du pivot visent un rééquilibrage régional. Celui-ci passe par le soutien aux alliés traditionnels (Japon) mais aussi par la création de partenariats synonymes de rupture avec un passé douloureux (Vietnam). L'élection récente de Donald Trump tend à refroidir les relations bilatérales, notamment l'acte de retrait américain du Traité de libre-échange transpacifique et le rapprochement avec Taïwan. Elle n'engendre pas pour autant une logique de bipolarisation. Le gouvernement chinois cherche à se rapprocher d'autres acteurs comme les pays européens. Quant à l'administration américaine, elle adopte une position internationale fondée sur l'idée de « faire cavalier seul » et non de se définir comme le leader d'une alliance globale dont les Européens seraient des membres majeurs.

En d'autres termes, cette nouvelle bipolarité correspond à un voile stratégique qu'il convient de relativiser, pour ne pas dire déchirer. En effet, elle se révèle à la fois impropre et partielle.

Impropre tout d'abord car les interactions diplomatiques et stratégiques entre ces deux États n'engendrent pas une « cristallisation bipolaire ». Que ce soit dans l'exemple antique Sparte/Athènes ou bien dans le cas de la guerre froide, la bipolarisation repose sur deux propriétés inexistantes aujourd'hui. Premièrement, la configuration bipolaire suppose un système

▶ Voir chapitre 3. d'alliances ▸, lesquelles sont contrôlées par les puissances en conflit. Rien de tel dans l'environnement actuel. La Chine ne fédère pas une alliance interétatique sur la base d'une menace qu'incarneraient les États-Unis. De leur côté, ces derniers ne procèdent pas de la sorte à l'égard de Pékin, quand bien même ils tentent de transformer l'Otan en acteur global via les valeurs « universelles et perpétuelles » que ses membres partagent, ainsi que la capacité de « contrôler des opérations n'importe où grâce à sa structure de commandement militaire intégrée ». Deuxièmement, la relation sino-américaine n'épouse pas les traits d'un affrontement idéologique.

Mais cette bipolarisation est également partielle. La bipolarisation Chine/États-Unis ne permet pas de saisir les recompositions stratégiques à l'œuvre. En effet, des rapprochements s'opèrent indépendamment d'une éventuelle bipolarité naissante. Le cadre diplomatique commun imaginé par l'Inde, le Brésil et l'Afrique du Sud (IBAS) en est l'illustration. Depuis 2003, ce dispositif entend faire converger les points de vue exprimés par ces États en vue de peser dans les négociations internationales. Fondés sur le même type de régime politique, partageant la même histoire en raison de la circulation des personnes, comprenant une forte empreinte multiculturelle, ces trois États présentent des traits communs qui facilitent la coopération.

> **Le saviez-vous ?**
> La Chine contemporaine adhère au modèle économique diffusé par l'Occident. Son taux d'épargne élevé, ses investissements directs à l'étranger et son insertion dans le commerce mondial attestent d'une non remise en cause de l'idéologie capitaliste. Le gouvernement chinois n'aspire plus à éradiquer le capitalisme mais à s'y insérer en préservant les spécificités de son modèle.

2. Multipolarité ou oligopolarité

La thèse de la multipolarité est omniprésente dans la rhétorique de la Russie, des grands émergents comme la Chine, l'Inde, et le Brésil, mais aussi des puissances moyennes comme la France. À cet égard, un des arguments convoqués par le président français Jacques Chirac contre l'intervention en Irak de 2003 repose sur cette idée, à savoir une conception de l'ordre international rétive à l'unipolarité.

Sur le plan scientifique, la multipolarité est aussi convoquée, essentiellement par les approches réalistes, lesquelles établissent un lien entre cette configuration du système et la logique d'équilibre des puissances. L'histoire de la modernité européenne aurait offert une illustration de cette relation dont la principale visée fut d'empêcher la création d'un empire européen. La principale limite de cette conception multipolaire réside dans son caractère imprécis, notamment en ce qui concerne le nombre de joueurs impliqués dans le jeu. Le scénario suivant propose de corriger cette faiblesse en précisant ce nombre.

L'oligopolarité correspond à une structure du système international définie comme une distribution des capacités matérielles (économiques et militaires notamment) comprenant entre cinq et dix puissances. Située entre la bipolarité et la multipolarité (qui est floue sur le nombre de participants), cette configuration des rapports de force oblige à la coopération dans le sens où aucun de ces pôles ne peut l'emporter contre la coalition de tous les autres (Baechler, 2003). Elle permet aussi la constitution de calculs rationnels qu'un jeu à plus de vingt acteurs interdit. Des stratégies défensives sont ainsi élaborées en vue de maintenir le statu quo. Une telle configuration offre les possibilités d'une stabilité internationale. La difficulté des puissances émergentes à s'émanciper de la diplomatie de club, voire de connivence, invite à donner crédit à cette structuration oligopolaire.

Elle est toutefois conditionnée, incertaine et incomplète. Elle est conditionnée tout d'abord par la nature du système international, c'est-à-dire le partage ou non des valeurs et des principes politiques sous-jacents aux régimes adoptés par ces puissances. Une homogénéité ou, à défaut, une similitude des valeurs se révèle nécessaire à l'éclosion d'une stabilité dans la durée. D'où la nécessité d'introduire une dimension culturelle dans l'analyse du système contemporain. Cette stabilité est également incertaine en raison d'un flottement actuel quant à l'identification exacte des pôles constitutifs de l'oligopolarité. Si les États-Unis, la Chine, l'Inde, le Brésil, la Russie sont probablement les piliers de ce système, des ambiguïtés surgissent lorsqu'il s'agit d'intégrer dans la liste l'Union européenne, la Turquie ou bien l'Afrique du Sud. Enfin, la stabilité offerte par l'oligopolarité se révèle incomplète puisqu'elle ne porte que sur la dimension interétatique du système international. Or, des acteurs de la société civile qu'ils soient de nature récalcitrante (terroristes, pirates, mafias) ou pacifique (ONG, mouvements sociaux) peuvent exprimer résistance voire opposition à un ordre international régi par un nouveau directoire mondial. Certes élargi à des entrants originaux, celui-ci peut susciter une vague de contestation. Ce qui oblige à un travail de légitimation de la part des puissances étatiques.

3. Apolarité

Une autre catégorie d'approches remet en question l'idée même de polarité dans le monde contemporain. Elle ne se confond pas avec le principe du zéro polaire, à savoir l'absence de pôles, puisqu'elle entend dépasser la compréhension du système international comme fondé sur une répartition des capacités qui seraient de puissance suffisante pour faire émerger le mécanisme même de la polarisation. En d'autres termes, il n'existe plus aucun pôle qui attire à lui des acteurs au sein de systèmes d'alliances pérennes. L'apolarité est la principale conception qui émane de ce diagnostic. Elle est associée à un monde fragmenté dans lequel les acteurs sont de plus en plus diversifiés et autonomes. La polarisation ne fait plus recette, notamment parce que les puissances ont de plus en plus de mal à constituer un système satellitaire. Cette crise de la fonctionnalité que traverse la polarité se manifeste dans maintes situations régionales, et débouche sur l'éclosion d'un système apolaire (Badie 2012).

Conclusion

L'histoire des systèmes internationaux est faite d'émergences successives. Celles-ci s'accompagnent parfois d'une remise en cause des valeurs sur lesquelles repose l'ordre politique, tant à l'intérieur qu'à l'extérieur des États. C'est d'ailleurs moins l'émergence d'un nouvel État dans l'arène internationale que le changement de régime dans un État existant qui a parfois des incidences systémiques significatives.

À RETENIR

- Les arguments en faveur de l'unipolarité reposent sur des critères à la fois matériels (capacités militaires) et idéels (attraction des valeurs américaines).

- La bipolarisation Chine/États-Unis n'est pas significative à l'échelle mondiale.

- L'émergence est un phénomène politique fondé sur une mise en récit critique de l'Occident.

- Les émergents adoptent jusqu'à présent une position réformiste au sein du système contemporain.

📖 POUR ALLER PLUS LOIN

BADIE B., 2011, *La diplomatie de connivence. Les dérives oligarchiques du système international*, Paris, La Découverte.

BAECHLER J., 2003, «La mondialisation politique», dans Baechler Jean et Kamrane Ramine dir., *Aspects de la mondialisation politique*, Paris, PUF.

BATTISTELLA D., 2012, *Un monde unidimensionnel*, Paris, Presses de Sciences po.

IKENBERRY G. J., 2012, *Liberal Leviathan. The Origins, Crisis and the Transformation of the American World Order*, Princeton, Princeton University Press.

MONTEIRO N. P., 2014, *Theory of unipolar politics*, Cambridge, Cambridge University Press.

O'NEILL J., 2001, «Building Better Global Economies BRICs», *Global Economics*, Global Paper 66, November.

Voir les articles de la partie «Émergents : de nouvelles puissances» du Ceriscope Puissance, novembre 2013. En ligne : http://ceriscope.sciences-po.fr/puissance/sommaire

Films

Michael Moore, *Fahrenheit 9/11*, 2004.
Danny Boyle, *Slumdog Millionaire*, 2008.

Tester ses connaissances

Retrouver les bonnes définitions de la structure du système international.

Corrigés en ligne

A. Oligopolarité ●   ● 1. Structure avec un seul pôle de puissance

B. Unipolarité ●   ● 2. Structure avec une multitude de pôles de puissance

C. Bipolarité ●   ● 3. Structure sans pôle de puissance

D. Apolarité ●   ● 4. Structure avec deux pôles de puissance

E. Multipolarité ●   ● 5. Structure avec quelques pôles de puissance

Étude de document

« Lorsque les nations riches qui représentent 20 % de la population mondiale consomment 70 % des ressources de la planète, l'injustice est flagrante. Lorsqu'un groupe de pays riches pense qu'il peut changer le monde par la force, on ne peut qu'aller à la catastrophe et les Nations unies paraissent impuissantes à la contenir. L'usage unilatéral de la force sans un mandat clair des Nations unies, [...] a miné l'existence de notre vie commune. Pour cette raison, nous, les nations d'Asie et d'Afrique, demandons la réforme des Nations unies afin qu'elles puissent mieux fonctionner comme instance mondiale qui place la justice pour tous avant tout. Ceux qui sont de l'avis que les problèmes économiques mondiaux peuvent être résolus par la Banque mondiale, le Fonds monétaire international et, dans le cas de l'Asie, la Banque asiatique du développement, défendent un point de vue obsolète. Je suis de l'avis que la gestion de l'économie mondiale ne peut pas être laissée seulement à ces institutions financières. Nous devons bâtir un nouvel ordre économique mondial ouvert aux nouvelles puissances économiques émergentes. [ ] Nous pouvons faire tout cela en traduisant l'esprit de Bandung sur le terrain, en mettant en œuvre les trois objectifs essentiels pour lesquels nos prédécesseurs ont combattu il y a soixante ans. Le premier est la prospérité. Nous devons coopérer étroitement pour éradiquer la pauvreté, améliorer l'éducation et la santé, promouvoir la science et la technologie et créer des emplois. Le deuxième est la solidarité. Nous devons nous développer ensemble, en augmentant et en étendant le commerce et l'investissement entre nous. Nous devons développer la coopération économique inter-régionale et entre l'Asie et l'Afrique, construire des infrastructures reliant nos pays. [...] Enfin, le troisième : la stabilité et le respect des droits de l'homme. Nous devons nous questionner sur nous-mêmes et comprendre pourquoi beaucoup de nos pays connaissent des conflits causant des dommages irréparables à l'économie. »

Joko Widodo, président de l'Indonésie, 2015, commémoration de la conférence de Bandung.

1. Qu'est-ce que l'esprit de Bandung ?

2. Quelles sont les institutions ciblées dans le discours ?

3. Que révèle ce texte ?

Sujets

Les États-Unis incarnent-ils la puissance hégémonique du XXIe siècle ?

La coopération entre grands émergents

Le système international actuel se caractérise-t-il par une nouvelle bipolarisation ?

PARTIE 2

L'ÉLARGISSEMENT DE LA SCÈNE INTERNATIONALE

Henri Rousseau dit Le Douanier (1844-1910), *Les représentants des puissances étrangères venant saluer la République en signe de paix* (1907).
© RMN-Grand Palais (musée Picasso de Paris)/René-Gabriel Ojéda

▲

Présentée peu avant la Conférence internationale de La Haye (juin 1907), qui tente d'obtenir un accord de désarmement général, cette toile illustre les convictions pacifistes et républicaines du peintre. Elle réunit sur une même tribune six présidents français placés sous l'allégorie de la République et neuf souverains étrangers (Russie, Serbie, Autriche, Allemagne, Grèce, Belgique, Éthiopie, Perse et Italie), soulignant le rôle central accordé aux représentants étatiques dans les relations internationales.

L'État et la diplomatie

À la fois concept politique, fiction juridique et forme institutionnelle, l'État s'est progressivement imposé comme la seule organisation politique légitime et l'acteur de référence du système international. La généralisation du modèle étatique à l'échelle mondiale et l'augmentation concomitante du nombre d'États, dans le contexte du processus de décolonisation puis de l'éclatement du bloc soviétique, ont néanmoins conduit à une diversification des formes étatiques.

Cette évolution est source de tensions, dans un système international conçu pour des États envisagés comme une catégorie d'acteurs homogènes et égaux en droits, agissant essentiellement par l'intermédiaire de leurs représentants – les soldats et les diplomates chers à Raymond Aron. Elle complique la théorisation de leurs comportements internationaux et contribue à expliquer l'intensification des postures souverainistes, en particulier chez certains représentants d'États issus des Suds. Parallèlement, la mondialisation a transformé les agendas et les modalités de l'action internationale des États.

La diplomatie s'adresse désormais aussi aux sociétés, et l'action extérieure de l'État s'est diversifiée pour englober de nouvelles dimensions (notamment économiques ou culturelles). Dans ce contexte, les diplomates continuent de bénéficier de prérogatives et de compétences spécifiques, mais ils n'ont plus le monopole de l'action extérieure.

I. L'État, un concept aux réalités multiples

La généralisation du modèle étatique, au XXᵉ siècle, a favorisé l'émergence d'un système international en apparence uniformisé. La seule forme politique reconnue comme légitime, dans le système international contemporain, est en effet celle de l'État institutionnalisé, territorialisé dans des frontières stables. L'expansion à l'ensemble du monde du modèle westphalien a néanmoins été de pair avec une diversification des formes étatiques, corrélée à un affaiblissement de la norme souveraine qui nourrit des revendications contestataires.

Fig. 5.1	Évolution du nombre d'États (1919-2017)

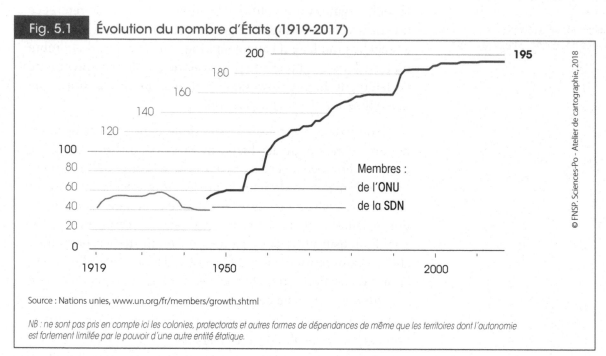

© FNSP. Sciences-Po – Atelier de cartographie, 2018

Source : Nations unies, www.un.org/fr/members/growth.shtml

NB : ne sont pas pris en compte ici les colonies, protectorats et autres formes de dépendances de même que les territoires dont l'autonomie est fortement limitée par le pouvoir d'une autre entité étatique.

Le nombre d'États dans le monde a augmenté de manière exponentielle depuis le début du XIXᵉ siècle. On comptait alors une quarantaine d'États, contre près de 200 aujourd'hui. Un grand nombre de ces États sont issus du processus de décolonisation qui a suivi la Seconde Guerre mondiale, puis de l'éclatement du bloc soviétique et de la Yougoslavie dans les années 1990. Pour accéder à l'ONU, qui compte 193 États membres depuis l'accession du Soudan du Sud en 2011 (ainsi que deux États observateurs, le Saint-Siège et la Palestine), un État doit obtenir la validation du Conseil de sécurité (avec une majorité de 9 membres sur 15, dont les 5 membres permanents) et de la majorité de l'Assemblée générale. Certains organisations internationales ont une conception du nombre d'États moins restrictive que celle de l'ONU : la Fédération internationale de football association (FIFA) compte par exemple 211 membres.

> ❯ Selon Max Weber, «il faut concevoir l'**État** contemporain comme une communauté humaine qui, dans les limites d'un territoire déterminé […] revendique avec succès pour son propre compte le monopole de la violence physique légitime» (*Le Savant et le Politique, 1919*).

> ❯ Tout en retenant les critères de la définition wébérienne (territorialisation du politique et monopole de la violence), Charles Tilly la précise en soulignant que l'**État** est une organisation «différenciée des autres organisations opérant sur le même territoire, […] autonome, […] centralisée et [dont les] subdivisions sont coordonnées les unes avec les autres» (*The Formation of the National States in Western Europe*, 1975).

> ❯ La territorialisation du politique dans des frontières stables distingue l'**État** de l'empire, tandis que le monopole de la violence est l'expression de sa souveraineté interne. La reconnaissance des autres États, condition nécessaire pour être intégré au système international, forme le cœur de la souveraineté externe.

1. Au fondement du système international

L'État, dans sa conception westphalienne, est un idéal-type, c'est-à-dire une catégorie abstraite qui permet de comprendre un phénomène sans être nécessairement exactement conforme à la réalité. La place particulière qu'il occupe, comme unité de base du système international et acteur prépondérant pour les théories classiques des relations internationales▸, repose sur trois présomptions dont les incarnations empiriques se révèlent contrastées.

▶ Voir chapitre 1.

- Une **présomption de souveraineté** interne (le monopole de l'appareil étatique sur le contrôle de l'ensemble de son territoire et des populations qui y résident) et externe (l'égalité entre les États et la non-ingérence dans leurs affaires intérieures). Ce principe de souveraineté se heurte en pratique à l'existence de hiérarchies internationales (de fait, les États-Unis pèsent davantage que Nauru dans les négociations) mais aussi aux effets d'interdépendance et de dépendance qui caractérisent les relations des États entre eux ou même avec certains acteurs non-étatiques, particulièrement dans le contexte de la mondialisation.

- Une **présomption d'universalité** et de primauté sur les autres acteurs, dans ce système international conçu par et pour les États.

La formalisation du système westphalien a en effet progressivement effacé les autres formes politiques (empires, cités-États) ou conduit à nier leur légitimité (s'agissant par exemple de l'organisation politique des « peuples sans État »), reléguant au second rang les logiques transnationales qui échappent à la médiation des États, alors que celles-ci (les flux financiers ou les migrations humaines par exemple) prennent une importance croissante.

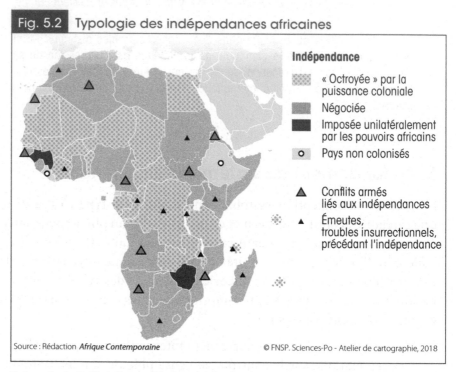

Fig. 5.2 Typologie des indépendances africaines

Indépendance

- « Octroyée » par la puissance coloniale
- Négociée
- Imposée unilatéralement par les pouvoirs africains
- ○ Pays non colonisés

- ▲ Conflits armés liés aux indépendances
- ▲ Émeutes, troubles insurrectionnels, précédant l'indépendance

Source : Rédaction *Afrique Contemporaine* © FNSP. Sciences-Po - Atelier de cartographie, 2018

Cette carte des indépendances africaines schématise des processus dans lesquels se sont souvent entremêlées violences, résistances et négociations entre puissances coloniales et mouvements indépendantistes. Elle souligne trois grands « modèles » d'accession à l'indépendance : des indépendances octroyées par la puissance coloniale (comme dans le cas de la Mauritanie, qui acquit son indépendance à l'égard de la France en 1960), négociées (souvent dans le contexte d'une guerre d'indépendance, comme pour l'Algérie qui obtint son indépendance en 1962 après plus de sept années de conflit), ou imposées par les pouvoirs africains (comme dans le cas du Zimbabwe, en 1980). Les conflits récurrents sur le continent africain résultent dans une large mesure des échecs de la transposition du modèle étatique dans le cadre du processus de décolonisation, conduisant à mettre en place des autorités à la légitimité incertaine et des États qui peinent à administrer l'ensemble de leur territoire.

– Une **présomption d'homogénéité**, qui va de pair avec une supposée rationalité dans la conduite de l'action politique, censée être tournée vers la survie ou la maximisation de la puissance. L'État tend à être abordé, par les commentateurs de l'actualité internationale comme par une partie des théoriciens, comme un acteur unitaire et cohérent, voire personnifié. On commente ainsi fréquemment les « décisions de la Chine », sans référence aux dirigeants qui les formulent. L'auteur réaliste Arnold Wolfers utilisait quant à lui la métaphore des « boules de billard » pour qualifier la rencontre entre les États sur la scène internationale et souligner que les dynamiques internes à ces unités sont d'une importance secondaire. Les États se distinguent pourtant par des structures institutionnelles variées. Les oppositions qui s'expriment à travers ces dernières, de même que les préférences des dirigeants, peuvent conditionner ou contraindre la formulation des politiques étrangères.

2. La diversité des formes étatiques

À l'homogénéité théorique de l'État, correspondent des conditions empiriques très hétérogènes. Nous excluons ici les typologies fondées sur l'organisation interne des États (États centralisés ou fédéraux) ou l'exercice du pouvoir (monarchies, démocraties, etc.), pour ne retenir que les différences relatives à leurs caractéristiques extérieures (en termes de taille ou de reconnaissance) et à leur degré d'autonomie au sein du système international (renvoyant à leur capacité d'exercer leur souveraineté). Malgré cette approche restrictive, il est difficile d'établir une typologie qui n'excluerait aucune forme d'État. Les cinq catégories ci-dessous sont néanmoins représentatives de la grande diversité des formes étatiques, et permettent de souligner différentes modalités d'intégration ou de coordination possibles avec le système international.

Les **micro-États** (Sainte-Lucie ou Nauru, par exemple) se caractérisent par une population, des ressources et/ou un territoire limités, qui ne leur permettent parfois pas d'exercer leur propre représentation internationale. Celle-ci peut être déléguée à un autre État, voire à des ambassadeurs honoraires d'autres nationalités, prêts à assurer bénévolement cette fonction qui leur permet d'acquérir une immunité diplomatique. Les stratégies d'existence internationale de ces États aux ressources limitées consistent souvent à se spécialiser en adoptant une législation fiscale et bancaire attractive pour les capitaux internationaux. Les « paradis fiscaux » se retrouvent ainsi au cœur de l'économie et de la finance internationales, malgré leur situation parfois périphérique, comme l'a montré en 2016 l'affaire des Panama Papers.

Les **États virtuels** ont été théorisés par Richard Rosecrance, qui soulignait dès les années 1980 que la mondialisation des structures de production et de consommation ainsi que la financiarisation de l'économie, auxquelles s'est ajoutée la révolution en matière de communication et de transports, contribuent à déconnecter la puissance d'un État de la taille ou de la situation de son territoire. Des cités-États comme Singapour ou Dubaï, au cœur de réseaux internationaux de commerce, de transport et de communication, jouissent ainsi d'un statut international proportionnel à leur **réticularité**.

Réticularité : capacité à se constituer en réseau.

Les **États faillis ou effondrés**, issus pour beaucoup du processus de décolonisation, sont dans l'incapacité de contrôler l'ensemble de leur territoire et donc d'y exercer leur souveraineté interne. Ils peuvent jouir des attributs de la souveraineté externe (reconnaissance internationale, place à l'Assemblée générale des Nations unies), mais leur dépendance à l'égard de l'aide internationale voire d'une présence militaire extérieure limite considérablement leur autonomie. L'Afghanistan et l'Irak, à l'issue des interventions militaires de 2002 et 2003, font partie de ces États dont le gouvernement reconnu par la communauté internationale ne maîtrise pas l'ensemble du territoire. Le cas de la Somalie, dont plusieurs provinces sont contrôlées par des seigneurs de guerre, est également représentatif de cette catégorie. Tout en continuant de représenter la Somalie à l'Assemblée générale des Nations unies, le gouvernement reconnu par la communauté internationale a été contraint de s'installer au Kenya voisin entre 1991 et 2005.

Les **États non-reconnus** possèdent une partie des attributs de la souveraineté (des institutions, un territoire et une population, avec des degrés de stabilité variables) mais il leur manque la reconnaissance formelle des principaux représentants de la communauté internationale, condition nécessaire pour être représentés sur la scène internationale et notamment aux Nations unies. La République de

Chine (Taïwan) jouit ainsi des attributs de la souveraineté interne et d'une grande partie des prérogatives des États pleinement souverains, avec des représentations consulaires dans 57 États. Elle n'est pourtant officiellement reconnue que par 20 États-membres de l'ONU, car une telle reconnaissance est incompatible avec le fait d'entretenir des relations diplomatiques avec la République de Chine populaire (Chine continentale), qui considère Taïwan comme l'une de ses provinces. L'autorité palestinienne a quant à elle acquis le statut de membre à part entière de l'Unesco, mais seulement celui d'observateur à l'Assemblée générale des Nations unies, où sa reconnaissance reste bloquée par les États-Unis au Conseil de sécurité.

| Fig. 5.3 | Représentation du degré de «fragilité» des États |

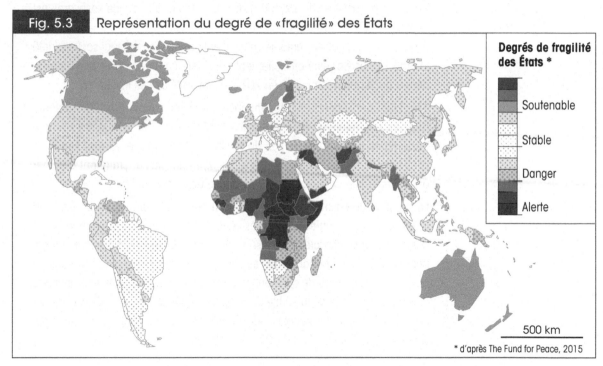

Degrés de fragilité des États *

Soutenable
Stable
Danger
Alerte

500 km

* d'après The Fund for Peace, 2015

L'ONG Fund for Peace publie depuis 2005 un indice annuel de fragilité étatique, combinant douze catégories de données : les pressions démographiques ; la présence de réfugiés (internes et internationaux) ; les revendications communautaires ; le départ de populations ; les inégalités de développement ; le taux de pauvreté et le déclin économique ; la légitimité de l'État ; la qualité des services publics ; le respect des droits humains ; la fiabilité de l'appareil sécuritaire ; la fragmentation des élites ; les interventions extérieures. La carte ci-dessus illustre la corrélation entre le taux de fragilité étatique et la présence de conflits internes durables, et montre l'hétérogénéité du système international : près du tiers des États-membres des Nations unies, selon ce classement, relèvent de la catégorie des États faillis.

FOCUS **La souveraineté inachevée du Kosovo :
entre intégrité territoriale et droit des peuples
à disposer d'eux-mêmes**

Née des tensions ethno-religieuses et politiques qui ont marqué l'éclatement de l'ex-Yougoslavie entre 1991 et 1999, la République du Kosovo a été proclamée indépendante en février 2008, mais n'a pas acquis une reconnaissance internationale suffisante pour intégrer l'ONU.

Le transfert des responsabilités de la KFOR (force de maintien de la paix de l'OTAN, intervenue pour contraindre les troupes de la République fédérale de Yougoslavie à se retirer de la province et à garantir sa stabilité suite aux violences meurtrières de 1998-99) aux autorités et à la police kosovares est encore en cours (environ 4 600 personnels étaient présents sur le terrain en 2016), signifiant que ces autorités n'exercent pas pleinement leur souveraineté interne. Le Kosovo reste officiellement considéré comme une province par la Serbie, qui a néanmoins acté en 2013 la légitimité de ses institutions.

111 États ont reconnu l'indépendance du Kosovo, mais plusieurs acteurs majeurs des relations internationales continuent de le considérer comme un territoire serbe. C'est le cas de la Chine, de la Russie ou de l'Espagne, elles-mêmes marquées par des tensions autonomistes et craignant de créer un précédent en entérinant l'indépendance de ce nouvel État.

La situation du Kosovo illustre une tension entre deux grands principes de la Charte des Nations unies : le droit des peuples à disposer d'eux-mêmes, invoqué par les autorités kosovares, et le respect de l'intégrité territoriale des États, brandi par la Serbie. La mobilisation de ces principes relève d'une logique stratégique plus que d'un principe de cohérence : alors que le gouvernement russe invoque l'intégrité territoriale de la Serbie pour rejeter l'indépendance du Kosovo, il s'est appuyé sur le droit des peuples à disposer d'eux-mêmes pour justifier ses interventions en Ossétie du Sud (2008) et en Crimée (2014).

Les **quasi-États** sont dans une position plus floue encore du fait de leur dépendance exclusive à l'égard d'une puissance, qui leur reconnaît un statut étatique tout en les maintenant dans une absence de souveraineté effective. C'est le cas de la Transnistrie, République autoproclamée située entre la Moldavie et l'Ukraine qui est considérée comme une province moldave par les Nations unies. Occupée depuis 1992 par des troupes russes, elle est uniquement reconnue par d'autres quasi-États dépendants de la Russie (l'Abkhazie, l'Ossétie du Sud et le Nagorno-Karabakh, qui ont formé en 2006 la Communauté pour la démocratie et les droits des nations, surnommée le «Commonwealth des États non-reconnus»).

3. Hiérarchie internationale et réactions souverainistes

La diversité des formes étatiques entraîne un exercice différencié de la souveraineté dans le système international. Alors que ce dernier est fondé sur des unités étatiques envisagées comme égales, les États les plus puissants et/ou les mieux intégrés pèsent davantage que les moins bien dotés. David Lake fait partie des auteurs qui ont développé cette idée de structure hiérarchique des relations internationales, plus conforme à la réalité que la notion d'anarchie qui est censée constituer le principe de fonctionnement du système international. Pour Vincent Pouliot, la hiérarchie est même un produit du fonctionnement du multilatéralisme, pourtant censé garantir à la fois l'égalité entre les États et la stabilité du système. Les règles du jeu multilatéral tendent en effet à institutionnaliser les hiérarchies, par exemple en figeant les prérogatives des cinq membres permanents du Conseil de sécurité (notamment leur droit de veto, qui peut s'imposer dans le contexte de décisions relatives à l'usage de la force ou à l'admission de nouveaux États-membres à l'ONU). L'exercice de la souveraine égalité des États est donc soumis, dans sa pratique, à des contraintes inhérentes aux caractéristiques des différents États (notamment leur puissance et leur stabilité) autant qu'à leur place et à leur degré d'intégration dans le système.

Ce décalage entre le principe de souveraineté et sa mise en œuvre suscite des frustrations, dont la formulation de nouvelles revendications souverainistes constitue un symptôme. On voit ainsi apparaître, parallèlement à l'émergence de nouveaux États capables d'agir de manière autonome sur la scène internationale, des revendications contestataires que l'on peut qualifier de **néo-souverainistes**. Ces dernières, caractéristiques des États émergents, consistent à revendiquer l'application des promesses de la souveraineté en contestant les contradictions inhérentes au fonctionnement hiérarchique du système international, et en particulier des institutions dans lesquelles il prend forme (le système onusien et les institutions financières internationales).

Le **néo-souverainisme** se traduit par exemple par l'hostilité, partagée par les États émergents, contre les interventions internationales, ou leur revendication d'une modification des règles de calcul du vote au sein des institutions financières internationales (qui accordent un poids prépondérant aux principaux contributeurs et particulièrement aux États-Unis) et de la composition du Conseil de sécurité.

> Le **souverainisme**, doctrine fondée sur une revendication de plein exercice des attributs de la souveraineté étatique, renvoie à trois catégories de revendications.

- Il peut être le fait de courants politiques opposés à la mise en commun de pans de souveraineté, notamment dans le cadre des processus de construction régionale.

- Il peut traduire une volonté de contrôle de l'État face à la montée de processus transnationaux (économiques, politiques ou sociaux) qui lui échappent, particulièrement dans le cadre de la mondialisation.

- Il peut enfin qualifier la revendication de plein exercice de leur souveraineté par des États qui s'estiment lésés par les structures du système international, notamment les émergents qui n'ont pas participé à son élaboration.

II. La diplomatie et les formes nouvelles de l'action extérieure

En temps de paix, c'est traditionnellement par l'intermédiaire de leurs dirigeants et de leurs représentants accrédités, les diplomates, que les États interagissent sur la scène internationale et mettent en œuvre leur **politique étrangère**. Parallèlement à la diversification des types d'États, à l'élargissement de leurs fonctions et à la concurrence de nouveaux acteurs, l'action extérieure de l'État a évolué du point de vue de ses destinataires, de ses thématiques et de ses acteurs. Les diplomates conservent néanmoins des prérogatives et répertoires d'action spécifiques, qui perpétuent l'idée d'un domaine distinct des autres dimensions de l'action politique, fusse-t-elle internationalisée.

> La **politique étrangère** désigne les choix stratégiques et politiques relevant des autorités d'un État et concernant ses relations avec les autres États. Elle fait l'objet d'un domaine d'étude spécifique, l'analyse des politiques étrangères (*Foreign policy analysis*), au carrefour des relations internationales et de l'analyse des politiques publiques.

> ❯ La **diplomatie**, qui met en œuvre la politique étrangère, fait référence dans un sens restreint à la conduite pacifique des relations interétatiques par l'intermédiaire de représentants accrédités (les diplomates). Si elle est traditionnellement associée à des figures célèbres comme l'Allemand Metternich (1773-1859) ou le Français Talleyrand (1754-1838), rompus à l'art des compromis secrets relevant des *high politics* (c'est-à-dire relatifs à la survie de l'État, par opposition aux *low politics* relevant du bien-être des citoyens), ses acteurs et destinataires se sont élargis au xxᵉ siècle. La «diplomatie publique» désigne ainsi les efforts de communication à l'intention de populations étrangères, la «diplomatie économique» fait référence au soutien à l'exportation d'entreprises nationales en dehors des frontières, et la «diplomatie culturelle» qualifie la mobilisation de ce registre par un État dans l'objectif d'asseoir son influence ou son attractivité.

1. Des pratiques et moyens spécifiques

Si l'envoi de diplomates est une pratique aussi ancienne que la communication entre des entités politiques différentes, c'est l'émergence du système interétatique qui a conduit à formaliser cette activité en distinguant la politique interne aux États de leurs relations extérieures. Les professionnels de ce domaine distinct obéissent à une série de codes, qui facilitent l'exercice des fonctions diplomatiques tout en légitimant leur statut spécifique. La **diplomatie** renvoie ainsi à des pratiques formalisées au fil des siècles. La discrétion qui entoure les négociations en est l'aspect le plus évident, bien qu'elle soit de plus en plus difficile à mettre en œuvre dans un contexte de circulation de l'information en temps réel et d'exigence de résultats immédiats de la part des citoyens.

Le protocole, qui correspond à l'ensemble des usages régissant la bienséance en relations internationales, définit en particulier les pratiques à respecter lors des échanges entre représentants étatiques (par exemple, l'usage des drapeaux, la disposition des sièges ou certains codes vestimentaires). Cette codification des échanges a pour fonction de faciliter les négociations en réduisant les incertitudes et les risques d'impair qui pourraient résulter d'incompréhensions culturelles ou personnelles. Coûteux en temps et en ressources puisqu'il mobilise un personnel spécifique (les «services du protocole»), le respect du protocole est l'un des usages distinctifs de la diplomatie. Son utilité tend néanmoins à se diluer dans la mesure où les échanges entre diplomates et/ou représentants politiques sont devenus une partie minoritaire de l'action extérieure des États.

À l'étranger, les diplomates bénéficient enfin de privilèges associés à leur condition. Si la trace de protections spécifiques remonte à l'Inde ancienne (elles sont évoquées dans le *Ramayana*, épopée en sanskrit conçue aux alentours du IVe siècle), le principe de l'immunité diplomatique a été institutionnalisé par les conventions de Vienne sur les relations diplomatiques, adoptées en 1961 et 1963. Cette immunité garantit l'inviolabilité des ambassades et la liberté des communications. Elle épargne également à ses titulaires et à leur famille les poursuites judiciaires auxquels ils pourraient être soumis du fait de conduites illicites. Elle a pour objet de sécuriser la pratique des relations internationales en garantissant l'intégrité de leurs acteurs.

Ces pratiques et privilèges contribuent à maintenir le caractère spécifique des relations entre États, malgré la concurrence d'acteurs et de flux transnationaux. Ils perpétuent par ailleurs le statut distinct de la diplomatie interétatique par rapport aux autres pans de l'action extérieure de l'État.

2. L'émergence de la diplomatie publique

La conception classique et restrictive de la diplomatie a évolué, dès la guerre froide, à travers l'élargissement de ses destinataires. La notion de diplomatie publique fait ainsi référence aux efforts déployés par un État pour s'adresser non seulement aux représentants, mais aussi aux populations des autres États. Elle s'inscrit dans une conception libérale des relations internationales, qui considère que la formulation de l'intérêt national ne découle pas uniquement de caractéristiques objectives mais est partiellement conditionnée par l'opinion publique, qu'il faut donc tenter d'influencer.

À l'extérieur, la diplomatie publique est l'une des modalités de diffusion du *soft power*. Elle vise à véhiculer une image positive pour créer les conditions d'une négociation favorable, ou pour affaiblir des postures jugées hostiles voire néfastes aux intérêts de l'État qui la déploie. C'est dans le contexte de la promotion par les États-Unis de leur propre modèle auprès des populations des deux côtés du rideau de fer, dès les années 1940, que la diplomatie publique a pris de l'ampleur. La mise en place en 1948 d'une Commission de conseil sur la diplomatie publique visait ainsi à évaluer les moyens mis en œuvre pour promouvoir non-seulement les orientations stratégiques mais aussi le mode de vie américain, et donc le modèle capitaliste. Dans une logique similaire, Israël entretient depuis les années 2000 des sites d'information en arabe et en indonésien pour améliorer son image auprès des locuteurs de ces langues, largement favorables à la cause palestinienne.

| Fig. 5.4 | «Le rideau de fer n'est pas insonorisé» |

The Iron Curtain isn't soundproof.

And so the truth is broadcast, through the air, where it can't be stopped by walls and guards, up to 18 hours a day to millions of people in the closed countries behind the Iron Curtain.

Will you help the truth get through? Whatever you can give will mean a great deal to a great many people behind the Iron Curtain.

Send your contribution to:

Radio Free Europe, Box 1965, Mt. Vernon, N. Y.

Campagne de publicité de Radio Free Europe, diffusée en 1968 aux États-Unis.

Radio Free Europe, diffusée dès 1949 dans les États-satellites de l'Union soviétique, et Radio Liberty, son pendant pour l'URSS créé en 1951, étaient des organes radiophoniques financés par le gouvernement des États-Unis (notamment la CIA) pour diffuser un discours anticommuniste et promouvoir le mode de vie états-unien. Ces radios, ainsi que le canal officiel Voice of America (fondé en 1942), illustrent deux aspects de l'évolution de la diplomatie: sa fonction de relais de la diplomatie officielle auprès des populations (la «diplomatie publique») et son externalisation auprès d'acteurs différents de la figure classique du diplomate. Radio Free Europe/Radio Liberty, désormais installée à Prague, est encore diffusée aujourd'hui en Asie centrale, en Europe de l'Est et au Moyen-Orient où elle véhicule une lecture de l'actualité internationale favorable aux intérêts états-uniens.

3. L'expansion des domaines de l'action extérieure

La fin de la guerre froide a ouvert la possibilité de politiques étrangères moins centrées sur les questions stratégiques. Elle a également renforcé l'autonomie et la visibilité des petites ou moyennes puissances, jusqu'alors essentiellement considérées à travers le prisme de leur appartenance à l'un des deux blocs. Le développement de diplomaties « de niche », servant pour ces États à se distinguer par l'intermédiaire de domaines dans lesquels ils possèdent une expertise, relève de cette logique. Les Pays-Bas ont ainsi acquis un poids significatif dans les négociations internationales relatives à l'eau. La Corée du Sud a quant à elle développé une diplomatie culturelle ambitieuse. La « vague coréenne » qui voit des groupes de musique originaires de la péninsule emporter d'un grand succès dans le reste du monde, repose largement sur le soutien des autorités à la diffusion de la culture et de la langue coréennes.

FOCUS Singapour: les stratégies diplomatiques d'un petit État

Cité-État de 5,3 millions d'habitants et environ 700 km^2, Singapour appartient à la catégorie des « petits États » au sens du Forum of Small States, groupement informel rassemblant 105 États de moins de 10 millions d'habitants. Les dirigeants singapouriens aiment à souligner le contraste entre, d'une part, la taille et la relative vulnérabilité de Singapour (privé de ressources naturelles et entretenant des relations souvent tendues avec ses voisins), et d'autre part, son exceptionnel développement économique (avec un PIB par habitant situé au 7e rang mondial) assorti d'un poids significatif dans les relations internationales. Le diplomate Tommy Koh, négociateur singapourien à la Convention internationale des Nations unies sur le droit de la mer (1982), à la conférence de Rio (1992) et à l'OMC (1995), en a tiré la formule « *Size is not destiny* »▶.

▶ « La taille ne fait pas la destinée. »

La place de Singapour dans les relations internationales est le produit de plusieurs facteurs. Peu après son expulsion de la Fédération de Malaisie (1965), le gouvernement dirigé par Lee Kuan Yew a favorisé la construction d'infrastructures et adopté une législation économique destinée à faciliter l'installation des sièges d'entreprises multinationales, donnant aux puissances extérieures « un intérêt à sa survie et à son succès ». Singapour s'appuie sur un réseau diplomatique limité mais spécialisé (une cinquantaine de missions permanentes, notamment auprès des organisations internationales où les diplomates peuvent développer leur réseau de contacts), complété par des ambassadeurs itinérants en charge de plusieurs pays. La pratique d'une «diplomatie de niche» lui permet de se distinguer sur les thématiques jugées prioritaires (commerce, droit de la mer, sécurité hydrique…). Enfin, les formations dispensées par la cité-État à des fonctionnaires étrangers favorisent l'exportation de ses modes de fonctionnement.

> **Le saviez-vous ?**
> Les **missions économiques françaises** à l'étranger travaillent en étroite collaboration avec les ambassades mais dépendent formellement du ministère de l'Économie et des Finances, tandis que les services culturels des ambassades sont liés au ministère de la Culture.

Plus largement, le périmètre de la politique extérieure s'est étendu à l'action de tous les ministères. Dans le cadre de la diplomatie économique, on voit par ailleurs les représentants de l'État se mettre au service du secteur privé. C'est notamment le cas de la France, où l'État est actionnaire de nombreuses entreprises (Areva, Thalès) ou considère l'activité de certains groupes comme stratégique (Dassault, Bouygues). Il est fréquent de voir les visites ministérielles ou présidentielles à l'étranger accompagnées de responsables de ces entreprises, la diplomatie économique consistant alors dans une large mesure à faciliter l'exportation des fleurons de l'industrie nationale.

Conclusion

La mise en évidence de l'hétérogénéité des formes étatiques invite à souligner le décalage entre la norme de l'égalité souveraine, sur laquelle repose le système international, et la réalité hiérarchique qui constitue son principe de fonctionnement. Ce décalage alimente de nouvelles contestations du système international, qui expriment sous la forme de revendications souverainistes ce que leurs auteurs conçoivent comme une privation de certains droits inhérents au statut étatique (autonomie et égalité en particulier). La diversification des modalités de l'action extérieure des États, qui s'adresse désormais à un large panel d'acteurs et concerne tous les pans de l'action publique, conduit par ailleurs à interroger les spécificités de la diplomatie. Celle-ci conserve en effet des pratiques et attributs singuliers, mais les diplomates deviennent minoritaires parmi ceux qui participent à l'action extérieure des États. Ils se trouvent en outre de plus en plus souvent intégrés dans un écheveau d'ensembles surplombants▸ ou concurrencés par des acteurs non-étatiques, légaux▸ ou illégaux, qui nuancent encore davantage la réalité empirique de la souveraineté étatique.

▸ Voir chapitre 6.
▸ Voir chapitres 7 et 8.

À RETENIR

- L'État, concept politique au fondement du système international contemporain, se caractérise en théorie par sa souveraineté (interne et externe), son universalité (il existe partout) et son homogénéité (le système westphalien n'établit entre les États aucune distinction fondée sur leurs caractéristiques ou leurs agencements intérieurs).

- Il existe en pratique de nombreux types d'États, qui jouissent de degrés d'autonomie différents. La nature hiérarchique du système international peut être source de contestations, fondées sur une revendication de mise en œuvre effective de l'égalité souveraine.

- La diplomatie, originellement conçue comme l'expression pacifique des rapports politiques entre les États, s'adresse désormais à un large panel d'acteurs (on parle ainsi de «diplomatie publique»).

- Loin de se limiter aux relations politiques, l'action extérieure de l'État recouvre tous les pans de l'action publique (en particulier les domaines économique et culturel).

📖 POUR ALLER PLUS LOIN

BADIE B., 1992, *L'État importé. Essai sur l'occidentalisation de l'ordre politique*, Paris, Fayard.

BADIE B., BIRNBAUM P., 1979, *Sociologie de l'État*, Paris, Grasset.

GROSSER P., 2013, *Traiter avec le diable? Les vrais enjeux de la diplomatie au XXIᵉ siècle*, Paris, Odile Jacob.

JACKSON R.H., 1990, *Quasi-States: Sovereignty, International Relation and the Third World*, Cambridge, Cambridge University Press.

LAKE D., 2009, *Hierarchy in international relations*, Ithaca, Cornell University Press.

LEQUESNE C., 2017, *Ethnographie du quai d'Orsay. Les pratiques des diplomates français*, Paris, CNRS Éditions.

POULIOT V., 2017, *L'ordre hiérarchique international. Les luttes de rang dans la diplomatie multilatérale*, Paris, Presses de Sciences Po.

ROSECRANCE R. et. al., 2002, *Débat sur l'État virtuel*, Paris, Presses de Sciences Po.

ZARTMAN W. (dir.), 1995, *Collapsed states*, Boulder, Lynne Rienner.

Films

Ridley Scott, *La chute du faucon noir*, 2001.
Volker Schlöndorff, *Diplomatie*, 2014.

Tester ses connaissances

Corrigés en ligne

1. Reliez chaque entité politique à la catégorie dont elle relève :

Kosovo ●

Soudan du Sud ●   ● État non-reconnu

France ●   ● État récent

République de Chine (Taïwan) ●   ● Région autonome

Californie ●   ● Quasi-État

Palestine ●   ● État-nation

Tibet ●   ● État fédéré

Transnistrie ●

2. Selon Max Weber, l'État :

☐ est territorialisé.

☐ exerce la violence physique.

☐ revendique un monopole de la violence physique légitime.

☐ revendique le droit de déclarer la guerre.

3. La différenciation de l'État signifie :

☐ que la sphère politique est distincte des autres secteurs de la société (comme l'économie ou la religion).

☐ qu'il existe une séparation des pouvoirs politiques à l'intérieur de l'État.

☐ que les dirigeants d'un État n'exercent pas d'autre profession.

4. La souveraineté peut être :

A. Interne ●   ● 1. Quand les États se reconnaissent mutuellement comme égaux et s'interdisent d'intervenir dans les affaires intérieures des autres États.

B. Externe ●   ● 2. Quand le pouvoir d'un chef d'État n'est limité par aucun autre.

C. Absolue ●   ● 3. Quand l'État exerce son contrôle sur l'ensemble de ce qu'il considère comme son territoire.

Sujets

La notion d'État renvoie-t-elle à une catégorie homogène ?

À qui la diplomatie est-elle destinée ?

Comment peut-on expliquer le caractère hiérarchique des relations internationales ?

Le *Revolver noué* est une œuvre de Carl Fredrik Reuterswärd dont l'un des trois exemplaires originaux a été offert aux Nations unies par le Luxembourg en 1988. Inspirée par l'assassinat de John Lennon, ami de l'artiste, cette sculpture ne se veut pas seulement commémorative. Elle incarne le symbole de la non-violence (autre titre de l'œuvre), du désarmement et plus géné-ralement de la paix. Cette dernière est l'une des visées des organisations intergouvernementales à caractère universel telles que l'ONU.

Les organisations intergouverne-mentales

Les organisations intergouvernementales (OI) s'inscrivent dans une dynamique spécifiquement moderne. Elles naissent au XIXe siècle, d'abord autour des systèmes de transports, notamment les commissions fluviales internationales, puis des unions administratives liées à l'essor des communications, comme l'Union générale des postes en 1874 ou l'Union télégraphique internationale en 1865. Progressivement, leur nombre s'accroît. 37 en 1909, elles sont aujourd'hui plus de 300. Elles investissent également le domaine de la guerre et de la paix, jusqu'alors chasse gardée des États. Ces organisations ont pour objectif d'accompagner le développement des interdépendances au sein de la **société internationale.**

Fondées sur l'idée d'une solidarité qui unit les États mais aussi les peuples au-delà des frontières, elles entendent susciter un « *way of life* » dans les relations internationales. Les théories des relations internationales tendent à gommer ce point. Les réalistes mettent l'accent sur les rapports de puissance en leur sein. Les libéraux insistent sur la baisse des coûts de transactions grâce à l'échange d'information favorisant la confiance entre États. Les constructivistes soulignent l'expression des identités ou la recherche du prestige par les États. Si les OI donnent à voir ces trois types de phénomènes, il convient de les replacer dans le temps long et de prendre en compte la recherche de solidarité. Celle-ci s'exprime également au sein des organisations régionales. Se pose alors la question d'une cohérence entre les niveaux régional et global car des logiques de concurrence se mêlent à celles de la complémentarité.

I. Instituer la paix, réguler la mondialisation

La Première Guerre mondiale a favorisé l'éclosion d'une diplomatie qui se veut nouvelle et qui place au cœur de son dispositif une organisation intergouvernementale, en l'occurrence la Société des Nations. Une organisation intergouvernementale est créée sur la base d'un traité entre États qui précise l'étendue de ses missions, ce que l'on appelle les compétences d'attribution. Elle bénéficie d'une structure permanente comprenant trois types d'organes : interétatiques (où délibèrent les représentants diplomatiques des États, aboutissant à des décisions soit à l'unanimité, soit à la majorité), administratifs (à partir desquels les personnels chargés du fonctionnement mettent en œuvre des politiques publiques), et éventuellement juridictionnels, soit parce que leur fonction consiste à juger (Cour internationale de justice, Cour pénale internationale), soit parce que leur fonctionnement prévoit l'intervention d'un juge (Cour de justice des communautés européennes, Cour européenne des droits de l'homme). Les OI disposent d'un siège et de la personnalité juridique car elles sont dépositaires de droits et de devoirs. Aujourd'hui, les OI à caractère universel poursuivent deux objectifs principaux : instituer la paix et réguler la mondialisation.

Tableau 6.1   Repères historiques des principales organisations intergouvernementales à vocation universelle

1919	Société des Nations (SDN)
1919	Organisation internationale du travail (OIT)
1923	Cour internationale d'arbitrage
1944	Fonds monétaire international (FMI)
1945	Banque internationale pour la reconstruction et le développement (BIRD), ancêtre de la Banque mondiale (BM)
1945	Organisation des Nations unies (ONU)
1995	Organisation mondiale du commerce (OMC)
1998	Cour pénale internationale (CPI)

1. Construire la paix

En 1919, le président américain **Woodrow Wilson** (1856-1924) s'engage dans une révolution copernicienne de la diplomatie. L'ancienne diplomatie a généré une catastrophe, la Première Guerre mondiale, en raison d'un équilibre des puissances introuvable mais aussi d'une pratique critiquable : celle du secret. La nouvelle diplomatie qu'il appelle de ses vœux repose sur un contrôle plus étroit des activités. Il souhaite établir un principe de transparence opposé au secret. La nouvelle diplomatie instaure aussi et surtout une organisation intergouvernementale chargée de vider les différends entre États.

Wilson se veut le défenseur de la paix par le droit et non plus de la paix par la force. Selon la légende, le *Projet de paix perpétuelle* d'Emmanuel Kant▸ était son livre de chevet. Émerge ainsi l'idée d'une sécurité collective qui entend dépasser le dilemme de sécurité entre États (voir ci-dessous sa formulation dans l'article 10 du pacte de la Société des Nations). Elle repose sur deux éléments. Le premier est matériel, puisqu'un État est dissuadé d'utiliser des moyens militaires de façon offensive lorsqu'il s'expose aux forces non pas d'un autre État mais de tous les autres. Le second est moral, dans le sens où attaquer un autre État signifie attaquer l'ensemble des États. La sécurité collective promeut ainsi une indivisibilité de la paix.

> **Le saviez-vous ?**
> La personnalité du président W. Wilson a inspiré un ouvrage coécrit entre 1930 et 1935 par le diplomate américain William C. Bullit et le père de la psychanalyse, Sigmund Freud : *Wilson. Un portrait psychologique* (Payot, 2005).

▸ Voir chapitre 11.

Le principe de sécurité collective en 1919

Article 10.
Les membres de la Société s'engagent à respecter et à maintenir contre toute agression extérieure l'intégrité territoriale et l'indépendance politique présente de tous les membres de la Société. En cas d'agression, de menace ou de danger d'agression, le Conseil avise aux moyens d'assurer l'exécution de cette obligation.
(Pacte de la Société des Nations)

L'échec diplomatique de l'entre-deux-guerres entraîne la disparition explicite du mot « paix » dans la Charte de San Francisco à l'origine de l'Organisation des Nations unies (1945). Néanmoins, à la lecture de l'article 2§4, le principe semble toujours présent : « Les membres de l'organisation s'abstiennent, dans leurs relations internationales, de recourir à la menace ou à l'emploi de la force, soit contre l'intégrité territoriale ou l'indépendance politique de tout État, soit de toute autre manière incompatible avec les buts des Nations unies. » De plus, les missions de l'ONU exposées à l'article 55 sont élargies aux problèmes économiques et sociaux, ainsi qu'à la promotion des droits humains. Elles montrent que la sécurité dépasse le registre purement militaire. Conscients des effets de la crise de 1929 sur l'essor du nazisme, les rédacteurs de la Charte considèrent que la paix se fonde aussi sur l'amélioration des conditions de vie des populations et sur la reconnaissance de leurs droits.

FOCUS Les fonctions du Conseil de sécurité

Les architectes de l'ONU ont conféré un rôle central au Conseil de sécurité, lequel se voit reconnaître « la responsabilité principale du maintien de la paix et de la sécurité internationales » en vertu de l'article 24§1 de la Charte. Composé de cinq membres permanents (Chine, États-Unis, France, Royaume-Uni, Russie) et de dix membres non permanents élus par l'Assemblée générale pour deux ans sur la base d'une représentation géographique, il prend ses décisions à la majorité (9 voix sur 15). Les questions de fond peuvent faire l'objet d'un droit de veto en cas de désaccord de l'un des membres permanents.

Ces caractéristiques font du Conseil un organe oligarchique qui concentre les pouvoirs en matière de sécurité internationale. En effet, l'Assemblée générale ne dispose pas de telles prérogatives malgré le fait qu'elle seule vote le budget. Elle ne peut qu'attirer l'attention du Conseil sur une situation préoccupante. Seul le blocage du Conseil peut éventuellement lui permettre de voter une résolution en matière de sécurité internationale à condition de recueillir une majorité des deux tiers. Néanmoins, l'ambition initiale de l'ONU, en matière de sécurité collective, était de mettre à disposition des forces militaires ainsi qu'un état-major, autant de dispositifs qui n'ont pas vu le jour en raison des réticences étatiques. Dès lors, l'ONU a privilégié la mise en place d'opérations de maintien de la paix.

---

2. Plusieurs générations d'opérations de paix

Réaliser la paix suppose la mise en place d'opérations spécifiques sous le mandat des Nations unies. À cet égard, trois types de générations se succèdent depuis la Seconde Guerre mondiale.

De 1948 à 1989, l'ère de la guerre froide contraint l'action de l'organisation qui se limite au maintien de la paix. Avec l'objectif de vérifier la mise en œuvre d'un cessez-le-feu, les opérations de paix sont menées par des contingents nationaux à disposition du Conseil de sécurité et placées sous commandement opérationnel. Elles se fondent sur trois principes : la neutralité, le consentement des parties, le non-recours à la force. Dans cette perspective, les casques bleus s'apparentent à des forces tampon. Ces opérations sont peu nombreuses et toutes conditionnées par la bipolarité, à savoir une convergence entre les États-Unis et l'Union soviétique. Avec l'évolution des conflits armés de plus en plus infra-étatiques et la fin de la guerre froide, l'ONU bénéficie d'un regain d'intérêt. Alors qu'aucune opération n'avait été lancée entre 1978 et 1988, sept sont instituées entre 1988 et 1993. Suite à l'**Agenda pour la paix** (1992) rédigé par le secrétaire général Boutros Boutros-Ghali, elles font l'objet d'une clarification. De nature multidimensionnelle, elles vont des activités préventives à la consolidation de la paix comme la reconstruction matérielle, la supervision et l'assistance électorales, la promotion de la démocratie et des droits de l'homme, le développement, sans oublier l'aide humanitaire ou la protection des réfugiés.

La polyvalence exigée par ces opérations entraîne la présence de nombreux intervenants, qu'ils soient policiers ou experts civils, dont la coordination sur le terrain avec les militaires se révèle de plus en plus complexe et délicate. Mais le passage de la première à la deuxième génération ne se borne pas à une extension, notamment la mise en place d'une transition vers la paix durable qui se veut à la fois politique, économique et judiciaire. Elle concerne aussi le mandat des casques bleus qui peut se révéler coercitif *via* l'imposition de la paix. Quant à la troisième génération, elle émerge suite à la multiplication et la diversification des opérations dont le bilan se révèle limité. Des tentatives de rationalisation sont formulées, à l'instar du rapport Brahimi de 2000, lequel insiste sur le recours à la force pour protéger les civils (maintien de la paix « robuste ») ou encore sur l'amélioration des mesures relatives au désarmement, à la démobilisation et à la réinsertion des combattants. En 2008, l'ONU adopte la doctrine Capstone qui entend aider la planification des opérations. Les interventions onusiennes font l'objet de vastes critiques concernant leur bien-fondé, leur mise en œuvre ainsi que leurs effets. Toutefois, il convient d'évaluer les actions au prisme des capacités mises à disposition. 101 000 personnes sont déployées dans le cadre des

Le saviez-vous ?

En 1992, le secrétaire général des Nations unies, Boutros Boutros-Ghali, présente les nouveaux objectifs pour l'ONU dans son **Agenda pour la paix**. Ce document majeur formule des recommandations ambitieuses qui rencontrent des difficultés de mise en œuvre. Le Supplément à cet agenda publié en 1995 ne permet pas de les résoudre.

missions de paix sur seize théâtres d'opérations en septembre 2016 pour un budget global de 7,5 milliards d'euros. À titre de comparaison, ces chiffres correspondent à 1,8 % des fonctionnaires et à 2 % des recettes brutes de l'État français.

FOCUS La réforme du Conseil de sécurité

Depuis la résolution A/48/26 de l'Assemblée générale de 1993, la modification du Conseil, tant la composition de ses membres que l'usage du droit de veto, est inscrit à l'agenda des Nations unies. Les différentes options portent sur une extension des membres permanents – de 5 à 10 avec l'Allemagne, le Japon et l'Inde qui proposent un dixième siège à l'Afrique ; une augmentation des membres non permanents – avec un allongement de la durée jusqu'à quatre ans et non plus seulement deux ; l'usage du droit de veto – dotation ou non au profit des nouveaux membres permanents, restriction de son utilisation en fonction des matières traitées notamment en situation de génocide. Jusqu'à présent, ces différents projets n'ont pas abouti en raison d'une absence de consensus entre les cinq membres permanents. Les amendements ponctuels ou la révision complète de la Charte confèrent à ces derniers un rôle majeur puisqu'ils ne peuvent pas être adoptés sans leur aval (*cf.* articles 108 et 109 de la Charte de San Francisco).

---

3. Des phénomènes préoccupants

Le débat portant sur le bilan des opérations ne doit pas occulter deux phénomènes majeurs quant à la fonction de l'organisation en matière de sécurité internationale : celui du glissement normatif et du contournement institutionnel.

■ Une transformation polémique du droit international public

Initialement, le droit international public s'enracine dans une conception libérale dont la visée première consiste à instaurer la coexistence d'États indépendants. Il se borne à un droit formel assurant la liberté réciproque de ces derniers. Il n'a pas à se prononcer sur la manière d'organiser les pouvoirs en leur sein. Progressivement, ce droit devient substantiel en reconnaissant la personne humaine comme sa bénéficiaire ultime.

La double indifférence originelle à l'égard du régime politique et des valeurs sur lesquelles il repose s'étiole. Les atteintes aux droits humains deviennent des motifs d'intervention humanitaire. Ces interventions se distinguent de l'assistance humanitaire reconnue dans la résolution 43/131 de l'Assemblée générale en décembre 1988, laquelle applique le principe de libre accès aux victimes de conflits ou de catastrophes sur la base d'un accord des États souverains, qui aboutit à la constitution de corridors humanitaires. Mais ces interventions génèrent un clivage entre les États qui tendent à défendre cette nouvelle conception du droit et ceux qui en contestent la pertinence. Ces derniers critiquent le double langage qui entourerait son application, car derrière la protection des droits humains se cacheraient des ambitions moins avouables visant à maintenir les intérêts des grandes puissances.

Les débats quant à la responsabilité de protéger, notamment l'intervention en Libye de 2011, l'illustrent. Cette responsabilité a fait l'objet d'une première formulation dans le rapport Evans-Sahnoun rédigé par la Commission internationale de l'intervention et de la souveraineté des États (2002). Les conclusions du sommet mondial de 2015 incorporent une partie des propositions formulées, sachant que l'objectif se révèle très large puisque la responsabilité de protection des civils incombant aux États intègre la prévention. Les paragraphes 138 et 139 confèrent d'abord et avant tout une compétence aux États. Ce n'est qu'en cas de défaillance de ces derniers, du point de vue des capacités ou bien de la volonté, que le Conseil de sécurité peut engager des moyens adaptés en vue de porter secours aux civils. L'intervention en Libye de 2011 est considérée comme la première application de ce principe. Toutefois, elle fait l'objet de vives critiques puisque les intervenants auraient outrepassé le mandat formulé par le Conseil de sécurité.

■ Le contournement de l'ONU

Après la sortie euphorique de la bipolarité sans affrontement armé, l'ONU connaît un regain d'engagement dont la guerre du Golfe est l'une des manifestations. Néanmoins, plusieurs cas tendent à la fragiliser. Lors de la seconde opération en Somalie (ONUSOM II) créée en 1993, les États-Unis mettent en place une force opérationnelle autonome de 18 000 personnes, parallèlement aux contingents sous mandat onusien. Après la mort de plusieurs dizaines de soldats américains, le président Clinton décide de suspendre l'implication des États-Unis. En mars de l'année suivante, il formule l'idée d'un multilatéralisme sélectif : les armées seront engagées dans les opérations de maintien de la paix uniquement lorsque les intérêts des États-Unis seront clairement menacés.

Le second cas correspond à l'intervention au Kosovo en 1999. En raison d'un clivage entre la Russie et la Chine d'une part, et les États occidentaux d'autre part, le Conseil de sécurité ne parvient pas à dépasser sa division interne. En résulte leur contournement de l'ONU au profit de l'OTAN. Si la responsabilité du Conseil de sécurité est bien « principale▸ », elle n'est pas pour autant « exclusive ». Pour les tenants de l'intervention, certaines situations comme celle du Kosovo justifient un tel contournement par des organisations tierces.

▸ Voir Focus, p. 124.

La guerre en Irak, décidée en 2003 par le président George W. Bush, offre une troisième expression de cette marginalisation. Votée en novembre 2002, la résolution 1441 donne une dernière possibilité à l'Irak de respecter les règles du désarmement et renforce les dispositifs de contrôle. Pour l'administration Bush, dans laquelle les néoconservateurs s'imposent progressivement, nul besoin d'une nouvelle résolution en vue d'engager des forces armées contre Saddam Hussein. Cette lecture est plus que sujette à caution. La **coalition** menée par les États-Unis agit en dehors d'une autorisation préalable du Conseil de sécurité. Ce qui inspire à Richard Perle, l'un des proches du secrétaire à la Défense Donald Rumsfeld, des phrases assassines à l'encontre de l'organisation : « *Thank God for the death of the United Nations* », affirme-t-il dans *The Guardian* en mars 2003. Le Conseil se réappropriera la situation *a posteriori* mais de façon latérale : en mettant en place une mission humanitaire (Résolution 1483 de 2003) et en faisant des forces américaines et britanniques sur place non pas des armées « occupantes » mais à « caractère multinational » (résolution 1511 de 2003).

> **Le saviez-vous ?**
> La France ne participe pas à cette **coalition**. Le discours prononcé au sein du Conseil par Dominique de Villepin, à l'époque ministre des Affaires étrangères français, est applaudi par l'assemblée, ce qui est rare dans cette enceinte.

4. Une régulation difficile à construire

En plus des missions liées à la paix, la deuxième grande fonction des organisations intergouvernementales consiste à réguler la mondialisation, conçue ici en termes essentiellement économiques. La régulation vise à mettre en place des instruments en vue de corriger les déficiences du marché. Elle reconnaît le libre fonctionnement de celui-ci tout en cherchant à soustraire certains secteurs à son emprise, lorsqu'il s'agit de biens publics qui nécessitent l'intervention des autorités publiques : environnement ou santé, par exemple. Suite à l'expérience de l'entre-deux-guerres, ne pas isoler les questions économiques par rapport aux enjeux de sécurité constitue un impératif après la Seconde Guerre mondiale. Les institutions issues des accords de **Bretton Woods** (1944) répondent à cette logique : le Fonds monétaire international (FMI) et la Banque internationale pour la reconstruction et le développement (BIRD, qui est l'ancêtre de la Banque mondiale). Dans le domaine commercial, le contexte de l'époque voit poindre, non pas une organisation intergouvernementale, mais des cycles de négociation relatifs à un accord général sur les tarifs et le commerce (GATT). Ils se transforment en Organisation mondiale du commerce (OMC) suite au traité de Marrakech de 1994, dont l'une des innovations majeures réside dans la création d'un organe de règlement des différends (ORD).

La régulation de la mondialisation est toutefois hypothéquée par l'échec des institutions de Bretton Woods et l'essor d'un modèle dominant : celui du **consensus de Washington**, lequel accorde au marché un rôle central.

> **Définition**

> **Consensus de Washington :** expression façonnée par l'économiste John Williamson en 1989 afin de désigner un ensemble de mesures libérales, comme l'austérité budgétaire, la réduction des subventions publiques, la libéralisation des échanges commerciaux, la privatisation de l'économie, la déréglementation. Ces mesures sont principalement portées par les institutions politiques américaines (Congrès, administration) et par les organisations intergouvernementales économiques (FMI et BM) toutes localisées à Washington.

L'État doit se désengager au profit de trois piliers : libéralisation, privatisation, déréglementation. Ainsi, les obstacles aux contraintes tarifaires sont levés progressivement. Les droits de douane sont quasi liquidés sur les produits industriels, passant de 40 % à 4 % entre 1947 et 1994. En matière de développement, les programmes d'ajustement structurel imposent aux États bénéficiaires d'une aide au développement des règles strictes relevant de ce consensus : outre l'application des trois principes, les gouvernements sont soumis à une austérité budgétaire qui contracte les dépenses publiques. La **révolution de 2000** appelée par le directeur de la Banque mondiale James Wolfensohn, aidé par un prix Nobel de l'économie (Joseph Stiglitz), ne modifie pas véritablement ces conceptions d'inspiration néolibérale. La Banque prône la lutte contre la pauvreté,

Le saviez-vous ?
La conférence réunie en 1944 à **Bretton Woods** (New Hampshire) met en place un cadre de coopération et de développement, afin d'asseoir une économie mondiale à la fois stable et prospère suite à la Seconde Guerre mondiale.

tout en initiant la participation de la société civile aux orientations économiques du pays. L'octroi de l'aide est conditionné à l'organisation de séances délibératives entre les membres du gouvernement et les représentants d'ONG, d'entreprises, de coopératives etc. Les expériences montrent que ce développement participatif demeure fragile : sélectivité des partenaires influencée par des créanciers dont le FMI (les syndicats ou les parlementaires sont peu associés aux discussions), transparence insuffisante (les acteurs découvrant les documents officiels quelques jours voire quelques heures avant les débats), occultation de certains pans de la stratégie de développement (les objectifs macroéconomiques comme les équilibres budgétaires échappent aux délibérations). Cette recherche de la régulation entraîne la mise à distance de plusieurs forums au sein desquels des modèles alternatifs ont vu le jour : la Conférence des Nations unies sur le commerce et le développement (CNUCED) ou encore le Programme des Nations unies pour le développement (PNUD).

Ces diverses organisations intergouvernementales à caractère universel traversent une période de crise. Leur légitimité, leur représentativité, leur efficacité font l'objet de sévères critiques.

II. La régionalisation du monde

Régionalisme : posture selon laquelle l'action politique serait plus pertinente au niveau régional que national. Bien que la déclinaison de ce phénomène ne soit pas uniforme, elle apparaît sur tous les continents.

On entend par régionalisation un processus d'institutionnalisation à l'échelle soit continentale soit sous-continentale, qui repose sur la création d'organisations intergouvernementales. Il donne corps au **régionalisme**.

▶ Voir Tableau 6.2, p. 131.

Au XIXᵉ siècle, l'initiative de Simon Bolivar visant à constituer une Union des jeunes républiques ibéro-américaines offre une première illustration de la régionalisation. Mais c'est surtout après la Seconde Guerre mondiale que celle-ci s'amplifie. Deux phases se distinguent. Jusqu'aux années 1970 tout d'abord, les États mettent en œuvre des accords régionaux en vue essentiellement de développer une coopération politique▶. Seule la Communauté économique européenne prévoit l'élaboration d'un tiers institutionnel fondé sur le principe d'un transfert de souveraineté, et donc une logique d'intégration supranationale. Cette exception ne signifie pas l'absence de projets de nature similaire sur les autres continents. Par exemple, avec sa célèbre phrase « L'Afrique doit s'unir. » en 1963, le président ghanéen

Kwame Nkrumah défend une conception maximaliste de la régionalisation africaine fondée sur l'idée fédérale, alors que le groupe de Monrovia formule une version modérée qui repose sur la reconnaissance des États indépendants. La création de l'OUA résulte de cette deuxième idée, en privilégiant l'égalité souveraine des États, la non-ingérence dans les affaires intérieures, le respect de la souveraineté et de l'intégrité territoriale.

Tableau 6.2 **Repères historiques des principales organisations régionales**

1945	Ligue des États arabes
1948	Organisation des États américains
1957	Communauté économique européenne
1960	Association latino-américaine de libre-échange
1962	Union monétaire ouest-africaine
1963	Organisation de l'unité africaine (devenue Union africaine en 2002)
1967	Association des nations de l'Asie du Sud-Est (ASEAN)
1975	Communauté économique des États de l'Afrique de l'Ouest (CEDEAO)

À partir des années 1970, la pression exercée par des interdépendances économiques génère un regain favorable à la régionalisation. L'objectif principal consiste à consolider ou assurer une insertion des économies nationales dans la mondialisation. Ce «néo-régionalisme» a la particularité d'associer des acteurs de natures diverses. Des firmes, des autorités publiques, des réseaux d'acteurs transnationaux soutiennent ce processus. En d'autres termes, la régionalisation est portée par une pluralité d'acteurs publics et privés. Il faut également mentionner l'ambition affichée de ces organisations. Certaines d'entre elles s'inspirent d'une logique intégrative jusque-là mise à distance. À titre d'illustration, l'Organisation de l'unité africaine devient l'Union africaine en 2002, s'inspirant en partie de certains organes de l'Union européenne.

1. Le domaine de la sécurité

Les OI régionales intègrent une dimension classiquement réservée aux États, à savoir la politique étrangère et les questions de sécurité. Avec le traité de Maastricht, entré en vigueur en 1993, l'Union européenne s'est dotée d'une politique étrangère et de sécurité commune et, à partir de 1999, d'une politique de défense. Si les missions à l'étranger, qu'elles

L'Organisation de coopération de Shangai (OCS), créée en 2001, vise certes à établir un climat de confiance entre la Russie et la Chine en associant les États d'Asie centrale, mais elle incorpore aussi un aspect stratégique *via* l'établissement de manœuvres communes (sino-kazakhes, puis sino-russes en 2005), ainsi que des mesures de lutte contre le terrorisme.

soient civiles, militaires ou mixtes, ne sont pas très nombreuses depuis leur mise en place effective en 2003, elles attestent d'une transformation opérationnelle. Elles ne se limitent plus aux périodes post-conflit, à savoir l'aide humanitaire ainsi que la reconstruction économique, politique, judiciaire ou administrative. Elles prévoient également des actions de désescalade ou de transition sécuritaire, comme la garantie de l'ordre public après un cessez-le-feu ou parallèlement à la consolidation de la paix. D'autres organisations régionales incorporent cette dimension. En 1990, la Communauté économique des États de l'Afrique de l'Ouest (CEDEAO ou ECOWAS en anglais) crée le ECOWAS Cease-Fire Monitoring Group (ECOMOG) qui devient permanent en 1999.

2. L'essor de la diplomatie interrégionale

La deuxième particularité tient à une densification des coopérations interrégionales : forums ou accords qui associent des groupes régionaux ou des organisations régionales. Les premières formes s'enracinent dans le phénomène de triade qui caractérise l'économie mondiale, à savoir l'identification de trois pôles dynamiques de richesses : Amérique, Asie, Europe. Ainsi apparaissent des forums entre ces régions, à l'instar de l'APEC (Asia-Pacific Economic Cooperation, en français Coopération économique pour l'Asie-Pacifique, 1989) ou l'ASEM (Asia-Europe Meeting, en français Dialogue Asie-Europe, 1996). Mais ces formes de coopérations ne se restreignent plus à ces espaces. Un élargissement s'opère à travers l'apparition de nouveaux cadres de discussion, que ce soit entre acteurs régionaux – Sommet Union européenne-Amérique latine (1999), Forum of East Asia-Latin America Cooperation (1999), Sommet UE-Afrique (2000) – ou bien entre des organisations régionales et un État en particulier : on peut citer, par exemple, l'UE avec la Chine, l'Inde ou la Russie ; l'ASEAN avec l'Australie, la Chine, le Japon et la Corée.

3. La recherche des complémentarités

Le renforcement de la coopération suscite des risques de concurrence entre ces organisations régionales et l'ONU, mais aussi entre elles. La Charte de San Francisco reconnaît l'existence d'accords ou d'organismes régionaux dans son chapitre VIII. Le Conseil de sécurité peut ainsi déléguer l'application des mesures coercitives qu'il prend au titre de sa responsabilité en matière de sécurité internationale, à condition d'être tenu pleinement informé à tous les stades de l'intervention. Parallèlement, les traités constitutifs des organisations régionales font référence à la Charte.

La coopération entre l'ONU et ces acteurs demeure limitée pendant la guerre froide : à titre non limitatif, l'Organisation de l'unité africaine pour le Congo (1960-1963) et le Tchad (1980) ou encore la Ligue des États arabes au Liban (1976). Mais c'est surtout la fin de la bipolarité qui ouvre une nouvelle ère de coopération fondée sur les principes d'efficacité et de proximité. D'une part, l'ONU ne peut plus faire face seule à la multiplication des interventions et, d'autre part, les organisations régionales bénéficient d'une expérience de terrain et *a priori* d'une meilleure réactivité. Ayant soutenu une thèse de doctorat intitulée « Contribution à l'étude des ententes régionales », Boutros Boutros-Ghali insiste dans son Agenda pour la paix sur une meilleure coordination des actions entre ces deux niveaux, global et régional. Le Supplément qu'il rédige en 1995 (chapitre IV, § 86) clarifie la nature des liens à renforcer : la consultation, les appuis diplomatiques et opérationnels comme le soutien technique onusien voire le relais de l'organisation régionale après le départ des forces, le co-déploiement ou la constitution d'opérations conjointes. L'ensemble de ces mesures défend l'idée d'une compatibilité entre institutions régionales et mondiales, voire la nécessaire constitution des premières comme source de développement et de bon fonctionnement des secondes. Toutefois, des tentatives d'émancipation ne sont pas à exclure, en dehors du droit à la légitime défense collective, c'est-à-dire lorsqu'un État membre d'une alliance est attaqué. Des craintes relatives à la création d'une sécurité collective autonome autour de l'Otan font florès. Mais les tensions ne se manifestent pas seulement entre échelles globale et régionale. Des concurrences émergent aussi entre organisations régionales.

Conclusion

L'essor du nombre d'organisations intergouvernementales est un révélateur des transformations internationales. Que ce soit à l'échelle universelle ou bien régionale, les liens entre États mais aussi avec les acteurs sociétaux ne cessent de s'intensifier, obligeant à une coopération renforcée en vue de réaliser la sécurité internationale et de réguler la mondialisation. Les organisations intergouvernementales offrent ainsi un cadre privilégié pour adopter mesures et conduites nécessaires à ces objectifs. Loin d'aboutir à une architecture au bénéfice d'un centre unique, cet essor favorise l'éclosion d'un archipel, comme le souligne l'un des anciens représentants de la France aux Nations unies, Alain Dejammet. L'un des enjeux majeurs consiste à favoriser la circulation de l'information et la coordination entre les différents membres de cet archipel, dont l'ONU incarne encore la plus grande des îles.

À RETENIR

- L'origine des organisations intergouvernementales remonte au XIXe siècle et vise à accompagner l'essor des systèmes de transport et de communication.
- La sécurité collective comme finalité des OI vise à substituer « la paix par le droit » à « la paix par la force » à partir de 1919.
- Le regain de l'ONU avec la fin de la guerre froide entraîne l'augmentation des opérations de paix multidimensionnelles.
- La régionalisation du monde repose sur une institutionnalisation des continents et des sous-continents faisant de la région un espace de sens pour l'action politique.
- Les organisations régionales sont exposées à trois tendances : l'intégration d'une composante externe à leur action, la densification des coopérations interrégionales, la tension entre complémentarité et concurrence dans leurs relations réciproques.

POUR ALLER PLUS LOIN

ALBARET M., DECAUX E., LEMAY-HÉBERT N., PLACIDI D. (dir.), 2012, *Les Grandes Résolutions du Conseil de sécurité*, Paris, Dalloz.

BADIE B., DEVIN G. (dir.), 2007, *Le Multilatéralisme. Nouvelles formes de l'action internationale.* Paris, La Découverte.

DEJAMMET A., 2012, *L'Archipel de la gouvernance mondiale*, Paris, Dalloz.

DEVIN G., 2016, *Les Organisations internationales*, Paris, Armand Colin.

HATTO R., 2015, *Le Maintien de la paix*, Paris, Armand Colin.

PETITEVILLE F., 2009, *Le multilatéralisme*, Paris, Montchrestien.

Réseau de recherche sur les opérations de paix : www.operationspaix.net

Films

Terry George, *Hotel Rwanda*, 2005.

Michael Caton-Jones, *Shooting Dogs*, 2006.

Sydney Pollack, *L'interprète*, 2005.

Tester ses connaissances

1. Quel est le budget annuel global des opérations de paix ?

☐ 1,5 milliard d'euros   ☐ 7,5 milliards d'euros

☐ 15,5 milliards d'euros   ☐ 30,5 milliards d'euros

2. La coopération interrégionale désigne :

☐ les relations entre OI régionales.

☐ les relations à l'intérieur de l'UE.

☐ les relations entre organisations sous-continentales.

☐ les relations entre l'UE et les autres organisations régionales.

Corrigés en ligne

Étude de document

Quelles sont les grandes tendances que manifestent les statistiques suivantes ?

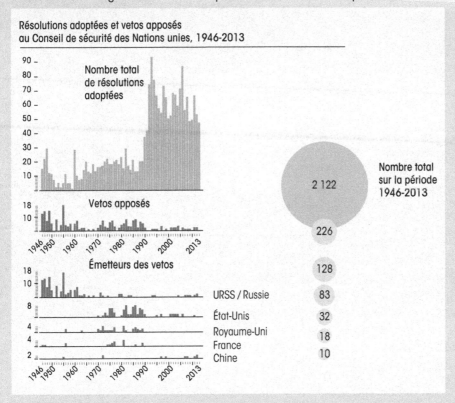

Résolutions adoptées et vetos apposés
au Conseil de sécurité des Nations unies, 1946-2013

Nombre total de résolutions adoptées

Vetos apposés

Émetteurs des vetos

Nombre total sur la période 1946-2013

2 122

226

128

URSS / Russie — 83

État-Unis — 32

Royaume-Uni — 18

France — 10

Chine

Sujets

Organisations intergouvernementales et société mondiale

Quelles sont les conséquences de la régionalisation sur le multilatéralisme universel ?

La responsabilité de protéger

▲

Le 6 décembre 1992, pour la première fois depuis un mois, un convoi de camions chargés de sacs de riz parvient à sortir de Mogadiscio (Somalie) après avoir été bloqué pour des raisons de sécurité. La médiatisation du conflit et de la crise humanitaire somalienne atteint un sommet en 1992, avec l'opération « Du riz pour la Somalie » lancée par le ministre de la Santé français Bernard Kouchner. Elle illustre le lien étroit entre l'aide humanitaire, la médiation des crises et leur inscription à l'agenda politique.

Les acteurs de l'aide humanitaire et du développement

Action humanitaire et développement semblent renvoyer à des catégories bien définies, la première répondant à des situations d'urgence tandis que le second poursuivrait des objectifs socio-économiques plus profonds. Mais de nombreux acteurs, convaincus du lien entre le mal-développement et l'ampleur des crises humanitaires, s'investissent simultanément dans ces deux domaines qui reposent sur des fondements partagés : un universalisme éthique ; la conscience du caractère interdépendant des crises et des inégalités à l'échelle mondiale ; et le constat d'une insuffisance de l'action étatique face à ces difficultés.

Les acteurs de l'action humanitaire et du développement sont nombreux : ONG et fondations agissent au côté d'États, d'organisations internationales, de mouvements religieux ou d'entreprises, entretenant des relations qui peuvent aller de l'indifférence à la confrontation, en passant par la coopération et la cooptation. Ces interactions sont marquées par trois dynamiques : la professionnalisation, l'émergence de nouveaux acteurs issus notamment des Suds, et des efforts de coordination multilatérale ▸.

I. Les fondements de l'aide internationale

▶ Parmi les acteurs de l'aide humanitaire et surtout du développement, on compte un nombre croissant d'acteurs privés, à objectif commercial ou non-lucratif. Il s'agit par exemple d'entreprises sociales ou de commerce équitable, d'institutions bancaires spécialisées dans l'accès des populations pauvres aux mécanismes de crédit, ou encore d'entreprises mettant en œuvre des partenariats publics-privés en matière de développement. Ces acteurs économiques sont abordés dans le chapitre 8.

Les acteurs de l'aide et du développement se distinguent, à l'origine, par un rapport différent aux logiques d'engagement politique – l'aide humanitaire se réclamant de la neutralité face à des situations d'urgence, tandis que l'action publique ou privée en matière de développement assume d'emblée une ambition transformatrice pour les sociétés.

1. Évolutions de l'action humanitaire

On fait conventionnellement remonter l'émergence d'une aide humanitaire structurée à la prise de conscience d'un banquier suisse, Henri Dunant, témoin en 1859 des horreurs de la bataille de Solférino. Il impulsa en 1863 la fondation du Comité international de la Croix-Rouge (CICR), avec le soutien de seize États européens. L'organisation répond à l'objectif d'alléger les souffrances des populations en situation d'urgence immédiate, en soignant et protégeant les personnes qui ne participent pas ou plus aux hostilités. Elle établit une série de principes visant à permettre l'accès de personnel médical et de matériel d'aide d'urgence aux abords des champs de bataille, qui seront formalisés avec l'adoption des conventions de Genève. Ces dernières, adoptées en 1949, forment la base du droit international humanitaire et ont été enrichies par la suite de protocoles additionnels. L'adoption de ces textes souligne l'interaction positive qui se met en place avec des États engagés en faveur de la paix et de principes universels, qui contribuent à leur donner une traduction juridique. La Seconde Guerre mondiale, durant laquelle le CICR échoue à dénoncer la situation des camps de concentration et persiste à tenter de négocier l'accès aux prisonniers avec les autorités nazies, ouvre la voie à une remise en cause de cette posture de neutralité politique en toutes circonstances.

À partir des années 1970, l'action humanitaire internationale acquiert de nouveaux ressorts et principes, parallèlement à l'essor du photojournalisme. Celui-ci permet de diffuser des images de souffrances insoutenables, mettant en évidence l'insuffisance des actions étatiques ou multilatérales, voire les abus perpétrés par les États eux-mêmes. De l'indignation soulevée par la guerre du Biafra (1967-1970) naît ainsi l'ONG

Médecins sans frontières, pionnière du « sans-frontiérisme » : l'idée selon laquelle l'action humanitaire est un impératif moral qui peut – voire qui doit – se passer de la médiation étatique pour intervenir en toute indépendance dans les situations d'urgence.

Fig. 7.1	Médecins sans frontières, 2016

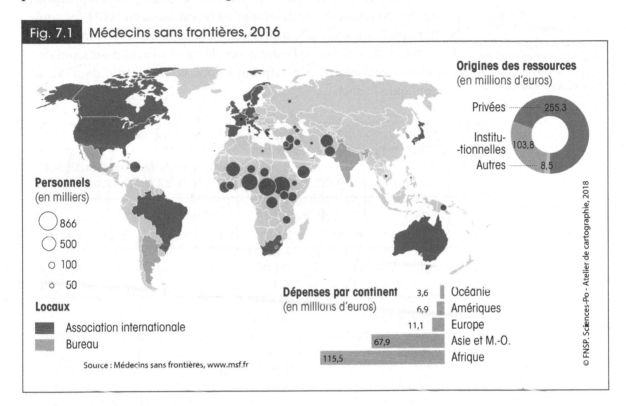

© FNSP, Sciences-Po - Atelier de cartographie, 2018

2. L'aide au développement, entre solidarité et stratégie

L'aide au développement s'institutionnalise quant à elle au sortir de la Seconde Guerre mondiale, d'abord à travers des initiatives intergouvernementales ou bilatérales. La Banque mondiale (fondée en 1945) et le plan Marshall (lancé en 1947) ont pour priorité la reconstruction des pays européens après la guerre. Ils sont rejoints en 1964 par la CNUCED (Conférence des Nations unies sur le commerce et le développement, qui vise à intégrer les pays du « tiers monde » dans l'économie mondiale). Le plan Marshall, qui contribue à la reconstruction de l'Europe, illustre la

> **Le saviez-vous ?**
> Le **plan Marshall** donne naissance en 1948 à l'Organisation européenne de coopération économique (OECE), ancêtre de l'Organisation de coopération et de développement économiques (OCDE), fondée en 1960

complexité des motivations de l'aide puisqu'il vise aussi à assurer le maintien de ces États dans le giron stratégique et idéologique des États-Unis.

Si de nombreux acteurs non-étatiques émergent à la même époque (le CCFD, Comité catholique contre la faim et pour le développement, première ONG française de développement, est fondé en 1961), les ramifications politiques de l'aide sont d'emblée plus marquées en matière de développement qu'elles ne l'étaient aux débuts de l'action humanitaire, les acteurs s'engageant par définition pour la promotion de modèles économiques et sociaux.

« Rappelons-nous que le premier objectif de l'aide américaine n'est pas d'aider d'autres nations, mais de nous aider nous-mêmes ! » (Richard Nixon, 1968).

Définitions

> L'**aide liée** consiste à imposer à l'État destinataire d'une aide financière, ou de prêts à des taux préférentiels, de dépenser tout ou partie de cette aide pour des achats prédéfinis. Cette forme d'aide s'apparente ainsi à une subvention déguisée à l'industrie de l'État donateur. Selon un rapport de la Cour des comptes sur la politique française d'aide au développement (2012), 11 % de l'aide bilatérale française était liée en 2009, contre 16 % de celle des États-Unis.

> L'**aide conditionnée** suspend le versement d'un aide à la mise en œuvre d'actions préalablement définies par le donateur. Il peut s'agir de réformes politiques (efforts en matière de respect des droits humains et des libertés), institutionnelles (transparence de la justice, lutte contre la corruption), économiques (lutte contre l'inflation, ouverture aux investissements étrangers) ou sociales (programmes d'alphabétisation ou de santé publique).

> L'**aide multilatérale** est distribuée par l'intermédiaire d'organisations intergouvernementales, par exemple celles relevant du système des Nations unies (Programme des Nations unies pour le développement ; Programme alimentaire mondial ; Organisation mondiale de la santé ; Fonds mondial pour l'enfance...) ou d'organisations régionales, par contraste avec l'**aide bilatérale** directement fournie par un État à un autre.

Les principaux fondements de l'aide au développement, publique ou privée, relèvent de trois catégories superposables :

– **un fondement compassionnel** reposant sur un sentiment de solidarité voire de responsabilité historique dans la lutte contre la pauvreté et ses effets, ainsi que dans la réduction des inégalités ;

– **un fondement économique**, notamment dans le cas des aides financières liées à une obligation d'investissements auprès du donateur. Sous le feu des critiques depuis les années 2000, ce type d'aide tend à décliner. De manière plus indirecte, une aide matérielle peut néanmoins conduire à enclencher des habitudes de consommation qui bénéficieront au donateur, public ou privé. Dans les années 1970-80, des dons de lait infantile en poudre par des entreprises agroalimentaires (notamment Nestlé), en Afrique subsaharienne et en Asie du Sud-Est, avaient ainsi pour vocation d'ouvrir un nouveau marché. En incitant les familles à remplacer l'usage du lait maternel par des préparations industrielles, ces dons ont provoqué la mort de milliers d'enfants dans des régions dépourvues d'eau potable ;

| Fig. 7.2 | Aide publique au développement (APD) totale nette de la France, 2011-2015 |

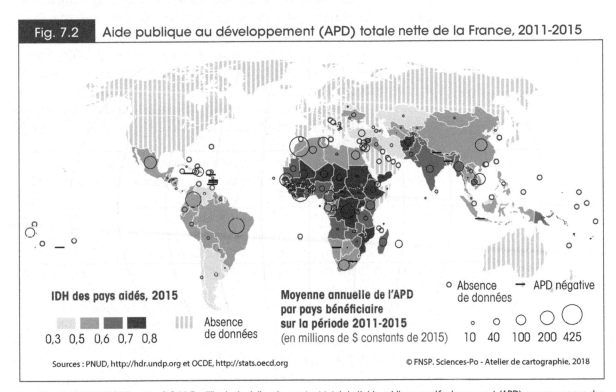

Sources : PNUD, http://hdr.undp.org et OCDE, http://stats.oecd.org   © FNSP. Sciences-Po - Atelier de cartographie, 2018

Pour l'année 2015, l'OCDE estime à 146,5 milliards de dollars le montant total de l'aide publique au développement (APD) en provenance des 28 membres de son Comité d'aide au développement (CAD), et à 36 milliards de dollars les flux d'aide privée originaire des mêmes pays. La même année, la France a consacré 1,89 milliard de dollars à l'APD (pour un total de 1,46 milliard d'aides publiques et privées combinées), majoritairement sous forme d'aide bilatérale distribuée par l'intermédiaire des programmes de l'Agence française de développement (AFD). La carte des destinataires de l'aide française montre que les liens historiques et considérations stratégiques sont des critères d'attribution plus déterminants que l'ampleur des besoins.

– **un fondement stratégique**, consistant à aborder l'aide comme un relais d'influence, comme le volet d'une politique de sécurité (répondant à l'idée de s'attaquer au lien entre pauvreté et terrorisme) voire comme un outil de gestion des flux migratoires (le développement étant censé réduire le nombre de candidats à l'immigration, ce qui s'appuie au demeurant sur une vision erronée des migrations, bien souvent le fait de personnes possédant assez de moyens pour envisager le voyage).

Controverse	Action humanitaire d'urgence et développement : un continuum ?

L'institutionnalisation multilatérale de l'aide tend à promouvoir une vision intégrée de l'aide humanitaire et du développement, considérant ces deux domaines comme deux faces d'un même problème. De fait, la superposition de la carte des zones d'extrême pauvreté avec celles des conflits prolongés et des catastrophes « naturelles » aux effets les plus dévastateurs souligne bien le lien entre le mal-développement et l'ampleur des crises humanitaires. L'idée s'est donc progressivement imposée, pour de nombreux acteurs, qu'il faudrait intervenir simultanément dans les deux domaines : secourir à court terme, et transformer les contextes à long terme.

L'ONG Médecins du monde promeut ainsi la réduction des inégalités d'accès aux soins en favorisant l'implantation d'infrastructures médicales durables, tout en intervenant avec des cliniques mobiles dans des situations d'urgence. De la même manière, le Programme alimentaire mondial promeut la sécurité alimentaire globale et développe des programmes de formation d'agriculteurs, tout en acheminant une aide alimentaire d'urgence dans les contextes de famine. D'autres organisations préfèrent à l'inverse ne pas s'investir dans les deux domaines, soit pour se concentrer sur le mode d'intervention qui relève de leur spécialité, soit parce qu'elles considèrent que le chevauchement d'activités pourrait nuire à l'image de neutralité politique requise pour accéder aux populations dans les situations d'urgence. C'est par exemple le cas des ONG médicales Première urgence internationale et MSF, qui limitent leur action à des interventions dans des contextes de conflits ou de crises sanitaires.

II. De l'institutionnalisation à l'émergence de nouveaux acteurs

L'expansion des mandats des organisations intergouvernementales a ouvert un nouveau chapitre dans l'institutionnalisation de l'aide humanitaire et du développement. Elle a favorisé la convergence de ces deux domaines de l'action internationale et la professionnalisation de leurs acteurs, tout en soulevant la question de l'uniformisation des conceptions de l'aide et des modes d'action. Parallèlement, on voit émerger de nouveaux acteurs de l'aide internationale, souvent issus des Suds, qui exercent leurs activités en dehors des modèles devenus classiques.

1. Des aides coordonnées par les organisations internationales

Le système des Nations unies a pour vocation de contribuer à mettre en œuvre les principes qui animent les acteurs de l'aide humanitaire et du développement. Des agences et programmes comme la CNUCED (Conférence des Nations unies sur le commerce et le développement, créée en 1964), le PNUD (Programme des Nations unies pour le développement, fondé en 1966), le Programme alimentaire mondial (PAM, créé en 1961) ou encore l'UNICEF (Fonds des Nations unies pour l'enfance), ont progressivement élargi leur mandat pour s'investir d'une mission de coordination voire de supervision des autres acteurs de l'aide au développement, qu'ils contribuent largement à informer et à financer.

Dans le domaine de l'aide humanitaire, la mission de coordination s'est développée parallèlement à l'essor du sans-frontiérisme et à l'élargissement du mandat des organisations sectorielles (PAM, UNICEF, HCR, etc.), qui interviennent pour porter secours en cas de conflits ou de catastrophes naturelles. C'est à ce titre qu'est établie en 1971 l'Organisation des Nations unies pour les secours en cas de catastrophe (United Nations Disaster Relief Organisation), remplacée vingt ans plus tard par le Bureau de coordination de l'aide humanitaire, suite à la résolution 43/182 de l'Assemblée générale de l'ONU (décembre 1991). Il s'agit d'une part de rationaliser les interventions parfois disparates des différentes agences onusiennes, d'autre part d'assurer une forme d'interface avec les ONG qui interviennent sur les mêmes terrains. En 2005, face à la transformation des besoins et des contextes d'intervention, les Nations unies ont lancé une réforme majeure de l'aide humanitaire : elle s'est traduite par un effort de coordination et de systématisation de l'aide à travers la formation de « clusters » thématiques associant agences intergouvernementales et ONG▸.

▶ Voir Focus p. 144.

FOCUS L'approche «cluster», une tentative de coordination multilatérale de l'aide humanitaire

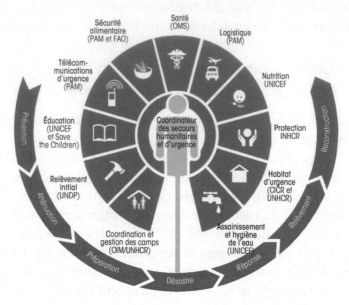

Source : d'après Humanitarian Response.

La tendance à l'uniformisation des pratiques des ONG provient entre autres des tentatives de coordination multilatérale d'initiatives jugées trop disparates pour être efficaces. En 2005, l'ONU a ainsi mis en œuvre une réforme majeure du système de coordination de l'aide humanitaire internationale. Il s'agissait en priorité de permettre une meilleure adéquation de la réponse aux besoins d'urgence, en favorisant le regroupement des acteurs dans des «clusters», groupes sectoriels d'ONG et d'OI placés sous l'égide d'agences spécialisées et correspondant aux principaux domaines d'intervention en situation d'urgence. L'objectif de cette approche est de systématiser l'évaluation des besoins et de faciliter la mise en œuvre des stratégies de réponse en clarifiant les responsabilités et les priorités, pour assurer la couverture de l'ensemble des besoins tout en évitant les doublons. Les critiques de ce système lui reprochent de multiplier les réunions et niveaux de hiérarchie, et d'exclure les acteurs locaux qui possèdent une meilleure connaissance du terrain mais ne maîtrisent pas toujours le jargon, l'habitus ou les langues de travail des organisations internationales.

Fortes d'une visibilité et de moyens supérieurs à la plupart des ONG, les OI se donnent ainsi pour fonction de coordonner l'ensemble des acteurs, publics et privés. Elles s'appuient à la fois sur la légitimité, l'accès au terrain et aux informations que peuvent leur conférer leur statut intergouvernemental et leur neutralité affichée, et sur le fait qu'elles constituent des bailleurs de fonds importants pour les ONG qu'elles financent par l'intermédiaire d'appels à projets ciblés. Ce faisant, elles contribuent à institutionnaliser l'aide et à diffuser leur propre lecture des besoins et des solutions, au détriment des propositions d'acteurs locaux.

Cette tendance fait l'objet de critiques de la part d'ONG qui peuvent y voir l'imposition d'une approche politisée de l'aide. Certaines refusent ainsi de participer aux instances de coordination ou de postuler aux financements proposés, comme MSF qui refuse depuis 2016 tout financement européen pour protester contre le traitement de la crise des réfugiés. Ces réseaux sont par ailleurs de plus en plus souvent contournés par de « nouveaux acteurs » de l'aide, qu'il s'agisse des bailleurs de fonds émergents ou d'ONG recourant à des sources de financement qui échappent aux circuits dominants.

2. L'émergence d'acteurs hors-système

La politisation de l'aide, publique ou privée, fait l'objet de dénonciations récurrentes depuis les années 1990. La critique, venue notamment d'Asie, porte en particulier sur l'universalisme promu par des organisations internationales accusées de défendre une conception eurocentrée du développement à travers le lien établi avec les droits humains, ou encore de profiter des interventions humanitaires pour promouvoir leurs agendas politiques ou conforter leur domination.

Par contraste, de « nouveaux bailleurs de fonds » comme la Chine, le Brésil, l'Inde, la Turquie ou le Qatar s'imposent progressivement aux côtés des membres du CAD de l'OCDE. Souvent destinataires d'aides et donateurs à la fois (à l'exception des États du Golfe), ils privilégient une aide non conditionnée à des réformes politiques, qui leur permet par ailleurs d'accéder aux marchés stratégiques des pays destinataires. Le président chinois Xi Jinping a ainsi annoncé en 2015 que 60 milliards de dollars seraient dépensés en trois ans par la Chine pour contribuer au développement du continent africain, à travers la construction d'infrastructures et des prêts consentis à des taux préférentiels.

Le saviez-vous ?
En 2008, suite au cyclone Nargis qui fit plusieurs dizaines de milliers de victimes en Birmanie/Myanmar, la junte militaire alors au pouvoir opposa l'argument de la **politisation de l'aide** pour refuser pendant plusieurs semaines l'accès de son territoire au personnel humanitaire envoyé par les Nations unies et des ONG extérieures, accusées de masquer un agenda politique sous des considérations humanitaires.

Les deux dernières décennies ont également vu émerger de puissantes ONG issues de pays du Sud, qui s'internationalisent progressivement tout en restant largement en dehors du schéma classique Nord-Sud et des canaux multilatéraux de financement de l'aide. C'est le cas du BRAC (le Bangladesh Rural Advancement Committee), fondé en 1972, qui figure au premier rang mondial des organisations de lutte contre la pauvreté avec un budget annuel moyen de 682 millions de dollars entre 2011 et 2015 et plus de 125 000 salariés. Forte de son succès au Bangladesh, où elle a notamment contribué à la réduction du taux de mortalité infantile (passé de 25 à 7 % dans les régions rurales au cours des trente dernières années), l'organisation a étendu ses programmes à l'Afghanistan et à plusieurs pays d'Afrique. L'orientation Sud-Sud du BRAC, et le fait qu'il soit autofinancé à plus de 75 % par ses entreprises sociales (ce qui le tient à l'écart des appels à projets et des coordinations multilatérales), expliquent la méconnaissance de cette organisation au Nord malgré l'ampleur de ses activités.

FOCUS Les ONG confessionnelles

Nombre d'acteurs-clés de l'aide humanitaire et du développement s'inscrivent dans une tradition religieuse. C'est le cas de Caritas Internationalis (coalition d'ONG catholiques dont la première fut établie en 1901), de World Vision (ONG chrétienne évangéliste fondée en 1950), ou encore d'Islamic Relief (fondée en 1984). Ce fondement confessionnel prend sa source dans le principe de charité présent dans toutes les traditions religieuses. Les ONG confessionnelles les plus anciennes et importantes sont marquées par une logique de professionnalisation, qui les conduit à s'aligner sur les standards séculiers et les thématiques privilégiées par les principaux bailleurs de fonds même lorsqu'elles conservent un ancrage religieux (la prière est quotidiennement pratiquée par le personnel de World Vision, mais l'ONG intervient auprès de populations de diverses confessions ; le Secours islamique fait référence à la *zakat* mais aussi aux principes de l'universalisme humanitaire). D'autres, comme Baraka City ou SOS Chrétiens d'Orient, privilégient à l'inverse la recherche de « niches » de financement en mobilisant des communautés à laquelle elles cherchent à montrer que leur action bénéficiera directement, quitte à aller à l'encontre du principe de non-discrimination entre les bénéficiaires.

III. La neutralité et l'indépendance des ONG en question

Les ONG tirent leur légitimité de l'indépendance qu'elles affichent à l'égard des acteurs étatiques. Cet affichage renvoie pourtant à des réalités diverses, qu'il s'agisse de la nature même des ONG et de leur mode de financement, ou des choix politiques et stratégiques qu'elles adoptent lorsqu'elles sont contraintes d'interagir avec les représentants d'États ou d'autres acteurs susceptibles de faciliter ou d'entraver la réalisation de leurs missions.

1. Les relations entre ONG et institutions

De nombreux paramètres doivent être pris en considération pour évaluer le degré d'indépendance des ONG. Si le plus évident semble être la part de financements étatiques qu'elles reçoivent, il est délicat d'en tirer des conclusions immédiates dans la mesure où différents modèles de relations existent entre les États et les acteurs de l'aide, qui découlent dans une large mesure du type de système politique considéré. Les ONG scandinaves, par exemple, bénéficient traditionnellement de larges financements étatiques tout en disposant d'une grande autonomie de fonctionnement.

Les trois catégories suivantes, fréquemment mentionnées, recouvrent autant de situations de dépendance envers des États, des OI, voire d'autres ONG :

– Les **GONGOs** (« Government-operated non-governemental organization ») sont des ONG formées par des États, souvent autoritaires, pour promouvoir leurs intérêts tout en diffusant l'illusion d'une société civile. L'organisation saoudienne International Islamic Relief Organization, de même que l'organisation russe World Without Nazism, relèvent de cette catégorie.

– Les **DONGOs** (« Donor-organized NGO ») sont des organisations formées à l'initiative de donateurs, publics ou privés, qui cherchent à favoriser des actions dont la légitimité locale pourrait être entamée si elles étaient trop visiblement liées à une influence étrangère. En 1999 par exemple, à l'issue de la guerre de Bosnie, le Center for Strategic and International Studies (CSIS) de Washington a facilité la création à Sarajevo d'un Center for Religious Dialogue chargé d'organiser des rencontres interreligieuses et présenté comme une organisation locale.

– Les **QUANGOs** (« Quasi-autonomous NGO ») sont des organisations essentiellement financées par des ressources publiques qui peuvent influencer leur agenda. En pratique, beaucoup de grandes ONG relèvent de cette catégorie : par exemple, plus de 50 % du budget d'Action contre la faim et plus de 60 % de celui de CARE (Cooperative for Assistance and Relief Everywhere) provenaient respectivement de la France et des États-Unis en 2015.

La situation de Médecins sans frontières, financée à 92 % par des fonds privés, fait figure d'exception parmi les grandes ONG.

Au-delà des financements étatiques, il convient de souligner que d'autres formes de liens – personnels, opérationnels ou idéologiques – peuvent affecter le degré d'autonomie des ONG à l'égard de la sphère politique. On observe par exemple fréquemment une circulation de personnels entre les sphères de l'action humanitaire, des organisations internationales et des appareils étatiques, comme l'illustre le parcours de Bernard Kouchner, fondateur de MSF puis de MDM, haut-représentant du Secrétaire général de l'ONU au Kosovo de 1999 à 2001, et ministre de plusieurs gouvernements français de gauche comme de droite. Ce type de circulation peut d'ailleurs favoriser la mise en œuvre de l'agenda des ONG qui se trouvent ainsi représentées au cœur des instances décisionnelles.

FOCUS Un exemple de plaidoyer réussi

La Convention sur l'interdiction de l'emploi, du stockage, de la production et du transport de mines antipersonnel et sur leur destruction (Convention d'Ottawa, 1997)

Le plaidoyer consiste à s'efforcer d'influencer l'agenda des États et des OI en faveur d'une cause d'intérêt général. Constitutive des modes d'action des ONG de défense des droits humains (Amnesty international, Human Rights Watch) ou de l'environnement (Greenpeace, WWF), cette activité est devenue une composante de l'action de nombreuses ONG humanitaires et de développement, parallèlement à leur action auprès des populations.

La place croissante de cette activité est largement due au succès de l'International Campaign to Ban Landmines (ICBL), formée dès 1992 par six ONG (dont Human Rights Watch et Handicap international) et créditée en 1997 du prix Nobel de la Paix pour sa contribution à l'adoption de la convention d'Ottawa sur l'interdiction des mines antipersonnel (à laquelle 162 États sont aujourd'hui parties).

Le processus qui a mené à l'adoption de la convention d'Ottawa constitue un exemple-type de coordination entre la société civile et des acteurs étatiques. Il a vu converger la défense d'une cause par la coalition d'ONG ICBL, soutenue par de larges franges de l'opinion publique (notamment grâce à des actions de communication de masse comme la «Pyramide de chaussures» organisée annuellement par Handicap international depuis 1995), et l'engagement d'États (le Canada et la Norvège) qui ont permis l'organisation de conférences internationales sur le sujet. Cette initiative a rencontré des critiques relatives à l'organisation des négociations en dehors des institutions multilatérales, qui limiterait la portée du texte adopté. La coalition ICBL reste impliquée dans l'évaluation de la mise en œuvre de la convention d'Ottawa à travers sa participation à l'Organe de surveillance des mines antipersonnel et armes à sous-munitions.

2. Le rapport des ONG à leurs contextes d'intervention

La question de la neutralité des ONG renvoie enfin aux débats récurrents sur l'arbitrage entre la neutralité et l'engagement, la responsabilité de témoigner des exactions et l'impératif de sécuriser l'accès des personnels aux populations en danger. La transformation des conflits contemporains pousse en outre les acteurs humanitaires à intervenir au plus près des lignes de front (mal définies notamment en contexte urbain), ou dans le contexte d'interventions armées à vocation humanitaire. Cette évolution ajoute un questionnement supplémentaire quant à la sécurisation des personnels, qu'il s'agisse d'accepter une protection militaire ou paramilitaire, d'agir au sein de missions intégrées (associant intervenants civils et militaires) ou de se plier à des procédures de sécurité standardisées.

Dès le conflit au Biafra, la conception sans-frontiériste a promu l'idée que l'engagement et le témoignage sont consubstantiels à l'action humanitaire, réinterprétant le principe de neutralité censé conditionner l'accès au terrain et la sécurité des personnels selon l'approche classique du CICR. Alléger les souffrances de l'ensemble des victimes de violences sans dénoncer les exactions reviendrait en effet à faciliter la prolongation du conflit en favorisant la partie la plus forte. En situation de guerre civile, l'accès aux théâtres d'opération peut néanmoins imposer des compromis avec des groupes combattants, qu'il s'agisse de se placer sous leur protection en échange de services ou de tolérer que la distribution de l'aide soit partiellement contrôlée par des chefs de guerre susceptibles d'en tirer profit.

Récemment, l'assistance humanitaire sur le terrain syro-irakien a dû faire l'objet de compromis. Le personnel des ONG internationales ne pouvant plus accéder aux zones occupées par l'organisation État islamique, elles ont dû confier leurs cargaisons à des partenaires locaux sur lesquels elles n'exerçaient pas de contrôle effectif. Ces compromis peuvent constituer une condition nécessaire pour soulager les populations qui ont besoin d'aide, mais ils sont susceptibles de mettre en danger le personnel des ONG. Le ciblage d'organisations humanitaires par des armées qui les associaient à l'ennemi a ainsi fait l'objet d'une importante médiatisation suite à la destruction de plusieurs hôpitaux soutenus par MSF en Afghanistan, au Yémen et en Syrie, en 2015 et 2016, mettant en évidence le fait qu'apporter des soins peut être considéré comme un acte de complicité avec les belligérants.

La question de la coopération entre civils et militaires, ou plus largement celle de la protection armée des acteurs humanitaires, fait également l'objet de dilemmes récurrents. Alors que les ONG sont souvent réticentes à se placer sous protection militaire, de crainte de passer pour des « humanitaires casqués » et de devenir ainsi une cible, les États craignent au contraire de voir leurs ressortissants s'exposer dans des zones de conflit, notamment lorsqu'ils courent un risque d'enlèvement. L'évolution des interventions militaires sous mandat onusien, du maintien de la paix vers la construction de la paix, s'est néanmoins traduite par l'augmentation des opérations civilo-militaires. Les critiques suscitées par ces dernières concernent le risque de confusion des genres qu'elles peuvent introduire auprès des populations concernées.

Enfin, la transformation des environnements opérationnels et l'évolution des modes de communication ont conduit à une standardisation des procédures de sécurité, notamment au sein des grandes ONG

« professionnalisées ». Ces dernières tendent notamment à appliquer la règle selon laquelle les décisions du siège priment sur celles des personnels de terrain en matière de sécurité et notamment en cas d'évacuation des lieux d'intervention. Exigées par les bailleurs de fonds mais aussi les assurances des organisations humanitaires, de telles procédures standardisées tendent à couper les personnels internationaux de leur environnement immédiat. Tout en imposant le retour à une forme de neutralité, elles peuvent avoir pour effet paradoxal de les mettre en danger, faute de pouvoir nouer des liens sociaux susceptibles de les protéger.

Conclusion

La pluralité des acteurs de l'aide humanitaire internationale et du développement invite à souligner la complexité d'une scène internationale sur laquelle les enjeux sociaux et politiques font désormais l'objet de mobilisations transnationales. Ces acteurs entretiennent des modèles de coordination variés, qui ne peuvent se réduire à la simple analyse de relations de dépendance ou de confrontation unidirectionnelles entre États, OI et ONG. Les efforts de coordination multilatérale de l'aide ont certes accéléré l'uniformisation des pratiques et des référents des ONG, mais elles n'ont pas entravé l'émergence de nouveaux acteurs. Issus notamment des pays émergents, ces derniers contribuent à désoccidentaliser le champ de l'aide internationale et renouvellent les questionnements relatifs à ses principes et sa neutralité.

À RETENIR

- Le sans-frontiérisme désigne une conception de l'aide fondée sur un engagement au service des populations et de causes universelles, en dehors des médiations étatiques.

- L'aide au développement peut répondre à trois catégories de considérations : compassionnelles et solidaires, stratégiques, économiques.

- Les transferts de fonds des travailleurs migrants vers leur pays d'origine représentent un montant annuel supérieur au total de l'aide au développement internationale publique et privée.

- La coordination et le financement de l'aide par les organisations multilatérales tendent à uniformiser les priorités et les pratiques des acteurs humanitaires et du développement, suscitant l'opposition de certaines ONG.

- Plusieurs pays émergents sont à la fois destinataires et donateurs d'aide internationale. Les aides bilatérales originaires de ces États se caractérisent par le fait de ne pas être conditionnées à des transformations politiques de la part des États destinataires, tandis que leurs ONG se financent et s'organisent souvent en dehors des réseaux classiques.

📖 POUR ALLER PLUS LOIN

AUTESSERRE S., 2014, *Peaceland : conflict resolution and the everyday politics of international intervention*, Cambridge, Cambridge University Press.

DAUVIN P., SIMÉANT J., 2002, *Le Travail humanitaire : les acteurs des ONG, du siège au terrain*, Paris, Presses de Sciences Po.

EGGER C., 2015, « Résistance et exclusion devant les bonnes pratiques de la réforme humanitaire onusienne » dans KLEIN A., LAPORTE C., SAIGET M., *Les Bonnes Pratiques des organisations internationales*, Paris, Presses de Sciences Po, p. 151-169.

RAMBAUD E., 2015, *Médecins sans frontières, sociologie d'une institution critique*, Paris, Dalloz.

RYFMAN P., 2016, *Une histoire de l'humanitaire*, Paris, La Découverte.

Films

Paul Cowan, *The Peacekeepers*, 2005.

Aganze Arnold, *N.G.O. (Nothing Going On)*, 2016.

Michael Matheson Miller, *Poverty, Inc.*, 2014.

Tester ses connaissances

Corrigés en ligne

1. Relier les différents types d'aide au développement à leur définition.

A. L'aide liée ●

● 1. Forme d'aide publique délivrée par l'intermédiaire des organisations internationales.

B. L'aide conditionnée ●

● 2. Forme d'aide publique ou privée liée à la mise en œuvre d'actions ou de réformes prédéfinies.

C. L'aide bilatérale ●

● 3. Forme d'aide publique délivrée d'un État à un autre.

D. L'aide multilatérale ●

● 4. Forme d'aide publique délivrée à la condition d'être dépensée de manière prédéfinie.

2. Les ONG :

☐ sont toujours indépendantes de leur État d'origine.

☐ ne peuvent pas recevoir de financements publics.

☐ peuvent poursuivre un agenda politique.

3. l'aide publique au développement :

☐ peut répondre à des objectifs stratégiques.

☐ peut financer des projets menés par des organisations privées.

☐ peut être délivrée par l'intermédiaire d'organisations internationales.

4. Le sans-frontiérisme désigne :

☐ une catégorie d'engagement humanitaire fondé sur des valeurs universelles.

☐ la doctrine d'ONG promouvant un discours anarchiste, visant à abolir les États.

☐ des ONG faisant la promotion des migrations internationales.

Sujets

Quelles sont les motivations de l'aide internationale ?

En quoi l'émergence de nouveaux acteurs transforme-t-elle les modalités de l'aide ?

Quels sont les modes d'interaction entre ONG et acteurs politiques ?

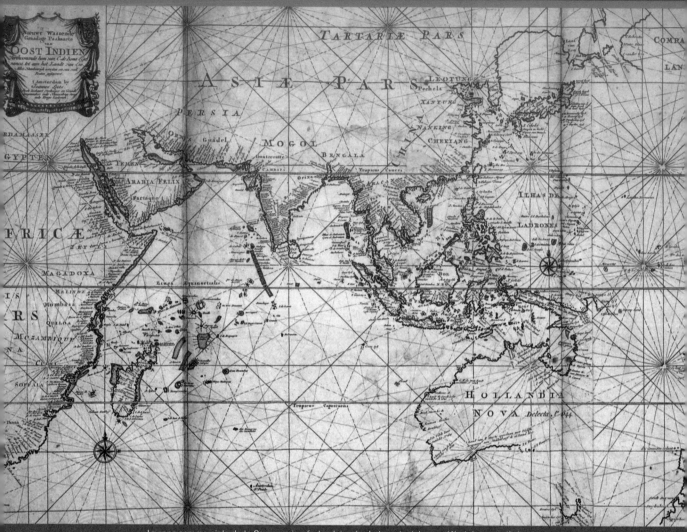

La zone commerciale de la Compagnie néerlandaise des Indes orientales au début des XVIII⁻ siècle.
Source : Wikicommons.

▲

Fondée en 1602 par les Provinces-Unies, la *Vereenigde Oost-Indische Compagnie* (VOC, Compagnie néerlandaise des Indes orientales) devint la première société anonyme cotée en Bourse. Pendant près de deux siècles, elle fut l'un des piliers de la puissance économique et impériale des Provinces-Unies puis des Pays-Bas, de l'Afrique du Sud à Ceylan (Sri Lanka) et Batavia (Indonésie). L'accroissement des pouvoirs régaliens de la VOC sur ses territoires d'implantation illustre les liens entre domination économique et conquête politique.

Les acteurs économiques

L'analyse de la coordination entre acteurs économiques (ici définis de manière large, par leur participation au secteur marchand) et politique internationale poursuit l'idée, du déploiement des relations internationales en dehors de la dialectique du diplomate et du soldat. Le commerce a été l'un des premiers facteurs d'échanges entre communautés humaines, que l'on remonte aux voyages de commerçants arabes vers l'Asie, dès le XIIIᵉ siècle, ou au rôle des cités-États italiennes à la Renaissance. Il a simultanément été un enjeu de conquête (pour consolider des situations de domination, imposer des monopoles ou pénétrer des territoires) et une source d'influence (lorsque des acteurs marchands ont influencé des politiques étatiques, ou à l'inverse servi de relais à des ambitions politiques).

La fin de la colonisation et l'accélération de la mondialisation ont-elles infléchi cette logique ? La situation contemporaine se caractérise par un paradoxe : alors que les échanges économiques mondiaux sont plus régulés que jamais, les acteurs privés ont acquis une capacité sans précédent à s'émanciper des médiations étatiques. On voit parallèlement évoluer les modalités de la coordination entre les sphères politique et économique. Les acteurs privés participent directement aux négociations internationales, parfois dans le cadre de processus formalisés. Ils parviennent à imposer certaines normes et modes de régulation à la sphère interétatique, et agissent en complément voire en substitut de la puissance publique jusque dans des domaines que l'on pensait régaliens, comme la conduite de la guerre ou le fait de battre monnaie.

I. Les dimensions économiques de l'action internationale

La transnationalisation des acteurs privés rend de plus en plus élusive la notion « d'entreprise nationale » et a effrité l'allégeance de ces dernières à leur État d'origine. Les acteurs économiques développent par ailleurs eux-mêmes de véritables « politiques étrangères », qui divergent parfois de celles de leurs États d'origine. Mais l'autonomie des acteurs économiques peut aussi les conduire à investir des zones grises de la régulation mondiale ou à entrer en conflit avec certaines normes imposées par les États.

1. L'évolution des interactions entre États et acteurs économiques

La hiérarchisation des relations entre acteurs économiques et politiques était claire lorsque furent formées, au XVIIᵉ siècle, les premières entreprises commerciales internationales, dans le cadre de la colonisation européenne de l'Asie. Les compagnies néerlandaise et britannique des Indes orientales poursuivaient parfois des objectifs autonomes et ont pu précéder l'implantation de leurs États d'origine respectifs sur de nouveaux territoires, mais leur allégeance aux Couronnes néerlandaise et britannique ne faisait pas l'objet de débats. Cette idée suivant laquelle l'internationalisation des acteurs économiques sert les intérêts nationaux a fait progressivement émerger la notion de **diplomatie économique**, qui se traduit notamment par les politiques de soutien aux exportations d'entreprises ou de secteurs d'activités jugés importants pour la croissance de l'économie nationale ou l'influence stratégique d'un État. Le secteur privé peut ainsi constituer un instrument de *soft power*.

Si la diplomatie économique demeure un aspect important de l'action extérieure des États, la nature et le sens des interactions de ces derniers avec la sphère économique se sont complexifiés. La diversification des espaces de production et des chaînes d'approvisionnement, le développement d'investissements multinationaux et de partenariats croisés, ont renforcé l'autonomisation des acteurs économiques, les grandes entreprises multinationales n'étant plus exclusivement

Le saviez-vous ?
Durant la guerre froide, l'image de société de consommation et des produits du système capitaliste américain était perçue comme l'un des facteurs d'attractivité des États-Unis face à l'Union soviétique.

représentatives des intérêts de l'État où se situe leur siège d'origine. En outre, la poursuite de la rationalité économique les conduit parfois à effectuer des choix (délocalisations, optimisation voire évasion fiscale) qui peuvent sembler contraires à ces intérêts. Ainsi, les appels récurrents au patriotisme économique («consommer français») masquent la complexité de la traçabilité des produits manufacturés et des chaînes de valeurs ajoutées.

La subordination initiale s'est souvent muée en relation instrumentale entre les acteurs économiques et les États, particulièrement pour les entreprises suffisamment puissantes pour posséder une force de négociation. La multiplication des exemples de marchandage fiscal (comme cela a été le cas de Google en Irlande, révélé en 2016) illustre ce phénomène. D'une manière plus générale, la présence de zones économiques spéciales, ou de ces «trous noirs» de l'économie mondiale que sont les paradis fiscaux, permettent aux acteurs économiques de bénéficier d'une concurrence fiscale qui contribue à déterminer leurs choix d'investissements. Ces espaces moins régulés ou moins taxés répondent à la tentative de certains États de capter ces acteurs mobiles et les flux économiques qu'ils génèrent, en combinant une forme de dumping fiscal et légal avec des avantages en termes d'infrastructures et un accès à des marchés à fort potentiel, par exemple en Inde ou en Chine.

FOCUS Le Boeing 787 Dreamliner
Un fleuron industriel et stratégique américain ?

Fig. 8.1 La diversité des fournisseurs de composants et systèmes du Boeing 787 Dreamliner

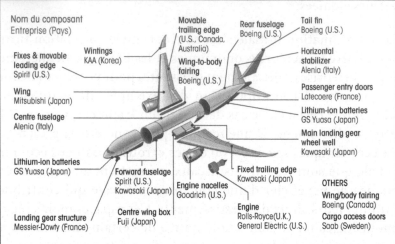

Nom du composant
Entreprise (Pays)

Wintings
KAA (Korea)

Fixes & movable
leading edge
Spirit (U.S.)

Wing
Mitsubishi (Japan)

Centre fuselage
Alenia (Italy)

Lithium-ion batteries
GS Yuasa (Japan)

Landing gear structure
Messier-Dowty (France)

Forward fuselage
Spirit (U.S.)
Kawasaki (Japan)

Centre wing box
Fuji (Japan)

Movable
trailing edge
(U.S., Canada,
Australia)

Wing-to-body
fairing
Boeing (U.S.)

Engine nacelles
Goodrich (U.S.)

Engine
Rolls-Royce (U.K.)
General Electric (U.S.)

Fixed trailing edge
Kawasaki (Japan)

Rear fuselage
Boeing (U.S.)

Tail fin
Boeing (U.S.)

Horizontal
stabilizer
Alenia (Italy)

Passenger entry doors
Latecoere (France)

Lithium-ion batteries
GS Yuasa (Japan)

Main landing gear
wheel well
Kawasaki (Japan)

OTHERS

Wing/body fairing
Boeing (Canada)

Cargo access doors
Saab (Sweden)

Source : d'après Boeing, Reuters, 2013.

Le Boeing 787 Dreamliner est l'un des fleurons de l'avionneur américain Boeing, concurrent historique de l'entreprise multinationale européenne Airbus, basée en France. Si les commandes passées auprès de Boeing et Airbus avec les compagnies aériennes alimentent la chronique de la concurrence industrielle entre les États-Unis et l'Union européenne, chaque avion est en réalité la somme de composants d'origines variées, tant américains qu'européens ou japonais, les mêmes intermédiaires ou sous-traitants se trouvant fréquemment employés par les deux avionneurs. Le moteur du Boeing 787, construit par la compagnie britannique Rolls-Royce, est ainsi identique à celui de l'Airbus A350. Cet exemple invite à souligner les limites de la notion de nationalisme économique face à des chaînes de production et d'approvisionnement mondialisées.

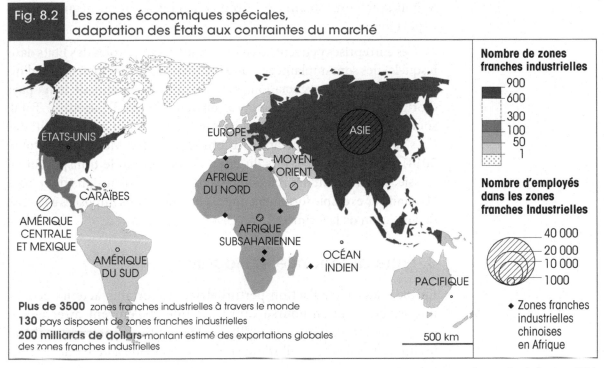

Fig. 8.2 Les zones économiques spéciales, adaptation des États aux contraintes du marché

Source : d'après Bay Area, 2016.

On compte plus de 3 500 zones économiques spéciales (ZES), espaces de libre-échange et/ou de dérégulation économique, dans 130 pays. Ces dernières ont pour fonction de capter des investissements internationaux dans des États dont l'économie conventionnelle est fortement régulée (c'est notamment le cas en Chine) ou de favoriser le développement d'industries jugées stratégiques (par exemple, les nouvelles technologies en Inde). À ce titre, elles constituent une forme d'adaptation des États aux attentes des acteurs économiques qui, dans un monde de mobilité, ont la possibilité de faire jouer la concurrence en matière de fiscalité ou d'infrastructures pour choisir les zones d'investissement les plus rentables. Les exportations en provenance de ces zones s'élèvent à près de 200 milliards de dollars annuels, atteignant dans le cas de la Chine (qui a ouvert sa première ZES en 1979, à Shenzen) près du quart du PIB du pays et 60 % des exportations.

2. La diplomatie des grandes entreprises

Les grandes entreprises possèdent elles-mêmes des départements relatifs aux affaires publiques, qui sont l'équivalent privé de la diplomatie économique menée par les États. Ils font office de service paradiplomatique et sont fréquemment occupés par d'anciens diplomates voire d'anciens militaires. C'est particulièrement le cas dans les secteurs stratégiques des industries extractives, de l'énergie ou de l'armement, qui requièrent une bonne connaissance des enjeux géopolitiques des pays où ils sont implantés ainsi qu'une capacité à négocier avec le politique pour obtenir des droits d'exploitation ou négocier leurs exportations.

Ces entreprises peuvent aussi se faire les porte-paroles des États dans lesquels elles sont implantées, voire jouer un rôle de médiateurs ou d'influenceurs lors de négociations avec les gouvernements de leurs pays d'origine. Christophe de Margerie, ancien PDG de l'entreprise Total, soulignait ainsi que «dans l'énergie, tous les sujets sont liés à la politique. Ça s'appelle la sécurité d'approvisionnement» (*Le Monde*, 21 octobre 2014). Décédé en 2014, lors du crash de l'avion qui le transportait en Russie, il entretenait des relations étroites avec les dirigeants de ce pays et s'était par exemple fortement opposé aux sanctions imposées à la suite de l'invasion de la Crimée.

3. Entre autonomie et illégalité

Enfin, il faut citer l'action perturbatrice de certains acteurs économiques qui, tout en poursuivant leurs intérêts, entrent directement en contradiction voire en conflit avec la politique internationale ou les intérêts de leur État d'origine ou des principaux acteurs de la scène mondiale.

Exemple

L'exemple le plus représentatif de ce phénomène, au cours des dernières années, est sans doute l'action du groupe cimentier Lafarge-Holcim au Moyen-Orient entre 2013 et 2014. Pour maintenir son activité économique en Syrie, et particulièrement pour continuer à faire fonctionner la cimenterie ouverte en 2010 à Jalabiya, au nord-est de la Syrie, le groupe a accepté de verser des taxes à des intermédiaires négociant pour son compte avec des cadres de l'organisation État islamique, qui contrôlait ce territoire. Pendant plus d'un an, une entreprise multinationale d'origine européenne a ainsi financé indirectement une organisation terroriste, en échange de laissez-passer censés protéger son personnel sur place et de pétrole estampillé «État islamique», alors que les sanctions économiques imposées dès 2012 à l'encontre du régime syrien interdisaient de s'approvisionner en pétrole syrien. Le parquet de Paris a ouvert en 2017 une enquête préliminaire sur les activités du groupe en Syrie, visant plus spécifiquement cet approvisionnement en pétrole puisque l'usage d'intermédiaires et le paiement de rançons semblent relever dans ce cas d'un vide que la législation ne couvre pas directement.

II. Des acteurs économiques au cœur des négociations internationales

L'existence de tractations entre États et acteurs économiques ne constitue pas une nouveauté. La présence de représentants du secteur privé au cœur de négociations menées dans le cadre d'organisations internationales ou de sommets mondiaux procède en revanche du développement d'un «nouveau multilatéralisme» qui encourage, depuis la fin du XXe siècle, la participation accrue d'acteurs non-étatiques.

1. Des négociations directes avec les États

L'engagement d'acteurs privés dans des négociations avec des représentants étatiques s'est d'abord faite, de manière informelle, à travers des formes de pressions destinées à influencer l'action publique pour favoriser leur activité. La question des relations entretenues par les États occidentaux avec les monarchies pétrolières, notamment l'Arabie saoudite et le Qatar, ne peut être dissociée de celle de l'approvisionnement énergétique et donc des intérêts des grandes entreprises de ce secteur. Les systèmes politiques anglo-saxons, plus favorables à la représentation des intérêts privés considérés comme une partie de l'intérêt général, sont particulièrement ouverts à la pratique du lobbying visant à influencer l'action publique, y compris en matière de relations internationales. Ils formalisent même l'accès de leurs représentants au cœur des institutions, comme cela est le cas aux États-Unis ou à Bruxelles, pour mieux contrôler ces pratiques.

Plus récemment, on voit se déployer à large échelle des négociations directes entre représentants d'acteurs privés et acteurs souverains étrangers. C'est par exemple le cas dans le domaine des acquisitions de terres agricoles▸, qui impliquent particulièrement les gouvernements et territoires d'États en développement. À côté d'acquisitions par des fonds d'investissements gérés par des États, souvent avec l'objectif stratégique de sécuriser l'accès à l'alimentation, la majeure partie de ces investissements est réalisée par des entreprises spéculatives qui contractualisent directement avec des représentants étatiques, dans l'objectif d'obtenir le droit d'exploiter à long terme des ressources naturelles précédemment cultivées par des populations locales, dont l'exercice traditionnel du droit de propriété n'est pas formalisé par le droit.

▶ Voir figure 8.3, p. 162.

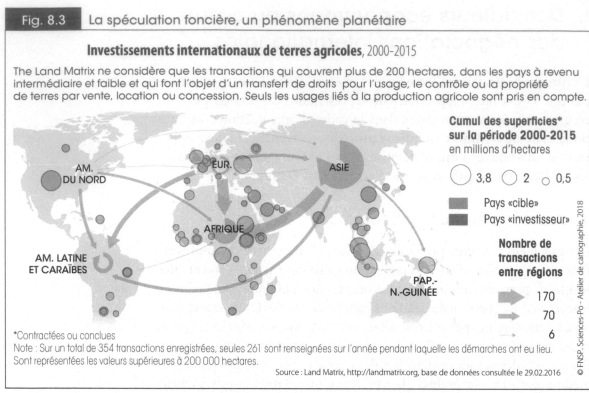

Fig. 8.3 La spéculation foncière, un phénomène planétaire

Investissements internationaux de terres agricoles, 2000-2015

The Land Matrix ne considère que les transactions qui couvrent plus de 200 hectares, dans les pays à revenu intermédiaire et faible et qui font l'objet d'un transfert de droits pour l'usage, le contrôle ou la propriété de terres par vente, location ou concession. Seuls les usages liés à la production agricole sont pris en compte.

Cumul des superficies* sur la période 2000-2015 en millions d'hectares

3,8   2   0,5

Pays «cible»
Pays «investisseur»

Nombre de transactions entre régions

170
70
6

© FNSP, Sciences-Po - Atelier de cartographie, 2018

*Contractées ou conclues
Note : Sur un total de 354 transactions enregistrées, seules 261 sont renseignées sur l'année pendant laquelle les démarches ont eu lieu. Sont représentées les valeurs supérieures à 200 000 hectares.

Source : Land Matrix, http://landmatrix.org, base de données consultée le 29.02.2016

La spéculation foncière est un phénomène mondial, au carrefour de nombreux enjeux politiques, stratégiques, économiques et écologiques. Elle est à la fois une conséquence et une cause de préoccupations relatives à la sécurité alimentaire globale, aux droits des populations indigènes notamment dans les pays du Sud, au développement durable et à l'usage pérenne des terres agricoles. Selon l'observatoire *The Land Matrix* (landmatrix. org), près de 50 millions d'hectares de terres agricoles dans le monde feraient actuellement l'objet de contrats d'exploitation par des entreprises ou États étrangers. Ces contrats, généralement conclus pour plusieurs décennies, incitent les investisseurs à exploiter les terres au maximum de leur rentabilité durant le temps qui leur est imparti, sans se soucier de les pérenniser pour les transmettre. Les principaux pays d'origine des investisseurs étaient en 2016 la Malaisie, les États-Unis, le Royaume-Uni, Singapour et l'Arabie saoudite.

2. Une participation croissante au multilatéralisme

L'un des développements récents les plus significatifs, en matière d'investissement des acteurs économiques dans les relations internationales, est celui relatif à leur participation directe à certaines formes de multilatéralisme. Dans le contexte des réformes engagées par Kofi Annan durant ses deux mandats de Secrétaire général des Nations unies (1997-2006), trois des principales préoccupations formulées étaient d'autonomiser l'organisation, de la rendre plus efficace et de la démocratiser.

L'autonomisation devait notamment passer par la recherche de fonds propres pour la mise en œuvre des programmes. Jusqu'alors dépendants des sources de financement étatiques, ces derniers pouvaient être soumises aux variations de l'agenda politique global, comme l'avait montré le retrait partiel des États-Unis durant la guerre froide, mettant en danger le fonctionnement et la pérennité de l'organisation. Si la part des financements privés dans le budget de fonctionnement de l'ONU et de ses agences reste très minoritaire, la mise en œuvre de leurs programmes repose de manière croissante sur la sous-traitance d'une partie des activités engagées à des entreprises, à travers la mise en œuvre de partenariats public-privé qui constituent l'une des caractéristiques de la pratique contemporaine du multilatéralisme.

L'objectif de démocratisation passait quant à lui par le fait d'organiser un meilleur accès des acteurs de la société civile aux négociations, en complément du rôle joué par le Conseil économique et social (ECOSOC). Ainsi, les négociations multilatérales actuelles s'efforcent d'inclure l'ensemble des parties prenantes, *a minima* dans la phase d'identification des problèmes et d'élaboration des pistes de réflexion. De grandes entreprises ou organisations patronales sont ainsi fréquemment représentées, au côté des ONG, dans les grandes conférences.

Le Global Compact, entre intégration multilatérale des entreprises et «*blue washing*»

L'ouverture des Nations unies aux entreprises, et la tentative d'organiser leur participation, s'est traduite par le lancement en 2000 du «Global Compact», dont le premier sommet s'est tenu en 2004. Ce forum rassemble désormais plus de 12 000 participants (dont 8 000 entreprises) affirmant s'engager en faveur des principes de responsabilité sociale des entreprises et des objectifs du millénaire pour le développement.

Sans portée contraignante, il consiste en réunions rassemblant responsables d'entreprises, de la société civile et des milieux politiques. Il se présente néanmoins comme «un chien guide, pas un chien de garde» (selon les termes de son directeur exécutif en 2015), soulignant qu'il n'est pas nécessaire d'effectivement mettre en pratique ces principes pour y adhérer.

Le Global Compact fait ainsi l'objet de critiques qui estiment sa portée limitée et contestent la pratique par ses adhérents du «*blue washing*» (le fait de donner une onction multilatérale, en prétendant adhérer aux principes promus par les Nations unies, à des activités en réalité peu conformes voire contraires au bien-être social mondial).

Les acteurs économiques peuvent également jouer le rôle de sponsors ou de mécènes durant de grands sommets, comme on a pu l'observer durant la COP21 où leur visibilité, dépendante de leur contribution financière, a fait l'objet de nombreuses critiques. Les acteurs économiques peuvent en effet trouver leur intérêt en termes de représentation et de publicisation de leur activité, y compris lorsque celle-ci semble en contradiction avec l'objectif poursuivi (par exemple des entreprises connues pour miser sur les énergies fossiles), mais aussi s'efforcer de peser sur l'issue des négociations et l'élaboration des solutions.

3. Des acteurs en réseaux

> **Le saviez-vous ?**
> C'est à Davos que se sont rencontrés pour la première fois le président sud-africain Frederik de Klerk, Nelson Mandela et le représentant zoulou Mangosuthu Buthelezi, en 1992.

Parallèlement aux tentatives d'organisation voire de cooptation de la sphère privée par des États ou des organisations multilatérales, les acteurs économiques s'organisent eux-mêmes en réseaux, qui leur permettent de coordonner des positions communes pour peser sur les grands débats économiques et sociaux. C'est en particulier le cas avec le Forum économique mondial (WEF), qui se réunit chaque année à Davos depuis 1971. Constitué en fondation à but non lucratif, établi à Genève, le WEF rassemblait à l'origine des dirigeants d'entreprises et des économistes, puis s'est ouvert quelques années plus tard à des responsables politiques et autres membres de la société civile, conformément à « l'approche de la gestion des parties-prenantes » prônée par son fondateur, Klaus M. Schwab, professeur d'économie à l'université de Genève. Ce dernier liait le succès d'une entreprise à sa capacité à tenir compte et à influencer l'ensemble des parties prenantes et problématiques composant l'environnement dans lequel elle intervient. En plus d'être un forum de discussion sur des thématiques économiques, Davos s'est ainsi mué en forum de discussions politiques, jouant un rôle d'espace de neutralité au même titre que des rencontres diplomatiques conventionnelles.

III. L'émergence de régulations privées

Les transformations structurelles de l'économie mondiale ont ouvert la possibilité pour des acteurs privés de venir concurrencer les États jusqu'au cœur du domaine régalien, de forger des normes qui parfois s'imposent aux puissances publiques, ou de s'investir dans la fourniture de services sociaux, conduisant parfois à un brouillage entre secteurs marchand et non-marchand.

1. L'influence des agences de notation financières

Certains acteurs économiques contribuent à définir les structures de l'économie mondiale mais, plus largement, des cadres auxquels doivent se plier les États eux-mêmes, exerçant une forme de «puissance structurelle» comme l'évoquait Susan Strange. Les agences de notation financière, notamment les «*Big Three*» ▶ fréquemment évoquées dans le contexte de la crise économique et financière de 2007-2008, en sont une expression particulièrement manifeste. Leur évaluation de la stabilité économique d'un État et de sa capacité à rembourser ses dettes fait en effet fluctuer le taux de change (c'est-à-dire le «loyer» de l'argent, qui détermine le taux de rémunération du risque couru par le créancier) appliqué lorsque son gouvernement s'endette sur les marchés internationaux. Les politiques économiques et budgétaires des États, ainsi que leur capacité à mettre en œuvre leurs projets d'investissements, sont donc largement conditionnées par les critères d'évaluation élaborés par ces sociétés privées et transnationales, qui pèsent ainsi directement sur les décisions publiques en normalisant des critères de bonne santé économique et de bonne gestion budgétaire.

▶ Standard & Poor's, Fitch Group et Moody's.

2. Privatisation de l'action étatique et émergence de concurrents privés

Des acteurs économiques s'investissent par ailleurs de manière croissante dans des domaines jusqu'alors pensés comme régaliens. Le phénomène le plus classique, en ce sens, est celui de la délégation de compétences par un État, incité à privatiser certains pans de l'action publique par souci d'efficacité ou de réduction des coûts. On voit ainsi se développer une relation symbiotique entre États et secteur privé, conduisant à une «privatisation des États» selon Béatrice Hibou, pour qui ce phénomène serait devenu une nouvelle modalité d'action de l'État notamment au sud. Le secteur le plus marquant de ce phénomène est celui de la sécurité et de la conduite de la guerre, cœur de l'action régalienne.

Les entreprises de services de sécurité et de défense représentent parfois plus de la moitié des forces présentes sur les théâtres d'opération militaires, où elles ne sont pas censées participer à la guerre elle-même mais assurer des actions de sécurisation, de convoyage et autres services logistiques indispensables en marge de l'action des armées.

FOCUS Les entreprises de services de sécurité et de défense

Les sociétés militaires privées ont toujours existé sous le nom de mercenaires (des soldats étrangers aux parties en conflit, employés sur contrat, souvent en complément d'une armée régulière). C'est dans le contexte des interventions militaires en Irak et en Afghanistan que ces sociétés ont acquis une nouvelle visibilité, en raison de leur importance numérique (jusqu'à 60 % des hommes sur le terrain en Irak) et de l'implication de certains de leurs employés dans des violences contre des civils ou des violations des droits humains.

L'importance accrue de ces acteurs est due à une conjonction de facteurs. La fin de la conscription dans la plupart des pays occidentaux a entraîné la nécessité d'externaliser des tâches jusqu'alors accomplies par des appelés (logistique, convoyage, sécurisation des bases). L'externalisation répondait également à une double logique de budget (un agent privé est moins coûteux qu'un militaire car il n'est employé que pendant la durée de la mission, souvent par un salaire inférieur) et de réduction des coûts politiques des engagements militaires (les agents privés morts en opération sont moins médiatisés que les soldats). Enfin, la technicité de certaines tâches, dans un contexte d'usage de technologies de plus en plus avancées, peut nécessiter de recourir à des prestataires dotés de compétences spécifiques.

L'emploi de *contractors* soulève des questions juridiques et éthiques. Les chaînes de commandement étant moins claires qu'au sein d'armées régulières, les responsabilités sont diluées en cas de crimes perpétrés sur un champ de bataille. La juridiction (militaire ou civile) et le droit à appliquer (celui du pays où est commis le crime, de l'État contractant, ou de l'État d'origine de l'agent) peuvent également varier, entraînant des inégalités juridiques.

Alternativement, des évolutions techniques ou des failles réglementaires font émerger des opportunités économiques que saisissent des acteurs privés prêts à agir en parallèle voire en concurrence de l'action régalienne. C'est notamment le cas, depuis quelques années, en matière monétaire. Alors que le droit de battre monnaie semblait ancré au cœur des politiques régaliennes, l'invention en 2008 de la crypto-monnaie Bitcoin a conféré une nouvelle ampleur et une dimension mondiale aux tentatives d'instaurer des monnaies privées. Ce système de paiement de pair à pair, fondé sur un logiciel libre, consiste en une unité de compte limitée à 21 millions d'unités et réputée infalsifiable, dont le prix fluctue exclusivement en fonction de l'offre et de la demande (sa capitalisation atteignait 46 milliards d'euros en juin 2017). Ce moyen de paiement, largement utilisé par des réseaux illégaux durant les premières années de sa mise en service, s'est progressivement étendu à des transactions classiques. Bien que le nombre de commerçants acceptant ces monnaies reste minoritaire, il s'agit bien de monnaies alternatives qui contribuent à réduire l'emprise des États sur les transactions transnationales.

> **Le saviez-vous ?**
> Contrairement aux monnaies étatiques, **les crypto-monnaies** ont la particularité d'être entièrement décentralisées. Leur cryptage rend impossible la manipulation stratégique de la masse monétaire.

3. Le brouillage de la distinction entre secteurs marchand et non-marchand

L'action régulatrice du secteur privé se déploie également à travers l'engagement croissant d'acteurs issus de l'économie marchande, au côté d'ONG ou d'acteurs publics, dans le domaine de l'aide humanitaire ou du développement. Cette évolution, qui brouille les distinctions entre les catégories d'acteurs intervenant dans ces domaines, peut susciter des interrogations quant à leurs motivations.

C'est le cas de fondations issues de grandes entreprises, telle la Fondation Bill-et-Melinda-Gates▸ dans le domaine de la santé mondiale. La question peut se poser des intérêts sous-jacents de ce type d'acteurs, qui s'efforcent de parer les dysfonctionnements d'un système dont leurs fondateurs bénéficient, sans toutefois le transformer. Ainsi, si la Fondation Gates facilite l'accès aux médicaments de populations pour lesquelles leur valeur marchande est trop élevée, elle est issue d'une entreprise qui pèse par ailleurs en faveur du maintien d'un système de la propriété intellectuelle qui contribue précisément à expliquer que ces médicaments atteignent des prix aussi élevés.

▸ Voir encadré p. 168.

La Fondation Bill-et-Melinda-Gates, entre actions de développement et intérêts privés

Dotée de 43,5 milliards de dollars en 2016 et employant plus de 1 200 personnes, la Fondation Gates est la première organisation philanthropique mondiale. Lancée en 2000 par le fondateur de l'entreprise Microsoft et son épouse, ainsi que l'entrepreneur Warren Buffett, elle a pour fonction d'améliorer la santé mondiale et de réduire l'extrême pauvreté, notamment par l'éducation.

Elle s'est imposée en appliquant des méthodes managériales au secteur de l'aide et en devenant le principal contributeur mondial pour la lutte contre le paludisme et le VIH-Sida. Ses dépenses annuelles sont supérieures au budget de l'Organisation mondiale pour la santé (auquel elle contribue à hauteur de 18 % par an), illustrant le fort impact potentiel d'un tel acteur situé au carrefour de l'économie marchande et de l'aide au développement, tout en soulevant des questionnements liés à la superposition entre ses activités et les intérêts de ses fondateurs.

Les critiques portent sur la relation étroite entre certaines des activités de la fondation, comme la promotion des nouvelles technologies dans le secteur de l'éducation et la diffusion de logiciels, et les intérêts de Microsoft. Les investissements spéculatifs réalisés par la fondation avec les fonds non utilisés par ses programmes, visant à conforter sa dotation, ont également été contestés car ils ont pu financer des entreprises accusées de contribuer à l'aggravation des inégalités, à la dégradation de l'environnement ou à la difficulté d'accès aux soins de santé (compagnies pharmaceutiques ou industries polluantes). Pour répondre à ces critiques, la fondation avait initialement mis en place un système d'audit destiné à contrôler la soutenabilité de ses investissements. Ses dirigeants ont décidé de revenir sur cette décision pour privilégier les investissements les plus rentables, tout en affirmant peser sur les pratiques des entreprises dont la fondation est actionnaire par l'intermédiaire de son droit de vote.

Des acteurs économiques voient également une opportunité d'affaires en investissant dans le développement de produits financiers ou de biens et services spécifiquement destinés aux populations dans le besoin, qui forment un marché particulièrement dense et sous-investi (celui du « Bottom Billion », le « milliard » de personnes en bas de la pyramide du développement, mis en avant par l'économiste Paul Collier). On voit ainsi se développer des entreprises sociales, s'efforçant de concilier les objectifs économiques et sociaux, marchands et non-marchands, en poursuivant un agenda objectif et social parallèlement à leur quête de rentabilité économique. C'est notamment le cas des coopératives de produits dits «équitables» – c'est-à-dire s'engageant à fournir un revenu décent aux producteurs de matières premières ou de biens de consommation de base dans les pays du Sud. Les institutions bancaires proposant des microcrédits fonctionnent sur une logique similaire, en offrant des produits financiers accessibles aux populations laissées en dehors du système bancaire traditionnel. Les banques de micro-crédit proposent des taux d'intérêts particulièrement élevés qui leur permettent d'assurer un retour sur investissement et la couverture de leurs risques bancaires.

Conclusion

La popularité de ces nouveaux modèles économiques, dans les pays en développement, repose notamment sur la volonté de s'émanciper d'une aide publique au développement souvent accusée de couvrir des agendas néocolonialistes. Les exemples cités invitent à souligner la diversification des acteurs économiques qui interviennent dans l'espace mondial et contribuent à en transformer les structures et les modes de régulation, parallèlement à l'action des États.

À RETENIR

- Les acteurs économiques exercent leurs propres formes de diplomatie privée et de négociations, y compris en jouant le rôle d'intermédiaires entre leur État d'origine et ceux où ils sont implantés.

- Des normes issues du secteur privé, comme celles que valorisent les agences de notation financières, pèsent sur l'action des États et la mise en œuvre des politiques publiques.

- Les organisations internationales, en particulier les Nations unies, s'efforcent d'inclure les acteurs économiques dans les réflexions sur l'évolution de la gouvernance globale, à travers des forums comme le Global Compact ou en favorisant leur participation aux grands sommets internationaux.

- On observe une diversification des acteurs économiques, qui interviennent de plus en plus dans le secteur de l'aide au développement (qu'il s'agisse de mettre en œuvre des programmes d'aide, à travers des partenariats public-privés, ou de diversifier l'activité économique en ciblant les populations les plus fragiles comme le font les entreprises de microfinance ou de commerce équitable). Cette évolution peut brouiller la répartition des rôles entre les secteurs marchand et non-marchand.

📖 POUR ALLER PLUS LOIN

GILPIN R., 1987, *The Political Economy of International Relations*, Princeton, Princeton University Press.

GUILBAUD A., 2015, *Business partners. Firmes privées et gouvernance mondiale de la santé*, Paris, Presses de Sciences Po.

HIBOU B., 1999, *La Privatisation des États*, Paris, Karthala.

LARHANT M., 2016, *Les Finances de l'ONU, ou la crise permanente*, Paris, Presses de Sciences Po.

PAQUIN S., 2009, *Économie politique internationale*, Paris, Montchrestien, 2009.

STRANGE S., 2011, *Le Retrait de l'État. La dispersion du pouvoir dans l'économie mondiale*, Paris, Temps Présent.

Films

Stephen Gaghan, *Syriana*, 2005.
Mark Achbar, Jennifer Abbott, *The Corporation*, 2012.

Tester ses connaissances

Corrigés en ligne

1. Des entreprises privées peuvent contribuer au budget et à la mise en œuvre des missions des organisations internationales :

☐ Vrai   ☐ Faux

2. Quelle est la dotation de la Fondation Gates ?

☐ 2,2 milliards de dollars (environ le PIB du Bhoutan)

☐ 24,2 milliards de dollars (environ le PIB du Cameroun)

☐ 43,5 milliards de dollars (environ le PIB de la Slovénie)

3. La spéculation foncière :

☐ est exclusivement le fait d'acteurs privés.

☐ est facilitée lorsque des droits de propriétés traditionnels ne sont pas officiellement reconnus.

☐ tend à entraîner une surexploitation des terres agricoles.

Sujets

Comment s'explique l'autonomie croissante des acteurs privés sur la scène internationale ?

Des entreprises peuvent-elles jouer un rôle politique ?

Les intérêts des acteurs privés convergent-ils avec ceux de leur État d'origine ?

PARTIE 3

LES GRANDS ENJEUX INTERNATIONAUX

▲

Cette fresque murale recouvre une résidence étudiante à Thessalonique. Elle représente la crise de la dette souveraine en Grèce. En 2010, celle-ci est à court de liquidités. Les pays de la zone euro ainsi que le Fonds monétaire international (FMI) accordent une série d'aides financières au gouvernement, sous condition d'adopter des politiques d'austérité. La dette devient alors insoutenable se situant à plus de 170 % du produit intérieur brut.

Les crises financières

En 2012, dans le film *Cosmopolis*, le cinéaste David Cronenberg décrit la chute d'un multimilliardaire, emporté dans le chaos de New York en proie aux pillages et aux exactions. Véritable descente aux enfers, l'itinéraire du héros se veut aussi la dénonciation d'un modèle économique, celui du capitalisme financier. Ce dernier génère un monde à part, désincarné, sans aucune prise sur la réalité. Cette déconnexion du monde financier par rapport au monde réel, illustrée par le film de Cronenberg, est étroitement liée aux crises financières internationales de notre temps. Une première prise de conscience résulte de la dépression de 1929, face à laquelle les États ne parviennent pas à se coordonner. Cette expérience, qui alimente en partie la Seconde Guerre mondiale, suscite en 1944 la création des institutions de Bretton Woods (FMI, Banque mondiale). Celles-ci entendent promouvoir un « libéralisme enchâssé », c'est-à-dire un système de change fixe fondé sur :

- la parité des monnaies entre elles ;
- la convertibilité du dollar en or ;
- la mise en place de réserves que les États peuvent mobiliser pour rétablir leur monnaie en cas de trop forte fluctuation par rapport au dollar.

Cette architecture s'écroule dans les années 1970. Les accords de la Jamaïque instituent en 1976 un système de change flottant, qui accentue une forme d'économie « de casino », selon l'expression de la spécialiste d'économie politique internationale Susan Strange. La situation actuelle issue de la crise de 2008 n'est pas parvenue à faire éclore en matière financière une gouvernance mondiale susceptible d'établir le socle d'un nouveau libéralisme enchâssé.

I. Une déterritorialisation des crises

Les crises financières prennent essentiellement trois formes au sein des États :

- une crise du change : la valeur d'une monnaie exprimée dans une monnaie de référence (le dollar, par exemple) se déprécie à hauteur de 25 % en une année ;
- une crise bancaire : les performances du secteur s'affaiblissent, provoquant la fermeture de banques ou la mise en œuvre de plans de sauvetage par les pouvoirs publics ;
- une crise boursière : la perte de confiance des investisseurs envers les marchés boursiers entraîne des ventes massives d'actions et donc une baisse de leur valeur.

Ces dernières ont pour principale conséquence de ralentir l'activité économique en raison d'une insuffisante disponibilité des capitaux pour les entreprises provoquant une accélération du chômage et une baisse de la consommation. On parle alors de récession. Aujourd'hui, ces crises se traduisent par un phénomène de contagion internationale dans le sens où les économies nationales sont de plus en plus imbriquées, ce que l'on désigne sous l'expression d'interdépendance. La contagion repose sur plusieurs facteurs : le caractère systémique des crises et l'exposition de tous les États, qu'ils soient développés ou en développement, à l'endettement (la dette souveraine).

1. Des crises systémiques

Issues de la volatilité des capitaux permise par la dématérialisation de la masse monétaire, les crises de nature systémique émergent au cours des années 1990. Les investisseurs portent leur attention sur les marchés boursiers qui ont la plus grande rétribution à court terme. Dès qu'un indice de baisse de rentabilité apparaît, beaucoup d'entre eux quittent ces marchés, entraînant alors une vague de panique. On parle de crise lorsque la baisse de l'indice général est supérieure à 10 % au cours d'une séance, ou de 5 à 10 % sur plusieurs séances.

La crise monétaire et financière asiatique de 1997-98 est de ce type. Ouverte par la soudaine dévaluation de la monnaie thaïlandaise, à hau-

teur de 25 %, cette crise entraîne une fuite des capitaux, non seulement de Thaïlande, mais aussi d'autres pays asiatiques dont la Malaisie,
l'Indonésie, les Philippines, et la Corée du Sud. La crise s'étend ensuite
à la Russie puis à l'Amérique latine. Ces crises systémiques manifestent
deux tendances de fond : elles s'étendent territorialement à plusieurs
États et elles cumulent plusieurs caractéristiques (à la fois inflation massive, crise du change et crise boursière par exemple).

2. Des crises de la dette souveraine

La dette souveraine tient à la somme des intérêts à payer et des emprunts
à rembourser chaque année par un État. Elle peut provoquer une crise
lorsque celui-ci se voit dans l'incapacité d'assurer ce remboursement.
Longtemps limitée aux Pays en voie de développement (PVD) qui font
l'objet d'une moindre confiance sur les marchés, cette problématique
touche aujourd'hui les États développés.

La première forme, qui concerne la dette souveraine des PVD, a
constitué l'une des principales préoccupations en matière de crises
financières internationales. Les pays en voie de développement peuvent
utiliser plusieurs sources pour financer leur économie : dons, investissements directs à l'étranger, création monétaire ou prêts. Cette dernière
source correspond à la dette souveraine. Trois acteurs ici sont impliqués :
les États qui cherchent à financer leur propre développement, les autres
États (dette bilatérale) et les institutions créancières (dette multilatérale),
les banques (créanciers privés). En 1956, l'Argentine fut le premier État
à demander une renégociation du remboursement de sa dette aux États
créanciers, dans le cadre du Club de Paris créé à cet effet, un groupe
informel qui rassemble les États finançant le développement (le Club de
Londres, lui, rassemble les créanciers privés). En 1982, la crise mexicaine
montre la fragilité des pays du Sud. La liste ne va cesser de s'allonger.

La seconde forme tient à la dette contractée par les États développés.
Elle se manifeste tout d'abord avec la crise des subprimes à l'été 2007 aux
États-Unis, qui cause la faillite de la banque Lehman Brothers. La spéculation sur les prêts – multiplication des crédits accordés sur les marchés
financiers sans vérifier la solvabilité du client – en est le moteur principal, largement entretenu par les pouvoirs publics à travers des organismes de garantie des prêts (Fanny Mae et Freddie Mac). Ces derniers

contribuent à financer l'économie et assurer notamment la bonne santé du secteur immobilier, mais l'éclatement de la bulle qui résulte de cette accumulation de dettes entraîne une crise bancaire qui oblige les pouvoirs publics à renflouer les banques, ce qui ne les incite pas forcément à faire preuve d'une plus grande prudence.

La crise de l'euro est une autre illustration de ce type de crise. Elle est engendrée par une montée en flèche des primes de risque sur la dette publique grecque à partir de février 2010. L'entrée de la Grèce dans la zone euro, en 2001, reposait sur des chiffres falsifiés et avait permis à l'État d'emprunter à des **taux d'intérêt** avantageux. À partir de 2009, ces informations sont rendues publiques. D'autres chiffres alarmants viennent s'y ajouter (fraude fiscale et économie souterraine) qui entraînent la dégradation du pays par les agences de notation financière. Les taux d'intérêt augmentent et la dette s'alourdit. Cette situation amplifie l'instabilité financière causée par les États développés. Ces crises se révèlent d'une ampleur sans précédent. Elles sont surtout révélatrices des transformations à l'œuvre au sein du capitalisme contemporain.

Le **taux d'intérêt** correspond au « loyer » de l'argent emprunté sur les marchés et sert à rémunérer les risques pris par le créancier. Il fluctue donc en fonction de l'estimation de la capacité de l'emprunteur à rembourser sa dette.

3. L'économie mondialisée comme cadre général

L'intrication entre politique internationale et politique économique nationale n'est pas nouvelle. Le roi Philippe IV dit « Le Bel » s'endette, par exemple, lourdement auprès des Templiers et des banquiers juifs pour asseoir la puissance de son royaume au XIIIe siècle, puis préférera expulser les juifs et détruire l'ordre des Templiers pour ne pas rembourser cette dette. François Ier, quant à lui, se tourne vers des banquiers parisiens en 1520 pour financer sa campagne militaire en Italie. À l'époque, les États s'endettent pour faire la guerre à l'étranger. Aujourd'hui, ce facteur s'étiole. La dette révèle moins une volonté d'acquérir de nouveaux territoires acquis par la force militaire que le financement par la dette de la prospérité économique.

La mondialisation des crises contemporaines repose sur plusieurs particularités :

- des interdépendances élargies, dans le sens où le marché boursier est mondialisé et dématérialisé grâce aux techniques de communication et à la fin de la convertibilité du dollar en or en 1971 ;

– le développement des acteurs économiques qui cherchent à s'enrichir grâce à la spéculation ;

– la contagion rapide ou «l'effet domino» des crises, avec l'anticipation autoréalisatrice des marchés.

Ces phénomènes trahissent une évolution du capitalisme. Il devient actionnarial ou patrimonial, et non plus seulement entrepreneurial, puisqu'il est fondé sur la spéculation. La production de biens de consommation à grande échelle n'est plus le fondement de la richesse. Cette évolution repose aussi sur une homogénéisation des comportements économiques qui empêche une diversité pourtant nécessaire au monde économique comme au monde vivant.

L'ensemble aboutit à un dysfonctionnement global de la finance mondiale, c'est-à-dire l'essor de bulles spéculatives. Elles se fondent sur une recherche sans limite du gain que l'économiste John Kenneth Galbraith nomme «l'orgie spéculative». Ces bulles sont de plus en plus déconnectées de l'**économie réelle**.

> **L'économie réelle** désigne l'ensemble des activités de production et d'échange de biens et de services, y compris non-marchands.

> **L'économie financière** désigne l'ensemble des échanges de titres sur les marchés par les ménages comme les entreprises ou les États. Ces échanges peuvent concerner des actifs financiers (actions, obligations), mais aussi des devises ou des matières premières.

Le volume brassé par les marchés de devises s'élève à soixante-deux fois la valeur du commerce international, contre treize fois en 1979. Depuis 1985, l'évolution des actifs financiers (actions, titres de dettes publiques et privées, dépôts en banque, à l'exclusion des produits dérivés) dépasse de quatre fois celle du PIB mondial. Le ratio entre actifs financiers et PIB mondial était de 100 % en moyenne en 1980. Il atteint 350 % à la veille de la crise de 2008. Cette déconnexion illustre la prédominance du marché que l'historien **Karl Polanyi** a analysée sur le temps long. Dans *La Grande Transformation*, il décrit l'autonomisation de la sphère économique. Cette autonomisation fait que l'économie s'assimile au marché, excluant alors d'autres formes d'échange comme le troc ou le don. L'économie se résume ainsi à l'économie «marchande». Pour l'auteur, une telle autonomisation repose sur une confusion, car l'économie

Le saviez-vous ?
Karl Polanyi a écrit son ouvrage *La Grande Transformation. Aux origines politiques et économiques de notre temps* durant la Seconde Guerre mondiale. Publié en 1944, l'ouvrage déconstruit le principe d'un marché autorégulateur. Selon l'auteur, travail, terre, monnaie ne peuvent pas être considérées comme des marchandises.

ne se restreint pas à la science des richesses et leur allocation en situation de rareté. Cette confusion, qu'accentue le décalage entre sphère économique réelle et sphère financière, repose selon lui sur une double illusion : l'identification du marché à un espace autorégulé, et le biais qui consiste à faire de la monnaie, de la terre et du travail, des biens marchands. Karl Polanyi perçoit, à travers ce large mouvement, un désencastrement de l'économie par rapport à la société. Il conviendrait alors de les réenchâsser, ce à quoi s'emploient les États depuis 2008, non sans difficultés.

II. La quête d'une gouvernance financière mondiale

L'ampleur des crises récentes a généré un sursaut de coopération internationale. Mettre fin à ce laisser-faire suppose la mise en place d'une nouvelle architecture financière internationale sur la base de forums informels – G7, G20 (voir encadré ci-dessous), groupes des États émergents, Club de Paris, Forum sur la stabilité financière – et de forums institutionnels tels que le FMI. La finalité première consiste à mettre en place une nouvelle gouvernance mondiale dans le secteur financier. Elle comprend trois instruments principaux : renforcer les moyens en situation de crise, contraindre les investisseurs et restructurer la dette souveraine.

Le G20, nouveau pivot de la régulation financière mondiale

Ce forum est né en 1999 d'une initiative canadienne destinée à coordonner les réponses à apporter à la crise asiatique. Paul Martin, le ministre canadien des Finances, propose de réunir les ministres des Finances ainsi que les gouverneurs des banques centrales des États du G8, mais aussi de plusieurs autres pays : Australie, Argentine, Brésil, Mexique, Chine, Corée du Sud, Inde, Indonésie, Arabie saoudite, Turquie, Afrique du Sud et enfin l'Union européenne. Réuni une fois l'an, le G20 fait l'objet d'une promotion internationale en raison de son format souple de discussion, mais peine à élaborer des normes contraignantes.

La crise de 2008 réactive ce format en élevant la représentation, puisque siègent dorénavant les chefs d'État et de gouvernement. Il s'impose alors comme le forum diplomatique au sein duquel les États cherchent à coordonner leurs actions en matière de crises financières internationales. Depuis le 15 novembre 2008, il réunit donc les chefs d'État et de gouvernement, en plus des ministres des Finances. Le G20 représente les deux tiers de la population mondiale ainsi que les principaux contributeurs de richesses (90 % des produits intérieurs bruts). En septembre 2009 à Pittsburgh, les États membres décident d'en faire le forum principal en matière de coopération économique internationale. Les réformes du FMI ou bien les mesures à prendre en vue de transformer les conduites des acteurs économiques sont délibérées en son sein. Certains sommets du G20 sont l'occasion d'imprimer une nouvelle orientation. À Séoul en 2010, les émergents proposent de donner une priorité au développement en conférant aux structures étatiques un rôle d'impulsion (sécurité alimentaire, éducation, production agricole). Son ascension génère toutefois des crispations. Des États du Sud contestent sa représentativité (un seul État africain siège en son sein par exemple) mais aussi sa légitimité (cette instance est le produit de décisions gouvernementales sans contrôle parlementaire).

1. Renforcer les capacités financières de correction

Le premier instrument consiste à renforcer les capacités financières des institutions multilatérales, au premier chef desquelles le FMI en tant que prêteur en dernier ressort. Ces interventions permettent d'enrayer en partie la contagion. Une mesure phare consiste à relever les **quotes-parts** octroyées par les États au FMI afin d'avoir plus de liquidités. Ces quotes-parts dépendent de la part des sommes versées par les États à l'organisation en fonction du poids de leurs économies respectives dans la richesse mondiale.

Quote-part : libellées en droits de tirages spéciaux (DTS) qui est l'unité de compte du FMI, les quotes-parts sont calculées à partir d'une moyenne pondérée du PIB (50 %), du degré d'ouverture de l'économie (30 %), des variations économiques (15 %), des réserves officielles de change (5 %).

Tableau 9.1

États	Répartition des droits de vote en % avant la réforme	Répartition des droits de vote en % après la réforme
États-Unis	17	16,5
Chine	2,9	6,1
France	4,9	4
Inde	1,9	2,6
Russie	2,7	2,5
Brésil	1,4	2,2

2. Modifier la conduite des investisseurs sur les marchés

Le deuxième instrument vise la conduite des investisseurs. Afin de contenir voire d'enrayer définitivement les crises systémiques, plusieurs mesures entendent modifier le comportement des acteurs économiques sur les marchés financiers : adoption de codes déontologiques, mise en œuvre de clauses qui empêchent les investisseurs de se retirer brutalement en cas de « stress », créations institutionnelles pour superviser les actions des investisseurs. Concernant ce dernier point, le Comité européen du risque systémique est constitué en 2011, ainsi que trois nouvelles autorités de supervision dans les domaines des banques, des marchés financiers et des assurances, et des pensions professionnelles. Ces autorités sont chargées de contrôler l'application des règles par les autorités de surveillance des États membres.

3. Restructurer la dette souveraine

Le troisième instrument tient à la restructuration de la dette souveraine. Il repose sur une prise de conscience : la dette n'est pas conjoncturelle mais bel et bien structurelle. En effet, l'encours de la dette (stock nécessaire au financement de la dette à un moment donné) ne cesse d'augmenter, de nouveaux continents sont touchés, les États ne parviennent pas à honorer les engagements financiers. Sous l'impulsion des acteurs de la société civile et notamment de la campagne du **Jubilee 2000**, deux décisions phares sont adoptées. La première correspond à l'Initiative pour les pays très endettés (IPPTE), qui aboutit à une réduction jusqu'à 90 % des créances au terme d'un processus d'éligibilité reposant sur quatre critères : un PIB par habitant inférieur à 865 dollars ; un stock de dette supérieur à 150 % des exportations annuelles (sur les trois dernières années) ; l'existence d'un Document stratégique de réduction de la pauvreté impliquant la participation des acteurs sociétaux ; et la volonté de sortir de la pauvreté par ajustement structurel dans le cadre du FMI. L'IPPTE prolonge dans une certaine mesure le plan Brady adopté en 1989 entre la Banque mondiale et le FMI, qui annule la dette prévue entre 3,1 % et 47,3 %. Une quarantaine d'États est concernée au milieu des années 1990, mais le dispositif est assoupli à partir de 1999. Lors du G8 de Gleneagles en 2005, les pays membres annulent la dette de 40 milliards de dollars des Pays très endettés (pas de moratoire ni de rééchelonnement tels que pratiqués auparavant).

Le saviez-vous ?

Le chanteur Bono s'est investi dans la campagne du Jubilee 2000 en faveur de l'annulation de la dette souveraine. Mettant sa popularité au service de la cause du développement, il cherche à peser sur les leaders politiques notamment lors du G8 de Gleneagles de 2005 où il est invité et *via* la création d'ONG déployant leur action en Afrique.

4. Contourner les obstacles de la gouvernance actuelle

Néanmoins, la recherche de cette gouvernance mondiale est jusqu'à présent largement hypothéquée par trois phénomènes. Tout d'abord, les instruments se révèlent encore insuffisants en termes de volume global. Les capacités supplémentaires sont en deçà des besoins réels en période de crise, que celle-ci soit de nature systémique ou qu'elle relève de la dette souveraine. À cet égard, l'initiative pour les pays pauvres très endettés ne porte que sur 30 % de la dette publique. L'annulation entérine d'ailleurs une quasi-situation de fait, car elle n'est jamais remboursée en son entier.

Ensuite, des carences de responsabilité apparaissent. Le FMI se révèle l'un des principaux acteurs pointés du doigt. Sa politique est qualifiée de désastreuse, notamment de la part d'anciens économistes ayant exercé des fonctions en son sein, à l'instar de Joseph Stiglitz qui dénonce les fausses promesses du Fonds. Les États-Unis subissent également des salves critiques. Profitant de la célèbre expression « le dollar est notre monnaie mais il est votre problème » (car il constitue l'unité de compte pour la plupart des transactions internationales), ils ont contribué à la fin du système de Bretton Woods. Dans un pays où le taux d'épargne est proche de zéro, attirer les investisseurs suppose une forte dérégulation des marchés. Ils ont longtemps freiné la réforme du FMI au sein duquel ils bénéficient d'une minorité de blocage dans le processus décisionnel. En d'autres termes, les États-Unis incarnent une puissance qui n'assume pas sa responsabilité en tant que pourvoyeuse de stabilité.

Des courants altermondialistes appellent alors au développement d'instruments qui permettraient de contrôler les responsabilités. ▶ Voir encadré p. 184.

La lutte contre les paradis fiscaux (90 territoires environ) participe également de cet effort global en vue de corriger les carences de responsabilité. Ces paradis conjuguent plusieurs caractéristiques : l'idée de récupération compétitive des impôts sur les sociétés, mise en œuvre dès la fin du XIXe siècle par les États américains du Delaware et du New Jersey pour attirer l'activité économique ; le principe d'exemption fiscale des non-résidents, confirmé dans une série de jugements de la Haute Cour britannique (création de sociétés purement fictives) ; la protection absolue des actifs, garantie avec l'adoption du secret bancaire suisse au

▶ Voir figure 9.1.
début des années 1930. L'indice d'opacité financière permet de mesurer ces différents éléments de façon comparative. ▶

Des initiatives altermondialistes pour la gouvernance financière internationale

L'association pour la taxation des transactions financières et pour l'action citoyenne (ATTAC) créée en 1998 est l'un des principaux acteurs mobilisés en vue de contrôler de manière plus efficace la conduite des spéculateurs. Elle s'est particulièrement engagée dans la mise en œuvre de la «taxe Tobin», du nom d'un ancien conseiller du président Kennedy. Cet instrument consiste à taxer les transactions financières internationales de 0,05 %. Elle n'a pas encore été mise en œuvre, si ce n'est sous une forme intermédiaire afin de financer des médicaments au profit des pays les plus pauvres (taxe sur les billets d'avion instaurée en 2006 par dix pays). Une autre organisation comme le Comité pour l'abolition des dettes illégitimes cherche à réactiver la notion de «dette odieuse». Elle consiste à annuler des dettes contractées par des régimes brutaux et peu scrupuleux (cas du Chili de Pinochet ou de l'Argentine entre 1976 et 1983) au motif que cette dette sert un pouvoir despotique et non l'intérêt de l'État. Cette doctrine trouve son origine au XIXe siècle lors de la décolonisation de l'Amérique du Sud, lorsqu'en 1883 le Mexique annule la dette du régime précédent. Elle s'applique aussi en 1923 avec la sentence arbitrale Grande-Bretagne contre Costa Rica, annulant des contrats passés par le gouvernement du général Tinolo entre 1917 et 1919.

Enfin, le troisième phénomène correspond à la défiance tant des marchés que des acteurs économiques. Après 2008, les États se sont endettés pour renflouer les banques, mais les pratiques n'ont pas fait l'objet d'une véritable régulation post-crise. Non seulement les valeurs boursières des banques ont doublé pour se retrouver en tête devant les entreprises pétrolières, mais la capitalisation boursière des grandes entreprises dans le monde a gagné 50 % dans les douze mois qui ont suivi la reprise des marchés fin 2009. Pourtant, les États avaient mis en place des supervisions engagées par la création de nouvelles autorités de régulation (*cf.* les conclusions du rapport Vickers au Royaume-Uni en 2011). Les règles adoptées reprennent les recommandations du Comité de Bâle sur le contrôle bancaire. Bâle devient la capitale mondiale du système, à la fois siège de la Banque des règlements internationaux et site où s'installent des groupes informels (les nouvelles règles de 2010 du Comité modifient

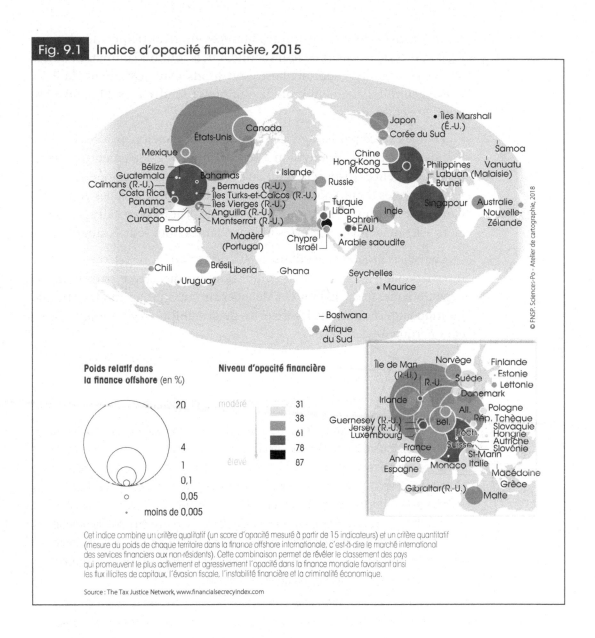

Fig. 9.1 | Indice d'opacité financière, 2015

Cet indice combine un critère qualitatif (un score d'opacité mesuré à partir de 15 indicateurs) et un critère quantitatif (mesure du poids de chaque territoire dans la finance offshore internationale, c'est-à-dire le marché international des services financiers aux non-résidents). Cette combinaison permet de révéler le classement des pays qui promeuvent le plus activement et agressivement l'opacité dans la finance mondiale favorisant ainsi les flux illicites de capitaux, l'évasion fiscale, l'instabilité financière et la criminalité économique.

Source : The Tax Justice Network, www.financialsecrecyindex.com

peu les précédentes connues sous le nom de Bâle II). En fait, la norme privée de l'autocontrôle est privilégiée, à savoir un contrôle interne adopté par l'établissement, ou un contrôle externe par le marché via des avis d'investisseurs et des agences de notation. Sur le plan strictement quantitatif, les banques ont augmenté de 2 à 7 % le montant minimal des fonds propres de base (sommes allouées pour anticiper des baisses inattendues de la valeur de leurs actifs). Or, le jour où Lehman Brothers a déclaré sa faillite spectaculaire, son fonds était justement de 7 %. Autrement dit, l'augmentation devrait plutôt tendre vers 20 % ou 30 % pour être efficace.

Le rôle exercé par les agences de notation financière privées comme Standard & Poor's, Moody's ou Fitch Ratings reste également préoccupant. Ces agences disposent d'un quasi monopole en la matière, à savoir 97 % de toutes les notations, or elles se révèlent souvent juges et parties. Conseillères rémunérées lors du montage de produits bancaires et financiers, elles deviennent expertes indépendantes pour leur évaluation.

La recherche laborieuse d'une régulation relative au système financier international pose finalement la question du rôle exercé par un acteur hégémonique. C'est là l'un des débats centraux qui anime l'économie politique internationale : les théories de la stabilité hégémonique sont-elles pertinentes ?

FOCUS Les lanceurs d'alerte

On qualifie de lanceur d'alerte toute personne ou organisation qui, dans une perspective d'intérêt général, initie des révélations destinées à enclencher un processus de régulation ou de mobilisation collective concernant des risques ou pratiques, illégales ou immorales, dont elle aurait connaissance. Dans le domaine financier, on peut citer l'exemple sans précédent de la publication des Panama Papers (mise en ligne en 2015 de 11,5 millions de documents retraçant le détail des transactions financières de 214 488 sociétés offshore, opérées par l'intermédiaire de la firme panaméenne Mossack Fonseca, souvent à des fins d'évasion fiscale ou de blanchiment).

Le développement des outils d'information et de communication a décuplé l'audience de ces acteurs qui, notamment lorsqu'ils sont relayés par les médias traditionnels, peuvent exercer une pression importante sur les acteurs politiques ou économiques classiques. Tout en exerçant un effet disruptif sur le jeu international traditionnel, les lanceurs d'alerte participent de nouvelles formes de régulation transnationales en favorisant la transparence et en provoquant parfois des évolutions normatives ou pratiques.

Différentes catégories de lanceurs d'alerte peuvent être distinguées suivant leurs modèles d'organisation (individus, ONG, réseaux faiblement institutionnalisés) et d'expression (média traditionnels, réseaux sociaux) mais aussi leur rapport à la légalité (enquêtes sur sources ouvertes, publication de documents ou d'informations confidentielles) et à l'anonymat.

De nombreux lanceurs d'alerte font l'objet de poursuites qui peuvent les pousser à s'exiler ou les conduire à la prison ou à la faillite. Leur statut juridique demeure un sujet complexe en raison de la fluidité de la notion d'intérêt général et des divergences entre législations nationales quant à la divulgation de secrets (industriels ou étatiques) et la protection des individus.

Ainsi, si les Panama Papers ont conduit à l'ouverture de plusieurs centaines de procès et conforté les appels à une plus grande transparence des paradis fiscaux, des journalistes ayant enquêté sur ces révélations ont fait l'objet d'intimidations ou d'atteintes physiques. On peut également citer les cas d'Edward Snowden (ex-agent de la CIA et consultant de la NSA, exilé en Russie après avoir publié en 2013 plusieurs centaines de milliers de documents sur la surveillance des communications internationales pratiquée par les USA) ou de Chelsea Manning (ancien militaire américain, condamnée à 35 ans de prison pour avoir révélé *via* WikiLeaks près de 750 000 documents diplomatiques ou militaires parfois classifiés).

III. Puissance hégémonique et stabilité

Selon Charles Kindleberger, l'absence d'*hegemon* en 1929 explique la grande dépression de l'entre-deux-guerres. Autrement dit, une puissance hégémonique façonne un ordre stable. Cette idée est également formulée par Susan Strange à partir des années 1970. Selon elle, la localisation des ressources économiques est moins déterminante que leur contrôle. À cet égard, les États-Unis maîtrisent bien la production à l'extérieur de leur territoire, *via* notamment les parts d'investissement accordées par les entreprises américaines, ce qui permet de constituer un empire non territorial. Strange considère également comme une erreur fondamentale d'envisager l'hégémonie contemporaine sur la base de la puissance en tant que relation, à savoir en imposant sa volonté à un autre acteur. Elle soutient que la puissance prend une dimension avant tout **structurelle**.

La puissance structurelle désigne « le pouvoir de façonner et de déterminer les structures de l'économie politique globale au sein desquelles d'autres États – leurs institutions politiques, leurs entreprises, leurs scientifiques et autres professionnels – doivent opérer » (Susan Strange).

Quatre structures se distinguent : celle de la production (définir les activités source de prospérité), celle de la sécurité (fournir une protection contre une menace), celle de la finance (gérer les crédits) et celle du savoir (offrir des idées légitimes et contrôler leur diffusion). Selon Strange, les États-Unis ont façonné ces quatre structures déterminantes au sein du système international. Ainsi, la mondialisation actuelle est moins subie que voulue par les administrations successives à Washington.

Robert Gilpin soutient également que l'ordre à l'échelle mondiale ne peut être garanti que par un acteur hégémonique. Celui-ci sécurise un ordre mondial libéral basé sur la liberté du commerce. L'apport de Gilpin se situe sur un double plan : celui des fondements de l'hégémonie, et celui de ses cycles. L'auteur ne se limite pas aux ressources matérielles, notamment militaires, lorsqu'il envisage la nature de l'hégémonie. Il insiste sur les changements techniques et économiques, car ces derniers constituent les premières conditions nécessaires à la mise en place d'un appareil industriel efficace en matière de défense. La maîtrise de la recherche-développement permet à l'*hegemon* de conserver sa suprématie et, par ce biais, de contrôler et dominer les États moins forts. Ces derniers acceptent la légitimité et l'utilité du système.

Dans cette perspective, Gilpin conçoit le devenir de l'hégémonie à partir du développement économique. C'est là le second apport de l'auteur à la réflexion sur l'hégémonie. L'entretien d'une position hégémonique nécessite des dépenses de défense de plus en plus importantes, lesquelles ont un impact sur le développement économique. À moyen ou long terme, la dynamique des forces productives ne peut plus alimenter une supériorité militaire. Une guerre hégémonique surgit en termes de lutte pour la définition de l'ordre mondial. Une puissance secondaire, soit opposée soit jusqu'alors alliée à l'*hegemon*, supplantera celui-ci. Ce fut le cas des États-Unis après les deux guerres mondiales par rapport à la Grande-Bretagne.

Controverse	Les critiques néo-marxistes de la stabilité hégémonique

Les auteurs néo-marxistes se focalisent sur les conditions idéologiques qui favorisent l'émergence d'un consensus international au bénéfice des valeurs défendues par l'*hegemon*, tout en prônant une transformation du monde. L'hégémonie se définit alors comme « la capacité à proposer et à protéger un ordre mondial universel dans sa conception, c'est-à-dire compatible avec les intérêts des autres États » (Cox, 1983). L'hégémonie dépasse largement la position primordiale d'un acteur au sein du système international. Elle est construite par les normes, les organisations internationales, et surtout l'action de la classe dominante de la puissance hégémonique qui diffuse son modèle à l'étranger grâce aux vecteurs de la société civile. Ce sont les forces sociales dominantes qui impriment l'ordre et qui propagent leur culture et leurs valeurs dont la fonction consiste à irradier tout l'espace international. Les autres forces ne peuvent que souscrire à un ordre dans lequel elles ne se reconnaissent pas. Cette conception de l'hégémonie appelle à la mobilisation citoyenne et invite à une émancipation des individus quant aux contraintes normatives ni voulues ni partagées.

Conclusion

En définitive, les crises financières sont triplement révélatrices : elles reflètent une tendance à la déterritorialisation, elles génèrent un sursaut des États en vue de renouer avec l'idée d'un libéralisme enchâssé dont la réalisation demeure fragile, elles interrogent le rôle de la puissance hégémonique en tant que source de stabilité au sein du système financier international.

À RETENIR

- Les crises financières sont le produit d'une transformation de l'économie capitaliste.
- L'économie financière et l'économie réelle sont de plus en plus déconnectées (idée de la « bulle financière »).
- La gouvernance mondiale de la finance fait l'objet d'une refonte suite à la crise de 2008.
- La nouvelle architecture mondiale de la finance ne parvient pas à réguler les conduites des agents économiques.
- Les crises financières posent la question de la stabilité hégémonique.

📖 POUR ALLER PLUS LOIN

COHEN D., 2011, *La prospérité du vice. Une introduction (inquiète) à l'économie*, Paris, Albin Michel.

COX R., 1983, « Gramsci, Hegemony and International Relations : An Essay in Method », *Millenium*, 12, 3, p. 162-175.

GILPIN R., 1987, *The Political Economy of International Relations*, Princeton, Princeton University Press.

KINDLEBERGER C., 1988 [1973], *La Grande Crise mondiale, 1929-1939*, Paris, Economica.

PAQUIN S., 2009, *Économie politique internationale*, Paris, Montchrestien.

POLANYI K., 1983 [1944], *La Grande Transformation, aux origines politiques et économiques de notre temps*, Paris, Gallimard.

Films

Oliver Stone, *Wall Street*, 1987.

Jean-Stéphane Bron, *Cleveland contre Wall Street*, 2010.

David Cronenberg, *Cosmopolis*, 2012.

Tester ses connaissances

Corrigés en ligne

1. L'hégémonie repose sur un discours de légitimation qui confond intérêt particulier d'un État et intérêt universel de tous les États. Cette conception est celle de :

☐ Karl Polanyi   ☐ Richard Cox

☐ Robert Gilpin   ☐ Charles Kindleberger

2. Le G20 correspond à :

☐ une diplomatie de club   ☐ une diplomatie de conférences

☐ une diplomatie de sommets   ☐ une diplomatie à voie multiples

3. Qui a dit :

« Avec la mondialisation, nous sommes tous interdépendants. On disait autrefois : lorsque les États-Unis éternuent, le Mexique s'enrhume. Aujourd'hui, lorsque les États-Unis éternuent, une grande partie du monde attrape la grippe, et les problèmes actuels de l'Amérique sont bien plus graves que de simples reniflements… »

☐ John Maynard Keynes   ☐ John Kenneth Galbraith

☐ Daniel Cohen   ☐ Joseph Stiglitz

4. Parmi les États suivants, lesquels ne sont pas membres du G20 ?

☐ Nigeria   ☐ Indonésie   ☐ Égypte

☐ Argentine   ☐ Espagne   ☐ Qatar

☐ Arabie saoudite   ☐ Maroc   ☐ Turquie

Étude de document

La déclaration du G20 de 2015

(À consulter sur http://urlz.fr/6zKP)

1. En quoi réside la déception des participants ?

2. Quelles sont les orientations prioritaires ?

3. Comparativement à la déclaration de 2008 adoptée à Washington, que peut-on dire de l'agenda du G20 ?

Sujets

Un État peut-il être déclaré en faillite ?

Quels sont les liens entre crises financières et mondialisation ?

Puissance hégémonique et régulation financière internationale

© Chris Hopkins/Getty images

▲

Aylan Kurdi est un enfant de trois ans retrouvé mort sur une plage de Turquie le 3 septembre 2015. Il symbolise le drame des réfugiés syriens cherchant asile en Europe. Sur les réseaux sociaux, la photo circule avec les mots : « l'humanité échouée ». Elle suscite un immense élan de compassion à travers les frontières qui se traduit par l'organisation de manifestations de solidarité, ici à Melbourne en Australie.

Les migrations internationales

Dans son *Projet de paix perpétuelle* (1795), le philosophe Emmanuel Kant (1724-1804) fait de la circulation un droit universel. Cela se traduit par le droit à l'hospitalité pour tout individu qui arrive dans un pays étranger.

Ce droit de nature transnationale est, selon Kant, le fondement de la citoyenneté du monde. À l'époque des monarchies européennes, les sujets n'avaient pas le droit de quitter le sol national. Aujourd'hui, le droit d'émigrer (droit de sortie) s'est développé. Il est formulé juridiquement dans l'article 13 de la Déclaration universelle des droits de l'homme, proclamant pour toute personne « le droit de quitter tout pays, y compris le sien, et de revenir dans son pays ».

Néanmoins, le droit d'immigrer (entrer sur le sol national en vue de s'installer pour une durée supérieure à un an) se révèle entravé. L'ampleur des migrations pose avec acuité la question de l'accueil et plus globalement celle d'un droit universel à la mobilité.

I. Un fait mondialisé

Pour l'ONU, un **migrant** est une personne qui a résidé dans un pays étranger pendant plus d'une année quelles que soient les causes, volontaires ou involontaires, du mouvement, et quels que soient les moyens, réguliers ou irréguliers, utilisés pour migrer. On estime à 3,5 % le taux de migration mondiale rapporté à la population mondiale. Ce qui correspond à une augmentation d'un point par rapport aux années 1970. Ces migrations de 250 millions de personnes environ correspondent à 25 % de l'ensemble des mobilités internationales. La majorité des migrants circulent donc à l'intérieur des territoires nationaux (on parle alors de migrations internes).

Définitions

> **Migrant international :** personne qui traverse les frontières d'un ou plusieurs États pour des raisons personnelles ou forcées.

> **Réfugié :** toute personne qui, « craignant avec raison d'être persécutée du fait de sa race, de sa religion, de sa nationalité, de son appartenance à un certain groupe social ou de ses opinions politiques, se trouve hors du pays dont elle a la nationalité et qui ne peut ou, du fait de cette crainte, ne veut se réclamer de la protection de ce pays ; ou qui, si elle n'a pas de nationalité et se trouve hors du pays dans lequel elle avait sa résidence habituelle à la suite de tels événements, ne peut ou, en raison de ladite crainte, ne veut y retourner » (article 1 de la Convention de 1951 relative au statut des réfugiés).

> **Diaspora :** groupe national ou ethnique réparti entre plusieurs pays d'accueil. Le terme prend son origine dans la dispersion (*diaspora* en grec) des juifs.

> **Apatride :** toute personne qu'aucun État ne considère comme son ressortissant par application de sa législation.

Qu'elles soient volontaires ou involontaires, les migrations donnent parfois lieu à la constitution de **diasporas**. Liés par un fort sentiment communautaire, les membres d'une diaspora agissent sous la forme de réseaux et/ou d'associations ayant pour objet de protéger leurs intérêts. Les diasporas les plus nombreuses sont les diasporas chinoise (50 millions) et indienne (30 millions).

Certains migrants se retrouvent sans nationalité. Ils ont perdu l'ancienne et n'en ont pas acquis de nouvelle. À la différence des réfugiés qui peuvent recouvrer leurs droits quand les circonstances ayant généré leur départ disparaissent (clause de cessation), ces migrants deviennent des **apatrides**.

Au nombre de 13 millions dans le monde, ils ne bénéficient plus d'une protection *via* le droit des minorités. Leur apparition après la Première Guerre mondiale suite à la disparition des empires russe, austro-hongrois et ottoman rime avec la déshumanisation de l'étranger dans le sens où ces « sans-État » deviennent des parias, « la lie de la terre » selon Hannah Arendt.

1. Des causes variées

Pourquoi migre-t-on ? Pour des raisons qui relèvent d'un choix volontaire ou bien de causes forcées. Comme le montre Catherine Withol de Wenden, ces deux situations ne sont pas exclusives et sont entre autres difficiles à distinguer car les routes empruntées sont souvent identiques. Les situations économiques offrent le principal terreau des choix volontaires. Le développement économique des régions d'accueil attire une main-d'œuvre qui cherche à améliorer ses conditions de vie. Ainsi, les inégalités de développement expliquent l'essor des candidats à la migration. Ces travailleurs migrants peuvent également demander à ce que leur famille les rejoigne (regroupement familial). Ces migrations volontaires s'enrichissent de la mobilité liée à l'apprentissage et l'éducation. Selon l'OCDE, le nombre d'étudiants scolarisés à l'étranger est passé de moins d'un million en 1975 à 4,5 millions en 2012.

L'instabilité, les crises politiques, mais aussi les guerres, sont parmi les causes majeures des migrations forcées. Une partie de ces migrants peut alors bénéficier du statut de **réfugié**. Par crainte de persécution ou tout simplement pour sa propre vie, « toute personne a le droit de chercher asile et de bénéficier de l'asile en d'autres pays » (art. 14 de la Déclaration universelle des droits de l'homme). La protection internationale repose sur une convention signée en 1951. Ce statut de réfugié n'est reconnu qu'à un tiers des demandeurs d'asile. Cela crée des situations très délicates car les demandeurs ne sont ni expulsables ni régularisables en raison de la clause de non-refoulement pour migrants forcés venant d'un pays en guerre. Aujourd'hui, l'Europe concentre les trois quarts des demandes d'asile déposées dans les pays industrialisés. La crise syrienne (voir focus) explique en grande partie cette tendance. Ayant déjà atteint un pic dans les années 1990 suite à la chute du mur de Berlin, les demandes d'asile politique explosent en 2015 passant de 200 000 par an en temps normal à 1,2 million.

> **Le saviez-vous ?**
> Le terme **réfugié** a été employé la première fois en 1573 pour désigner les calvinistes des Pays-Bas cherchant asile en France.

> ### FOCUS La crise syrienne des réfugiés
>
> La guerre civile syrienne débute en 2011 et avec elle son premier flot d'émigrés qui trouvent refuge dans les pays frontaliers (Turquie, Liban, Jordanie). Mais c'est en 2015 que le mouvement atteint des niveaux record en direction de l'Europe via la Grèce et les Balkans. Plus de 1,2 million de demandes d'asile sont déposées dans les pays européens, du jamais vu depuis 1945. L'Allemagne, qui compte 20 % de sa population issue de l'immigration, accueille de façon exceptionnelle 800 000 réfugiés et dépasse ainsi la barre du million depuis le début de la crise. Les réfugiés deviennent un paramètre de la configuration stratégique : la Syrie facilite les départs en délivrant des passeports afin d'exporter sa lutte contre l'État islamique, la Turquie marchande avec l'Union européenne les réadmissions (suppression des visas pour les Turcs, aide financière), les Européens peinent à préserver un semblant d'unité face à la répartition inégale des réfugiés et la fermeture de leurs frontières nationales. La crise des réfugiés interroge la robustesse de la solidarité européenne exposée à cet événement.

Une autre cause des migrations forcées tient aux dégradations environnementales. La désertification ou la montée des eaux suite au réchauffement climatique oblige les populations à quitter leur habitat. Mais les catastrophes naturelles entraînent également des migrations (26,4 millions en moyenne tous les ans). Entre 2008 et 2013, les trois premiers types de catastrophes qui engendrent des déplacements sont les inondations, les tempêtes et les tremblements de terre. Ces déplacés ne sont pas des réfugiés car le Haut-Commissariat aux réfugiés considère qu'ils ne relèvent pas de l'article 1er de la Convention de Genève. Les migrations environnementales ne sont pourtant pas nouvelles. Des événements naturels ou climatiques ont précédemment entraîné des déplacements, comme le tremblement de terre de Lisbonne en 1755 ou l'exode du Dust Bowl aux États-Unis, dans les années 1930, suite à un épisode de sécheresse et des tempêtes de poussière. Toutefois, l'ampleur des transformations actuelles semble inédite, comme le souligne le rapport Stern sur l'économie du changement climatique publié en 2006 pour le compte du gouvernement britannique.

2. Des transformations à l'œuvre

La figure du migrant se renouvelle par rapport à celle majoritaire du XXe siècle, à savoir un homme rural offrant sa force de travail. La féminisation (52 % des migrations ayant pour destination l'Europe et l'Amérique du Nord) mais aussi la scolarisation des migrants modifient les profils. De plus, la distinction entre travailleur étranger et réfugié qui fut l'un des marqueurs de la guerre froide s'étiole. Les dissidents qui fuyaient l'Union soviétique ou d'autres États du bloc communiste incarnaient les réfugiés venant de l'Est, alors que les migrants du Sud cherchaient un travail au Nord. Cette distinction n'est plus pertinente. Les demandeurs d'asile sont aussi à la recherche d'un travail. Le critère temporel n'est plus déterminant car nombre de migrants temporaires se trouvent dans l'obligation de s'installer lorsqu'ils deviennent des sans-papiers. L'origine des migrants n'est pas nécessairement liée aux pays en voie de paupérisation. Les chiffres montrent que 62 % des migrants viennent d'un pays à revenu intermédiaire : Inde, Mexique, Russie, Chine, Pakistan, Philippines par ordre décroissant.

Les transformations affectant les migrations ne portent pas seulement sur les profils de migrants qui deviennent plus variés. Elles concernent également les zones géographiques. Les pays d'émigration comme l'Espagne, le Portugal ou l'Italie en Europe du Sud deviennent des terres d'immigration. Des modifications similaires se manifestent pour la Turquie ou le Maroc. Les transformations géographiques correspondent également à la constitution de nouvelles chaînes migratoires. En Europe de l'Est, des pays comme la Pologne accueillent des Ukrainiens, alors que les ressortissants polonais s'installent plus à l'Ouest pour leur travail, par exemple au Royaume-Uni ou en Allemagne.

Enfin, les couloirs de la migration internationale sont également travaillés par des transformations. Si les migrations traditionnelles pour regroupement familial, travail ou asile du Sud vers le Nord demeurent importantes (75,6 millions), elles sont dépassées en nombre par les flux Sud-Sud (migrations économiques ou asile) qui se portent à 77,6 millions. Les migrations Nord-Nord (54 millions) concernent les expatriés qualifiés et le mouvement du Nord vers le Sud (13,3 millions) se compose essentiellement d'expatriés ou de personnes retraitées.

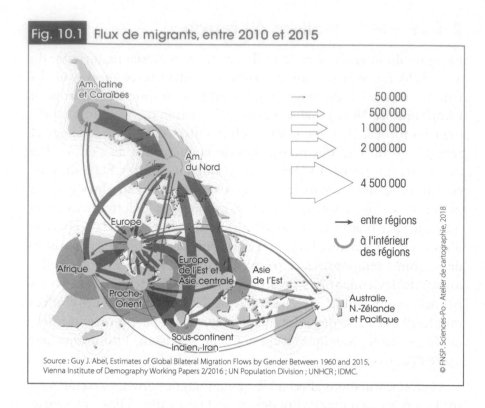

Fig. 10.1 Flux de migrants, entre 2010 et 2015

50 000
500 000
1 000 000
2 000 000
4 500 000

→ entre régions
↺ à l'intérieur des régions

Am. latine et Caraïbes
Am. du Nord
Europe
Afrique
Europe de l'Est et Asie centrale
Proche-Orient
Asie de l'Est
Australie, N.-Zélande et Pacifique
Sous-continent indien, Iran

© FNSP. Sciences-Po - Atelier de cartographie, 2018

Source : Guy J. Abel, Estimates of Global Bilateral Migration Flows by Gender Between 1960 and 2015, Vienna Institute of Demography Working Papers 2/2016 ; UN Population Division ; UNHCR ; IDMC.

3. Un accès inégal à la mobilité

Obtenir un passeport est assez aisé du moins dans les États qui ne restreignent pas les allées et venues de leurs ressortissants, telle l'Érythrée. Il s'agit d'un service offert par tous les États, fondé sur la reconnaissance du droit de sortie. Obtenir un visa, en revanche, relève parfois du parcours du combattant. Ce fait est révélateur de la volonté des États de maîtriser le droit d'entrée sur leur territoire. C'est ici que se manifeste la principale inégalité du point de vue de l'accès au droit à la mobilité, à savoir le droit de circuler librement sans visa.

Ce droit varie en fonction de la nationalité. En 2015, les Finlandais, les Suisses et les Britanniques peuvent voyager dans 173 pays sans visa. Par contraste, les Palestiniens, les Irakiens et les Afghans ont accès respectivement à 36, 31 et 28 pays sans visa. Deux tiers de la population mondiale ne peut pas circuler librement. L'inégalité apparaît du point de vue de l'accueil. Les trois quarts des migrants sont accueillis par moins d'une trentaine de pays.

Le droit d'entrée se révèle souvent restrictif, dissuasif, répressif. Des tensions surgissent selon les perceptions des migrations considérées comme pertinentes ou menaçantes pour le pays d'accueil.

II. Les migrants : une menace ou une opportunité ?

Depuis les années 1990, les relations internationales sont traversées par une seconde vague de migrations de masse, la première s'étirant de 1850 à 1930. Elle interroge le principe de souveraineté puisque celui-ci vise à contrôler les flux de personnes sur son territoire ainsi que l'accessibilité à la nationalité et donc, par voie de conséquence, l'attribution de la citoyenneté. Une opposition apparaît entre ceux qui perçoivent les migrants comme une menace, et ceux qui les considèrent comme un facteur de développement.

1. Le migrant comme figure menaçante

L'étiolement de la bipolarité caractéristique de la guerre froide s'est accompagné d'une vague de migrants venue de l'Est, au demeurant moins massive qu'initialement prévue. S'opère progressivement un glissement. La menace incarnée par l'Union soviétique tend à laisser place à de nouveaux dangers dont le migrant devient la figure saillante. L'étranger, lorsqu'il vient du « Sud » devient indésirable. Le mur de Berlin s'effrite tandis que de nouveaux murs s'érigent. Pour l'Union européenne, la Méditerranée devient une ligne de fracture et non une mer partagée entre pays du Nord et du Sud. La Grèce met en place un mur sur la rivière Evros à la frontière turque. La Hongrie cherche également à arrêter les flux de migrants arrivés en Croatie ou en Serbie. La création de l'agence européenne Frontex (2004) entend assurer une meilleure coordination entre les polices européennes quant à l'accès aux frontières externes de l'Union européenne. Les États-Unis décident quant à eux de construire un mur – le plus long au monde – le long de la frontière avec le Mexique.

En 2014, le nombre de morts aux frontières atteint le niveau record de 3 500 morts. Entre 2015 et 2016, 8 771 personnes ont péri en Méditerranée sur des embarcations de fortune.

L'érection de ces murs entraîne deux conséquences majeures. La première est qu'elle engendre une économie organisée du passage clandestin. Les migrants sont alors exposés à des trafiquants sans scrupules. Ils traversent les frontières dans des conditions aléatoires dont l'issue est parfois fatale, comme l'illustre le cas du petit Aylan évoqué en ouverture de ce chapitre.

La seconde conséquence est la multiplication de camps au pied de ces murs. Coincés entre l'impossible retour et la fermeture des pays d'accueil, les migrants vivent dans des campements urbains ou forestiers ne permettant qu'une satisfaction rudimentaire de leurs besoins. Plus d'une dizaine de millions d'individus vivent dans ces lieux précaires.

À ces murs physiques s'ajoutent des murs symboliques. Derrière le migrant se cacherait le criminel, voire le terroriste. L'utilisation des vagues de réfugiés fuyant la Syrie par les membres de l'État islamique favorise la diffusion de cette confusion qui fait du migrant un ennemi à la fois externe et interne. Mais ces perceptions révèlent surtout un processus de sécuritisation des migrations▸.

▶ Voir Controverse p. 201.

Ce processus présente plusieurs aspects. La présence des migrants aurait un impact sur le marché de l'emploi et plus largement la redistribution sociale. Elle priverait alors les ressortissants nationaux de leurs droits créances (économiques et sociaux) offerts par l'État-providence. Ce ne serait donc pas seulement la cohésion nationale qui s'effilocherait mais les acquis sociaux ainsi que les conditions économiques. La présence des migrants affecterait aussi et surtout l'identité nationale du pays d'accueil. Elle mettrait en péril les traditions culturelles ancrées dans le temps long, notamment lorsque le migrant est associé à un individu pratiquant une autre religion. La nation deviendrait alors victime des flux migratoires (perception d'« invasion » numérique) à l'origine de stocks migratoires considérés comme incompatibles avec les valeurs (perception de « destruction » du passé). Ainsi, c'est le lien entre migration et sécurité sociétale qui est pointé. L'immigration devient ainsi un *catchword* qui évoque à la fois la délinquance, la criminalité organisée, le terrorisme ou la pauvreté.

| Controverse | **La sécurité au-delà de la dimension militaire** |

Pour les théories critiques qui cherchent à discuter les approches classiques de la guerre et de la stratégie, la sécurité fait l'objet d'un élargissement et d'un approfondissement. Les sources de l'insécurité s'étendent à d'autres « secteurs » que le militaire et l'objet de référence n'est plus seulement l'État mais l'individu. Cette double tendance d'élargissement et d'approfondissement trouve dans les migrations un objet privilégié. L'école de Copenhague est la plus connue pour une série de travaux consacrés à la sécuritisation des migrations : processus par lequel un phénomène est érigé en facteur de danger, justifiant à ce titre des politiques spécifiques susceptibles d'empiéter sur les droits individuels. Les migrations ne sont pas en soi menaçantes. Elles le deviennent à partir d'un discours porté par les élites politiques ou façonné par des experts qui diffusent leurs travaux dans l'espace public. L'école de Copenhague insiste sur le rôle du langage dans la fabrique des menaces (la sécurité est avant tout un acte de langage). Des débats portent aujourd'hui sur la place des pratiques (mesures publiques prises pour gérer les migrations) mais aussi des images dans la sécuritisation, à l'instar des caricatures du prophète Mahomet dans la presse.

2. Le migrant comme potentiel de développement

En 2009, le PNUD souligne que la mobilité internationale doit être considérée comme un facteur de développement humain. En effet, les mouvements migratoires représentent une opportunité car avec une stabilisation de la population mondiale entre 9 et 11 milliards en 2050, certaines régions du monde vont voir s'accentuer le vieillissement de leur population. Ces régions s'exposent alors à des pénuries de main-d'œuvre dans différents secteurs de l'économie.

Mais la principale opportunité associée aux migrations réside dans leur contribution au développement. L'**aide publique au développement** atteint 140 milliards de dollars. Le montant des transferts de fonds réalisés par les migrants au profit de leurs pays d'origine s'élève à 601 milliards de dollars en 2016, selon la Banque mondiale. Les émigrés alimentent ainsi le financement de projets locaux variés. L'**Inde**, la Chine, le Mexique et les Philippines sont les principaux bénéficiaires de

> **Le saviez-vous ?**
> Le premier pays bénéficiaire **des transferts de fond** est l'Inde. Les transferts les plus coûteux sont ceux à destination de l'Afrique subsaharienne, tandis que l'Asie du Sud bénéficie des taux de transfert les moins élevés.

cette stratégie qualifiée de gagnant-gagnant-gagnant (migrant, pays de départ, pays d'accueil). Ces liens renforcés peuvent néanmoins engendrer des fragilités. Ils permettent à d'autres candidats à la migration de rejoindre le pays d'accueil (fuite des cerveaux) et accentuent les inégalités entre les régions destinatrices de ces fonds et les autres moins intégrées dans les chaînes migratoires.

> **Définitions**
>
> › **L'aide publique au développement** est l'ensemble des dons et des prêts à conditions très favorables (nets des remboursements en capital) accordés par des organismes publics aux pays et aux territoires figurant sur la liste des bénéficiaires du «Comité d'aide au développement» (CAD) de l'Organisation de coopération et de développement économique (OCDE). [Définition de l'INSEE]

Fig. 10.2 Remises des migrants vers leurs pays d'origine

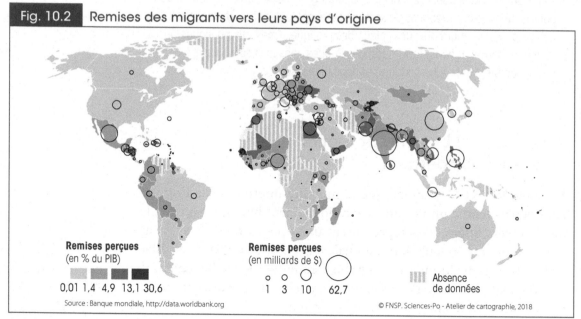

Remises perçues
(en % du PIB)

0,01 1,4 4,9 13,1 30,6

Remises perçues
(en milliards de $)

1 3 10 62,7

▦ Absence de données

Source : Banque mondiale, http://data.worldbank.org

© FNSP. Sciences-Po - Atelier de cartographie, 2018

Au-delà des discussions sur l'aide apportée par les ONG, États et organisations internationales, la part la plus importante des financements transnationaux en faveur du développement provient des transferts d'argents envoyés par des migrants à leurs proches restés dans leur pays d'origine. La Banque mondiale estimait la somme de ces transferts de fonds (les «*remittances*») à 601 milliards de dollars en 2016 (441 milliards en direction de pays en développement), soit un montant supérieur au total des flux d'aide publique et privée. Ces revenus sont prioritairement consacrés à des dépenses d'éducation et de santé, ou encore à l'amélioration de l'habitat et des conditions de vie des familles. Elles sont particulièrement vulnérables aux variations de l'économie mondiale. Une récession comme celle de 2007-2008 se traduit en effet par la diminution du nombre de visas accordés aux travailleurs migrants par les États les plus développés, ce qui affecte les populations des États les plus dépendants de cette forme d'aide (les transferts personnels constituaient par exemple 32 % du PIB du Népal et 10 % du PIB des Philippines en 2015).

III. La diplomatie des migrations internationales

Cette diplomatie revêt différentes formes, que ce soient les accords bilatéraux mis en place entre les pays d'accueil et les pays de départ concernant les entrées et les retours des migrants, les diplomaties tissées par les diasporas elles-mêmes▸, ou encore les grandes conférences multilatérales ou les organisations intergouvernementales ayant pour objectif d'édicter les normes en matière de circulation des personnes.

▶ Voir Focus p. 204.

Les migrations internationales sont incontestablement un objet de négociations diplomatiques. Mais leur gouvernance mondiale reste encore fragile malgré les dynamiques enclenchées à partir de la première décennie 2000.

1. Négocier les mobilités

Pays d'accueil et pays de départ établissent des accords relatifs à la circulation des migrants. Ceux-ci portent sur la reconduction aux frontières des sans-papiers, assortie de contreparties au profit des pays de départ (aide publique au développement, attributions de titres de séjours aux élites, accords commerciaux).

Ces accords révèlent une évolution des politiques de reconduction. Dans les années 1950 et 1960, la pratique courante consistait à reconduire les migrants dans les États frontaliers. De nos jours, la réadmission suppose un nécessaire accord du pays d'origine. Essentiellement destinés à envoyer un message auprès des opinions publiques (prouver le contrôle souverain des migrants d'une part, dissuader les candidats potentiels à l'émigration clandestine d'autre part), ces accords posent question. Les pays d'origine peuvent refuser les reconduits, la reconduction s'effectue parfois avec des violences entraînant la mort, certaines clauses de ces accords demeurent secrètes.

FOCUS Les diplomaties diasporiques

Cette forme de diplomatie implique tout d'abord les pays d'origine qui cherchent à maintenir un lien avec leurs ressortissants à l'étranger. La tradition du droit du sang favorise cette attache à la nation (cas de l'Italie et de la Chine par exemple). Mais d'autres mesures la renforcent : conservation d'une citoyenneté active (participer aux élections législatives nationales), double nationalité, autorisation de sortie ou encore aide éducative et culturelle à l'étranger.

Parallèlement, ces États reconnaissent l'influence que peuvent exercer les diasporas dans les pays d'accueil, lesquels leur offrent souvent la possibilité de voter aux élections locales. Des nations à distance pèsent dans le débat public (Mexicains aux États-Unis), contribuent à porter les intérêts de l'État à l'étranger (Indiens nationalistes), ou à faire des travailleurs à l'étranger des héros nationaux (Philippins au Moyen-Orient).

Mais les diasporas elles-mêmes deviennent des acteurs diplomatiques. Organisées en association, elles se veulent parties prenantes des négociations, voire leviers par rapport aux accords bilatéraux, n'hésitant pas à se dresser contre les procédures de réadmission et à influencer leur pays d'origine (cas des associations de Maliens en France en 2009).

Mais les mobilités ne se négocient pas seulement dans un cadre bilatéral. Elles peuvent apparaître comme un facteur d'intégration régionale en favorisant la libre circulation des personnes dans un espace donné. L'Union européenne incarne l'exemple le plus abouti en la matière. Articulé à la définition de la citoyenneté telle que formulée dans l'article 8 du traité de Maastricht (1992), ce principe de libre circulation permet aux citoyens européens de s'installer et de travailler où ils le souhaitent dans l'Union. Bien qu'inscrit officiellement dans de nombreux accords régionaux en dehors de l'Europe (plus d'une vingtaine aujourd'hui), ce principe est peu appliqué à l'instar de la Communauté économique des États d'Afrique de l'Ouest, du Mercosur ou bien de l'Association des Nations de l'Asie du Sud-Est. La cause majeure qui altère l'effectivité des accords réside dans les conflits et les crises favorisant la clôture des espaces nationaux.

2. Instituer une gouvernance mondiale des migrations

Le paysage institutionnel mondial se révèle éclaté dans le sens où les Nations unies ne possèdent pas une unique agence spécialisée dans le domaine. Le XXᵉ siècle a vu éclore des organisations intergouvernementales dont la mission consiste à protéger les réfugiés – Haut-Commissariat aux réfugiés (1950) – ou à prendre en charge une dimension migratoire dans son périmètre : les travailleurs étrangers pour l'Organisation internationale du travail (1919).

En 1951, l'Organisation internationale des migrations (OIM) est créée, avec un mandat essentiellement logistique qui vise la réinstallation des réfugiés en Europe après la Seconde Guerre mondiale. Les responsabilités sont donc partagées. Mais c'est surtout au cours des années 1990 que l'enjeu migratoire opère un premier déplacement : au droit d'asile qui se fonde sur l'application de la **convention de Genève de 1951** et à la protection des travailleurs s'ajoute la prise en charge humanitaire des migrants dont la situation se révèle fort précaire. Qui plus est, le vieillissement des populations et son incidence sur l'économie fait l'objet d'une prise de conscience partagée, notamment lors de la conférence du Caire de 1994 consacrée à la population et au développement. En 2003, le Secrétaire général des Nations unies Kofi Annan appelle de ses vœux une gouvernance mondiale des migrations afin de gérer ces enjeux de nature diverse.

> **Le saviez-vous ?**
> La **convention de Genève** de 1951 définit les statuts de réfugié et d'apatride, ainsi que les droits et obligations des États signataires à leur égard. Elle est le fruit d'une conférence mise en place par la résolution 429 de l'Assemblée générale des Nations unies.

■ Deux cadres de délibération internationale

Deux dynamiques ayant pour objectif d'améliorer les discussions sont alors enclenchées. La première naît avec le Groupe mondial sur la migration, créé en 2004. Issu d'un premier regroupement d'organisations comprenant les chefs de secrétariat de l'Organisation internationale pour les migrations (OIM), de l'Organisation internationale du travail (OIT), du Haut-Commissariat aux droits de l'homme (HCDH), de la Conférence des Nations unies sur le commerce et le développement (CNUCED), du Haut-Commissariat des Nations unies pour les réfugiés (HCR), et de l'Office des Nations unies contre la drogue et le crime (ONUDC), il s'est enrichi de nouveaux membres comme l'Unesco, le Département des affaires économiques et sociales des

Nations unies (ONU-DESA), le Programme des Nations unies pour le développement (PNUD), le Fonds des Nations unies pour la population (FNUAP) et la Banque mondiale. Ce groupe a pour objectif de promouvoir l'ensemble des instruments relatifs à la gestion des défis migratoires. Il propose également des mesures en vue d'améliorer l'application de ces instruments.

La seconde se situe à l'échelle interétatique. En 2006, l'Assemblée générale des Nations unies a initié un dialogue de haut niveau sur les liens entre migrations et développement. Il aboutit à la constitution d'un Forum mondial sur le sujet. Il se définit d'abord et avant tout comme une enceinte interétatique de discussion. Plateforme indépendante par rapport à l'ONU, l'agenda du Forum demeure monopolisé par les États. Le seul lien avec les Nations unies tient dans la participation d'un représentant spécial de Kofi Annan, Peter Sutherland. Ce Forum présente des faiblesses qui ne se limitent pas à une dimension administrative (absence de secrétariat permanent par exemple). En se cantonnant aux relations entre migrations et développement, il ne traite qu'un aspect de l'enjeu qui aujourd'hui se révèle global.

■ Les faiblesses de la gouvernance internationale

Faire des migrations internationales un enjeu global consiste à améliorer les dispositifs existants pour la protection des migrants, et à favoriser une bonne mobilité (faire de cette mobilité un droit universel qui garantit à la fois sécurité et liberté du migrant). Or, ces deux objectifs rencontrent bien des écueils. Les carences de la gouvernance actuelle s'expliquent par trois phénomènes.

Tout d'abord, l'inclusion des acteurs de la société civile se révèle encore insuffisante. Par exemple, des journées précèdent les réunions du Forum afin de permettre aux acteurs non-gouvernementaux de dialoguer avec les négociateurs ; néanmoins ces acteurs ne sont pas associés en amont à la définition d'un agenda commun. Les États demeurent maîtres du jeu à cet égard ou, du moins, ils hiérarchisent les mesures sur l'agenda entre la réduction des flux et de l'immigration clandestine (objectif premier) et la protection des droits des migrants (objectif secondaire). Le multilatéralisme en matière migratoire présente ainsi des faiblesses d'inclusion.

Un autre phénomène tient à une complémentarité encore embryonnaire entre acteurs. Les organisations évoluent dans une logique de concurrence qui restreint les coordinations possibles. Une lueur d'espoir apparaît avec l'intégration de l'OIM en tant qu'organisation affiliée de l'ONU en 2016. Mais cette décision institutionnelle n'évacue pas les difficultés concrètes de coopération (existence de projets doublons) ou les oppositions quant aux modèles de gouvernance. Par exemple, l'OIT milite pour un « Bretton Woods des migrations » permettant de réguler le phénomène, comme ce fut le cas pour les questions monétaires et financières à la sortie de la Seconde Guerre mondiale. D'autres acteurs demeurent réticents, considérant que l'informalité préside encore aux négociations sur le sujet (cas de l'OIM).

Enfin, les avancées normatives sont encore chétives. La Convention des Nations unies sur les droits de tous les travailleurs migrants et de leurs familles de 1990, elle-même entrée en vigueur en 2003, peine à devenir universelle. Seule une quarantaine d'États du Sud l'ont signée et le processus de ratification demeure incomplet. Les États du Nord restent frileux à l'égard d'un texte qui, pourtant, reprend en grande partie les pactes internationaux relatifs à la protection des droits de l'homme.

Conclusion

Les migrations internationales incarnent un fait transnational par excellence puisqu'elles renvoient à un mouvement de personnes qui échappent aux frontières. Elles sont affectées par des mutations tant du point de vue de leurs composantes que de leurs directions (le mouvement Sud-Nord n'épuise pas les formes des migrations contemporaines). Étudier les migrations permet d'observer les tensions au sein des espaces politiques nationaux (entre logique de souveraineté et de sécurité d'une part, et logique d'opportunité et de développement d'autre part) mais aussi au cœur de l'espace mondial. Devenues un enjeu global, les migrations favorisent la promotion de nouveaux droits à la mobilité. Elles incitent à la construction d'une gouvernance plus adaptée. Dans le même temps, elles génèrent rivalités entre organisations intergouvernementales et craintes des États. De ce point de vue, elles sont bien au cœur de la mondialisation, mondialisation traversée, selon le sociologue Anthony Giddens, par des mouvements contradictoires de *push* (étendre et densifier la coopération) et de *pull* (privilégier l'entre-soi et la gestion solitaire des phénomènes globaux).

À RETENIR

■ Les catégories migratoires deviennent moins rigides : le réfugié devient un travailleur migrant, les hommes adultes ne sont plus les seuls migrants.

■ Le couloir migratoire Sud-Nord n'est pas le plus important en termes de volume.

■ Les pays de départ comme les pays d'accueil déploient des relations diplomatiques entre eux mais aussi à l'égard de leurs populations et des diasporas.

■ Le droit à la mobilité n'est pas un droit universel.

■ Le droit d'entrée est fortement réglementé, contrairement au droit de sortie qui tend à être universel malgré la politique différenciée des visas.

■ La gouvernance des migrations présente des limites en raison d'une rivalité entre organisations intergouvernementales et une insuffisante inclusion des acteurs de la société civile dans le processus de délibération.

📖 POUR ALLER PLUS LOIN

BADIE B., BRAUMAN R., DECAUX E., DEVIN G., WITHOL DE WENDEN C., 2008, *Pour un autre regard sur les migrations. Construire une gouvernance mondiale*, Paris, La Découverte.

DUFOIX S., 2003, *Les Diasporas*, Paris, PUF, coll. « Que sais-je ? ».

JAFFRELOT C., LEQUESNE C. (dir.), 2009, *L'Enjeu mondial : Les migrations*, Paris, Presses de Sciences Po, tome 2.

IONESCO D., MOKHNACHEVA D., GEMENNE F., 2016, *Atlas des migrations environnementales*, Paris, Presses de Sciences Po.

LACROIX T., 2016, *Migrants. L'impasse européenne*, Paris, Armand Colin.

PÉCOUD A., 2015, « Liberté de circulation et gouvernance mondiale des migrations », *Éthique publique. Revue internationale d'éthique sociétale et gouvernementale*, 17, 1.

TÊTU-DELAGE M.-T., 2009, *Clandestins au pays des papiers*, La Découverte.

WITHOL DE WENDEN C., 2010, *La Question migratoire au XXIe siècle. Migrants, réfugiés et relations internationales*, Paris, Presses de Sciences Po.

WITHOL DE WENDEN C., 2016, *L'Atlas des migrations. Un équilibre mondial à inventer*, Paris, Autrement.

Pour un état des lieux annuel de la situation des réfugiés, voir le site de Forum-réfugiés-Cosi : www.forumrefugies.org

---

Films

Charlie Chaplin, *L'Émigrant*, 1917.
Costa-Gavras, *Eden à l'Ouest*, 2009.
Moussa Toure, *La Pirogue*, 2012.

Corrigés en ligne

Tester ses connaissances

1. Relier les bons chiffres aux phénomènes migratoires.

Demandeurs d'asile dans les pays européens en 2015 ● ● 8 771

Migrants décédés en 2015 et 2016 en Méditerranée ● ● 250 millions

Migrants internationaux vivant en dehors de leur pays ● ● 50 millions
de naissance ou de citoyenneté

Personnes nouvellement déplacées par les catastrophes ● ● 26,4 millions
soudaines en moyenne tous les ans

Taille de la diaspora chinoise ● ● 19,5 millions

Nombre total de réfugiés dans le monde ● ● 1,2 million

2. Relier les bons pourcentages aux phénomènes migratoires.

Part des migrations internationales par rapport ● ● 3,5 %
à l'ensemble des mobilités

Part des migrants dans la population d'un pays (moyenne) ● ● Moins de 20 %

Taux de migration mondiale par rapport à la population ● ● 25 %
mondiale

3. Quel est le plus grand couloir de migrations internationales ?

☐ Nord-Sud   ☐ Sud-Nord

☐ Sud-Sud   ☐ Nord-Nord

Étude de documents

Fig. 10.3 Déplacements causés par des catastrophes, 2008-2016

Nombre de personnes déplacées
(en milliers)

500   1 000   10 000   69 000   — Absence de données

Source : IDMC (2014), http://www.internal-displacement.org/database/

© FNSP, Sciences-Po - Atelier de cartographie, 2018

ENTRAÎNEMENT

Corrigés en ligne

1. Quelle est la principale zone affectée par ces déplacements ?

2. Quelles sont les principales zones non exposées ?

3. Quels sont, à votre avis, les principaux types de catastrophes qui expliquent ces déplacements ?

Fig. 10.4	Une représentation des migrations

31 janvier 2014, Damas. 18 000 personnes viennent chercher de la nourriture dans le camp de Yarmouk.

© Handout/Getty images

1. Où a été prise cette photo ?

2. Quelle impression donne cette photo ?

3. Quel concept de science politique évoqué dans ce chapitre peut être utilisé pour analyser cette photo ?

4. Cette photo est-elle devenue une icône ?

▲

Devant l'Assemblée générale des Nations unies, l'acteur américain Leonardo DiCaprio prononce un discours le 22 avril 2016 lors de la signature de l'accord de Paris de 2015. L'engagement des artistes dans la lutte contre le réchauffement climatique se traduit par des prises de positions publiques, y compris dans les enceintes officielles ici à New York. Elle illustre une diplomatie des célébrités dont la particularité réside probablement moins en une contribution directe aux négociations qu'en une sensibilisation des populations aux enjeux contemporains mondiaux.

Les ressources naturelles et l'environnement

Dans un célèbre article publié par la revue *Science* en 1968, Garret Hardin (1915-2003) s'indigne des conséquences d'une surexploitation des ressources naturelles. Il interprète la dégradation de l'environnement à partir d'un cas classique appréhendé en économie, celui des « communaux ». Au Moyen Âge, ces derniers correspondent à des prairies laissées à la libre disposition des animaux, et donc sans coût pour les éleveurs. Progressivement, ces communaux s'altèrent car aucun éleveur n'est prêt à supporter le coût de leur entretien, tandis que tous tendent à les sur-exploiter. Hardin considère que les ressources naturelles communes sont en proie au même destin. Elles s'épuisent en raison de l'indifférence des agents quant à leur renouvellement à long terme. Cette tragédie est celle d'une liberté débridée quant à l'usage des ressources communes. Il y a donc incompatibilité entre accéder librement à celles-ci et assurer leur durabilité. Hardin rejette la métaphore du vaisseau spatial en vue de représenter la Terre comme espace exigu et fragile – une image proposée par l'économiste américain Kenneth Boulding (1910-1993) dans les années 1960 –, lui préférant celle des bateaux de sauvetage (*Living on a Lifeboat*, 1974). Face à la dégradation des communs, l'une des solutions correspond à la nationalisation. L'État, comparé à un bateau de sauvetage, devient responsable des ressources, de leur accès et de leur pérennité.

Ces diagnostics se confirment-ils ? Assiste-t-on à un épuisement de ces ressources ? Peut-on envisager une cogestion étatique ? Est-ce qu'une gouvernance mondiale en matière environnementale éclot, notamment en ce qui concerne les enjeux climatiques ?

I. La maîtrise des sources d'énergie : une transition fragile

Les ressources d'origine fossile (pétrole, charbon, gaz naturel) alimentent à hauteur de 80 % la production mondiale d'énergie, laquelle est nécessaire au développement économique. Les autres sources correspondent à la biomasse (10 %), l'hydroélectricité (2,4 %), le nucléaire (4,8 %), les énergies renouvelables comme l'éolien, le solaire (1,1 %). Si l'épuisement des ressources fossiles est de plus en plus présent sur l'agenda mondial, la mise en place d'une transition énergétique fondée sur une diversification des vecteurs utilisés, notamment ceux de nature renouvelable et non polluante, est inégalement engagée.

1. Retour sur l'or noir : un secteur soumis à la logique marchande

La révolution industrielle initiée en Grande-Bretagne à l'orée du XIXᵉ siècle reposait sur l'utilisation du charbon. Le pétrole s'est progressivement substitué à celui-ci après la Seconde Guerre mondiale, la production passant de 7,5 millions de barils par jour en 1945 à 60 millions en 1973.

Les fameux « chocs pétroliers » de 1973 et 1979, dont le premier se définit comme une sanction à l'égard des soutiens occidentaux d'Israël suite à la guerre du Kippour, entraîne une augmentation de son prix dans les années 1970. Les pays développés adoptent alors une série de mesures visant à atténuer la dépendance pétrolière, comme le recours au nucléaire ou le développement technologique de voitures moins polluantes. Néanmoins, la pression sur le pétrole demeure pour au moins deux facteurs. Le premier est structurel, dans le sens où le pétrole se révèle incontournable dans le domaine du transport, qu'il soit aérien, maritime, ou bien sûr routier. Deux tiers de la production est en effet destinée à ce secteur vital dans la mondialisation, puisque garant de la mobilité des biens et des personnes. Le deuxième facteur est plus conjoncturel : il tient à l'éclosion des Grands émergents particulièrement consommateurs de pétrole, à l'instar de l'Inde et de la Chine.

En 2015, pour la première fois, la Chine devient le premier importateur de pétrole devant les États-Unis (respectivement 7,4 millions et

7,2 millions de barils achetés). Ce basculement est qualifié de temporaire en raison des prix attractifs du pétrole et de l'exploitation du **pétrole de schiste** par les États-Unis sur leur propre territoire, les rendant ainsi moins dépendants. La production intérieure couvre aujourd'hui 7 % environ de la consommation nationale. Néanmoins, ce basculement correspond à une tendance de fond pour les prochaines années.

▶ Voir Définition p. 218.

Le pétrole est une ressource de puissance pour les États qui disposent de gisements sur leur territoire. Contrôler directement leur exploitation, l'accès donné à des entreprises étrangères ou bien encore l'acheminement des produits transformés sur son sol – ouverture ou fermeture des oléoducs – constitue un aspect majeur d'une politique étrangère. La création de l'Organisation des pays exportateurs de pétrole (OPEP) en 1960 illustre ce phénomène. Dans les années 1970, les États membres choisissent de nationaliser le secteur énergétique afin d'éviter toute intrusion. C'est aussi le cas du Venezuela et de la Bolivie. À partir de 2003, la Russie adopte une nouvelle stratégie énergétique : de fournisseur de ressources fossiles, elle souhaite devenir un pivot sur les marchés du pétrole et du gaz. Le gouvernement russe s'adapte ainsi à la logique de marché qui s'impose dans le secteur.

2. Les tendances du marché énergétique

À cet égard, le marché est aujourd'hui principalement animé par la Russie, les États-Unis et l'Arabie saoudite. Il se caractérise par trois tendances. La première concerne la disjonction entre producteurs – compagnies nationales des États producteurs – et distributeurs – compagnies pétrolières internationales qui assurent la transformation et l'acheminement. En d'autres termes, les États producteurs ne maîtrisent plus seuls les prix puisque la commercialisation passe par des opérateurs différents. La deuxième tendance correspond à une activité de privatisations et de fusions des principales compagnies pétrolières internationales depuis les années 1990.

Ce désengagement progressif de l'État ne résulte pas seulement de la dérégulation globale des marchés▶. Il réside aussi dans une augmentation des coûts d'exploitation liés à des investissements colossaux pour extraire des gisements localisés dans des zones très profondes ou d'accès délicat. La troisième tendance correspond à l'épuisement des réserves

▶ Voir chapitre 11.

connues. D'ici soixante-dix ans, les sources moyen-orientales où se concentre une grande partie des gisements actuels devraient se tarir. L'Amérique latine sans le Mexique bénéficie d'un horizon plus favorable (124 ans). La notion de réserves comprend aussi une dimension économique qui permet de nuancer l'épuisement (« quantité de pétrole récupérable *aux conditions économiques et technologiques* du moment »). L'inaccessibilité de certaines réserves pourrait ainsi se révéler provisoire. Néanmoins, à l'échelle de quelques générations, les ressources en pétrole vont subir une baisse fondamentale, ce qui explique les réorientations stratégiques de plusieurs compagnies du secteur, à l'instar de l'entreprise française Total. De marginales, les activités que celle-ci engage dans le domaine des énergies renouvelables sont passées à 20 % en 2018.

3. La recherche d'un nouveau mix énergétique

Le fait d'être doté de riches gisements en ressources d'énergie fossile ne rime pas automatiquement avec un développement économique inscrit dans la durée. Plusieurs exemples révèlent que les États producteurs peuvent s'exposer à la « malédiction des ressources ». Elle tient par exemple aux tentations d'exploitation transfrontalière (mettre la main sur les gisements par des voies éventuellement militaires, à l'instar de l'invasion du Koweït par l'Irak en 1990). Elle provient aussi du déséquilibre qui s'installe au profit d'un secteur économique, entraînant une dépendance à celui-ci et la disparition d'autres activités pourtant tout aussi nécessaires à la subsistance des populations. C'est ce qu'illustre l'expression « maladie hollandaise » suite à la décision des Pays-Bas au cours des années 1970 de privilégier l'extraction du gaz dans certaines régions : ce choix a pour conséquence la fragilisation du secteur agricole. La chute du prix du pétrole associée à l'absence de diversification de l'économie engendre actuellement une situation dramatique au Venezuela. Ce dernier important l'essentiel de ses biens de consommation courante, l'accès aux denrées alimentaires ou aux médicaments n'est plus assuré aujourd'hui. D'autres phénomènes de nature politique résultent d'une économie de rente (pétrolière ou minière) : le clientélisme (redistribution des richesses issues du secteur à certaines catégories de la population), l'immobilisme (congruence d'intérêts entre les entreprises du secteur et la stabilité du régime en place) ou encore le conservatisme (détournement des ressources pour asseoir une équipe dirigeante dans la durée et/ou financer des opérations contre d'éventuels groupes séparatistes).

Afin d'éviter les effets de dépendance, les États travaillent à la constitution d'un **mix énergétique**. Celui-ci se révèle singulier puisque les gouvernements établissent leur choix en fonction du contexte topographique national plus ou moins avantageux. Le recours à l'hydroélectricité, par exemple, suppose l'existence de rivières et de fleuves pour construire des barrages (Chine, Brésil, Canada). L'exposition aux vents favorise la production d'énergie éolienne (Chine, Espagne, Danemark). Le degré d'ensoleillement contribue à des innovations dans la récolte de l'énergie solaire : la plus grande centrale solaire se situe au Maroc, et le désert du Sahara est considéré comme un site privilégié sur lequel les pays africains pourraient s'appuyer pour assurer leur approvisionnement en électricité. Le mix énergétique est également singulier selon les orientations prises par les gouvernements, à l'instar du nucléaire en France qui repose, du moins jusqu'à présent, sur une volonté politique.

Mix énergétique : diversification des sources d'énergie au sein d'un pays.

Ces tentatives de rééquilibrage présentent toutefois des limites. La part des énergies renouvelables dans la production mondiale d'électricité reste limitée malgré des projections plutôt favorables d'ici 2035 (de 20 %, elle passerait à 30 % selon l'Agence internationale de l'énergie). Le coût d'exploitation financière du nucléaire reste élevé, que ce soit pour prolonger la durée de vie des réacteurs de seconde génération ou bien pour garantir l'éclosion de la troisième génération (Evolutionary Power Reactor), dont le prototype à Flamanville en France est l'illustration. C'est sans compter, de plus, sur les risques de catastrophe de grande ampleur que l'accident de Fukushima (mars 2011) a remis au faîte de l'agenda.

Parallèlement, les hydrocarbures non conventionnels (**gaz de schiste, pétrole de schiste, sables bitumeux**) font l'objet d'un intérêt renouvelé grâce à des innovations technologiques permettant l'accès à des nappes plus profondes.

Néanmoins, l'exploitation de ces hydrocarbures non conventionnels a un impact flagrant sur l'environnement. Elle affecte les paysages en raison de la multiplicité des installations et des forages. Au bout de deux ans, la moitié de la production est atteinte, ce qui nécessite alors l'extension des zones d'exploitation. Les ressources en eau nécessaires à la fracturation hydraulique sont colossales. Il faut entre deux et cinq barils d'eau douce pour constituer un baril de pétrole. Les risques de pollution en aval ne sont pas à négliger en raison des mélanges toxiques contenus dans les eaux usées. L'extraction des sables bitumineux à ciel ouvert produit trois fois plus de gaz à effet de serre – en libérant du méthane – que la production de pétrole classique. La transition énergétique demeure ainsi fragile.

> **Gaz de schiste :** gaz (essentiellement du méthane) emprisonnés sous terre dans des roches-mères argileuses très peu poreuses. Leur exploitation repose sur la fracturation réalisée par pression hydraulique.

> **Pétrole de schiste :** pétrole léger emprisonné dans le même type de roche, à une profondeur supérieure aux couches classiques de pétrole (au-delà de 2 500 mètres).

> **Sables bitumineux :** mélange de bitume brut, de sable, d'eau et d'argile. Le pétrole brut est obtenu en séparant le bitume des autres composants. Les principales réserves se situent au Canada et au Venezuela.

II. La préservation des ressources naturelles : une adaptation délicate

1. Une dégradation multiforme

Trois facteurs principaux expliquent l'altération des milieux naturels.

- Les **catastrophes** de natures diverses ayant des conséquences directes sur l'environnement : marées noires (écoulement d'une nappe d'hydrocarbure sur les zones côtières), accidents nucléaires de type Tchernobyl (1986) ou Fukushima (2011), accidents industriels de grande ampleur comme l'explosion d'usines libérant des gaz toxiques et des produits chimiques comme à Bhopal en Inde (1984), ou à Tianjin en Chine (2015).

- Les **déchets libérés dans la nature** issue des modes contemporains de production et de consommation, cette pollution se manifeste par les gaz à effet de serre : essentiellement le dioxyde de carbone, le méthane, le protoxyde d'azote. Mais la question des déchets touche aussi les océans à travers le développement des vortex dont le plus volumineux se situe dans le Pacifique nord (le « septième continent de plastique » qui s'étend entre les îles Hawaï et le Japon).

– **L'intervention humaine sur l'environnement** : la déforestation illustre cette tendance à la surexploitation des ressources, même si un ralentissement se manifeste ces dernières années, en particulier pour les forêts tropicales qui se révèlent les plus touchées, notamment l'Amazonie qui a perdu 18 % de sa surface depuis 1970. Défrichement, alimentation sans limites des industries de bois et de papier, agriculture sur brûlis, construction d'infrastructures : les causes humaines de déforestation sont variées. Elles ont toutes pour caractéristique une conversion de la forêt pour une autre utilisation, c'est-à-dire un changement d'affectation des terres et pas seulement la récolte de bois. Couvrant 30 % des terres émergées, les forêts constituent les poumons de la planète. Or, le reboisement ne permet pas la reconstitution des forêts primaires, véritables réservoirs écologiques.

FOCUS Le climategate

En novembre 2009, peu avant le sommet de Copenhague, des courriels échangés entre des chercheurs britanniques de l'Unité de recherche climatique (Université d'East Anglia), et leurs confrères américains et européens sont dérobés et mis en ligne. Ils sont perçus comme des entraves aux thèses climatosceptiques, considérées comme non pertinentes. Cette affaire se conjugue avec le glissement de quelques erreurs dans le rapport publié par le GIEC▸ en 2007. Ces incidents révèlent l'existence de tensions dans la **communauté épistémique** quant aux dégradations environnementales et notamment les changements climatiques : l'effet de serre précède-t-il ou non le changement climatique ? La terre se réchauffe-t-elle ou bien serions-nous dans une période de refroidissement ? L'action de l'homme serait-elle à nuancer par rapport aux effets des rayonnements solaires ?

▶ Voir Tableau 11.1, p. 221.

Communauté épistémique : « Un réseau de professionnels ayant une expertise et une compétence reconnue dans un domaine particulier et une revendication d'autorité en ce qui concerne les connaissances pertinentes pour les politiques. » (Peter Haas, 1992)

Ces différents facteurs fragilisent les écosystèmes ainsi que la biodiversité, le nombre d'espèces disparues, en voie d'extinction ou menacées ne cessant de croître. Un des indicateurs globaux élaborés correspond à l'**empreinte écologique**. Elle mesure la pression exercée par les êtres humains sur la nature, à travers la quantité de surface terrestre bioproductive nécessaire pour produire les biens et services que nous consommons et pour absorber les déchets que nous produisons. Des controverses apparaissent entre experts quant à la nature et l'ampleur de ces dégradations (*climategate*). Elles amènent à l'identification d'une nouvelle ère géologique dans laquelle nous serions rentrés : l'anthropocène. Les transformations de la Terre résultent de l'action anthropique, c'est-à-dire de l'humanité prise dans son intégralité, laquelle devient par voie de conséquence une force géologique.

2. Vers une approche globale de la protection

La protection internationale de l'environnement a longtemps reposé sur une approche ciblée autour d'espèces ou de zones vulnérables. Un exemple significatif correspond au traité sur l'Antarctique qui entend optimiser la conservation de la principale source de glace d'eau douce sur la planète. À partir de la fin des années 1960, l'approche devient de plus en plus globale afin d'intervenir largement sur la dégradation de l'environnement (émission de gaz à effet de serre, atteinte à la biodiversité, diminution des étendues forestières, changements climatiques►). À cet égard, l'année 1987 peut être qualifiée de tournant avec la parution du rapport Brundtland, rendu public par la Commission mondiale pour l'environnement et le développement, à la demande des Nations unies. Dans un contexte marqué par la catastrophe nucléaire de Tchernobyl (1986), l'étiolement de la bipolarité avec une réorientation des politiques de sécurité sur des secteurs moins traditionnels, ce rapport formule pour la première fois de façon officielle la notion de **développement durable**.

► Voir Tableau 11.1, p. 221.

Définitions

> **Développement durable**

« Un développement qui répond aux besoins du présent sans compromettre la capacité des générations futures à répondre aux leurs. » (Rapport Brundtland, 1987)

« Un développement économiquement efficace, socialement équitable et écologiquement soutenable. » (Sommet de la Terre, Rio, 1992)

Cette approche globale a pour principale ambition d'établir les fondations d'un **régime international** de l'environnement. À la différence d'autres domaines des relations internationales, l'environnement ne bénéficie pas d'une organisation intergouvernementale ni d'un traité unique qui fixe le cadre normatif des conduites. L'idée de régime se révèle dès lors plus adaptée. Le sommet de Rio et le protocole de Kyoto incarnent deux éléments constitutifs majeurs de ce régime. En se réunissant au Brésil en 1992, les 178 délégations entendent formuler une solidarité internationale fondée sur deux principes : les responsabilités communes différenciées selon le niveau de développement (principe 7), et la reconnaissance par les pays développés de leur responsabilité dans la dégradation de l'environnement. Le sommet donne ainsi corps à la convention-cadre des Nations unies sur les changements climatiques.

> **Ne pas confondre !**
> Un **régime politique** est un mode de dévolution et d'organisation du pouvoir au sein d'une forme politique (régimes aristocratique, démocratique, monarchique…).
> Un **régime international** est un ensemble de principes, de normes, de règles, de procédures vers lesquels convergent les attentes des acteurs (Stephen Krasner).

Tableau 11.1 **Repères chronologiques**

1er décembre 1959	Traité sur l'Antarctique (Washington)
Avril-octobre 1967	Exposition universelle sur le thème «Terre des Hommes» (Montréal)
Septembre 1968	Conférence sur la biosphère (Unesco, Paris)
1972	Premier sommet de la Terre (Stockholm)
Février 1979	Première conférence mondiale sur le climat (PNUE et OMM, Genève)
1987	Rapport Brundtland « Notre avenir à tous »
1988	Création du GIEC (Groupe d'experts intergouvernemental sur le climat) par le PNUE et l'OMM
Juin 1992	Troisième Sommet de la Terre (Rio) avec adoption de la Convention-Cadre des Nations unies sur les changements climatiques (en vigueur en 1994)
1997	Protocole de Kyoto sur la réduction des émissions de gaz à effet de serre (en vigueur en 2005)
2007	Prix Nobel de la paix remis au GIEC et à Al Gore pour le documentaire *Une vérité qui dérange*
2009	Sommet de Copenhague
2010	Création du Fonds vert pour le climat
2015	Sommet de Paris

En 1997, le protocole de Kyoto fixe des engagements stricts de réduction des émissions de gaz à effet de serre (au moins 5 %) par rapport à l'année de référence 1990. Le niveau de réduction varie en fonction des États. Il est par exemple de 5 % pour les pays développés voire de 8 % pour l'Union européenne. Le dispositif prévoit également un mécanisme d'aide au développement propre, ainsi qu'un dispositif de flexibilité pour les États engagés dans le processus, reposant sur un système d'échange de quotas de CO_2 (les «marchés carbone») pour la période 2008-2012. Un quota correspond à un droit d'émettre une tonne de CO_2. Chaque État dispose d'un volume d'unités de quantité attribuées, volume établi d'après les objectifs d'émission entre 2008 et 2012. En fonction des émissions réelles (supérieures ou inférieures), un État peut revendre ou acheter des unités de quantité attribuées.

3. Une gouvernance précaire

Depuis 1995, le cadre privilégié des négociations climatiques correspond à la Conférence annuelle des parties (COP). Celle organisée à Paris en 2015 constitue un tournant historique à plusieurs titres. Elle formule l'ambition de ne pas dépasser un réchauffement de 2 °C voire de tendre vers 1,5 °C. Une revue périodique des ambitions est prévue tous les cinq ans à partir de 2020 et ne pourra pas modifier à la hausse le seuil en question. Il s'agit là d'un premier accord universel dont certains éléments sont contraignants, comme la nécessité de rendre publics les engagements des parties prenantes. Le volet financier se voit également conforté, notamment avec les 100 milliards de dollars fixés d'ici 2020, somme qui correspond au nouveau plancher permanent afin de soutenir l'adaptation des économies aux changements climatiques.

Malgré ces avancées, il convient de souligner trois phénomènes qui pèsent sur la gouvernance environnementale en général, et climatique en particulier.

> **Le saviez-vous?**
> Le **pape François** s'est prononcé sur les dégradations environnementales et les changements climatiques dans son encyclique *Laudato si*, consacrée à «la sauvegarde de la maison commune».

- Elle est tout d'abord enchevêtrée. Plus de 500 accords multilatéraux (200 pour les questions climatiques dont vingt contiennent des dispositions économiques contraignantes) façonnent le cadre normatif. Ce maillage complexe s'adosse à une architecture institutionnelle singulière. À la différence du commerce avec l'OMC ou de l'agriculture avec la FAO, l'environnement ne dispose pas d'une organisation intergouvernementale à part entière, la transformation du Programme des Nations unies pour l'environnement n'étant pas à l'ordre du jour. C'est donc presque une vingtaine d'organisations multilatérales qui interviennent dans l'élaboration des normes.

– Elle est ensuite soumise à une pression sociétale accrue. Dans le plan d'action «Agenda 21» adopté à Rio en 1992, les acteurs non gouvernementaux sont officiellement reconnus. Ces «principaux groupes», comme le souligne le texte, deviennent progressivement des parties prenantes. Adoptée le 25 juin 1998 et entrée en vigueur en 2001, la convention d'Aarhus reconnaît à toute personne le droit d'être informée, de s'impliquer dans les décisions et d'exercer des recours en matière d'environnement. Instrument de démocratie environnementale, elle reconnaît aux associations un rôle accru. La mise en œuvre de ces droits se heurte toutefois à l'ampleur de la logistique organisationnelle des conférences, qui regroupent parfois plusieurs dizaines de milliers de participants, ainsi qu'aux coûts de participation pour les acteurs, notamment ceux du Sud.

– Enfin, la gouvernance environnementale demeure très dépendante des orientations adoptées par les grandes puissances, notamment les États-Unis, la Chine et les Grands émergents. Le système de quotas au fondement du marché carbone s'est écroulé en 2001 avec le retrait des États-Unis (des marchés régionaux ont éclos au sein de l'Union européenne par exemple, mais pas à l'échelle globale). L'échec du sommet de Copenhague résulte largement de l'incapacité de Washington et de Pékin à trouver un terrain d'entente. Malgré son appétence pour les questions climatiques, le président Obama n'a pas remis en question les modes de sécurité énergétique nationale et les fondements de la croissance américaine. L'élection de Donald Trump en novembre 2016 renforce l'inquiétude en raison des nominations de climatosceptiques dans son administration. Quant aux Grands émergents, leurs actions au niveau national confirment une prise de conscience, mais celle-ci n'entraîne pas une modification dans la hiérarchie des préoccupations, à savoir le développement économique, la sécurité énergétique et la lutte contre la pauvreté. Ils en appellent également à des transferts de technologie et des aides plus substantielles de la part des pays développés, que ces derniers sont toujours réticents à fournir. En l'état, la marge de manœuvre des coalitions de petits États, notamment insulaires (APEID et AOSIS), en vue de faire valoir leurs propres conceptions, se révèle étroite bien qu'ils se trouvent en première ligne face à l'élévation du niveau des mers.

> **FOCUS** L'Arctique, un laboratoire
> des changements climatiques
>
> Le rétrécissement de la banquise arctique constitue une donne observée depuis plus d'une trentaine d'années. Les variations du climat sont en effet accentuées dans la zone avec une augmentation de 1 °C pour les températures moyennes de surface par rapport à 1860. La réduction de la glace de mer a pour conséquence d'ouvrir des voies de circulation (passage du Nord-Ouest) et d'élargir l'espace maritime entre les mois de juin et octobre. Ces tendances obligent à renouveler la coopération, aussi bien entre les États riverains de l'océan Arctique ou membres de la zone au sein du Conseil de l'Arctique (Canada, États-Unis *via* l'Alaska, Danemark via le Groenland, Russie, Finlande, Islande, Norvège, Suède), qu'avec des acteurs tiers. Les mutations à l'œuvre dans le Grand Nord intéressent en effet les Européens, mais aussi tous les membres de la Convention des Nations unies sur le droit de la mer (1982).

III. La protection des biens communs planétaires

Cette difficulté à mettre en œuvre une gouvernance globale en matière environnementale interroge la notion de biens communs et leur gestion. Les biens communs ont initialement été appréhendés à partir des institutions nationales. Leur approche en relations internationales pose ainsi la question de leur transfert à d'autres échelles. Néanmoins, les biens communs mondiaux ne se réduisent pas aux ressources. Ils désignent également des espaces dont le sort dépend du degré de militarisation dont ils feront l'objet.

1. La question des échelles

Une première échelle à prendre en compte est de nature temporelle. Les processus environnementaux doivent être appréhendés dans la longue durée, au moins une génération – à savoir trente ans – ou un siècle. Or le temps politique diffère en privilégiant les calendriers électoraux de courte portée.

Une deuxième échelle tient au niveau spatial considéré (local, national, régional, global). L'un des apports fondamentaux de l'économiste **Elinor Ostrom** (1933-2012) réside dans un recentrage sur les gestions de proximité des ressources communes. Critique de Hardin, elle considère que ni la nationalisation ni la privatisation ne constituent des solutions parfaites. Elle souligne les vertus d'une cogestion par les individus eux-mêmes, à partir d'arrangements produits entre eux. Retourner à cet échelon permet également de s'appuyer sur des communautés qui bénéficient d'expériences et de traditions soucieuses de la protection des ressources. La question est de savoir si cet aspect peut faire l'objet d'un transfert à l'échelle globale, à savoir des biens communs planétaires. L'articulation entre les échelles (globale et locale) est elle-même délicate car les intervenants sont animés par des logiques distinctes, parfois éloignées de la préservation des écosystèmes (des firmes multinationales privilégiant le profit, des États cherchant à attirer des investisseurs étrangers par des leviers fiscaux).

> **Le saviez-vous ?**
> **Elinor Ostrom** est la première femme à recevoir le prix Nobel d'économie en 2009 (partagé avec Olivier Williamson).

2. Des ressources aux espaces communs : de nouveaux enjeux stratégiques

Les biens communs peuvent également s'étendre à des espaces naturels ayant la particularité de n'être détenus par personne mais d'être accessibles à tous : l'espace aérien – par lequel circulent les biens marchands à plus haute valeur ajoutée ainsi que les personnes –, la haute mer – par laquelle transite l'essentiel des biens marchands –, l'espace extra-atmosphérique – zone d'où émettent les satellites nécessaires à la surveillance et au transit des informations. Ils présentent la même propriété : assurer le maintien des instruments de communication. Garantir l'accès à ces espaces se révèle vital pour les États, tant pour des raisons économiques que sociétales. D'une part, ils contribuent aux flux d'approvisionnements nécessaires au fonctionnement de l'appareil productif ; d'autre part, ils se révèlent fondamentaux pour les connexions numériques, des réseaux de câbles sous-marins aux satellites.

La gestion en commun de ces espaces ne fait pas l'objet d'un consensus. Certains États, à l'instar des États-Unis, prônent une liberté de navigation en leur sein. D'autres cherchent à renforcer la maîtrise de ces espaces, notamment en raison de leur potentiel en termes de ressources. C'est pourquoi la Russie revendique 1,2 million de km² de l'océan Arctique, dont la dorsale de Lomonossov qui relie le pays au Groenland. En 2007, l'installation d'un drapeau russe en titane à plus de 4 000 mètres de profondeur est un geste symbolique qui illustre cette volonté. Un autre exemple : la Chine considère que son territoire maritime s'étend sur plus de trois millions de kilomètres carrés. Cela suscite de vives réactions de la part des États voisins comme le Vietnam, les Philippines ou le Japon.

L'usage et l'accès aux ressources naturelles font l'objet d'inégalités mondiales. Celles-ci ne se mesurent pas seulement à l'aune des différentiels du produit intérieur brut. Elles apparaissent également dans l'exposition aux pollutions, ou les carences de satisfaction des besoins vitaux comme la consommation d'eau potable. L'instauration de mécanismes visant à protéger l'environnement de dégradations dans le temps long ne peut donc pas faire l'abstraction d'une interrogation morale à l'égard des populations futures. La mise en place d'une potentielle justice climatique entraîne ainsi la reconnaissance du sort des étrangers distants. Elle invite à l'élaboration d'un **multilatéralisme social** qui a pour fondement un principe de solidarité intergénérationnelle inscrit dans le temps afin de garantir la durabilité des ressources.

Multilatéralisme social : pratique de coopération internationale ayant pour visée l'amélioration des conditions sociales, économiques et écologiques des populations.

À RETENIR

- Les enjeux mondiaux quant aux ressources portent sur le tarissement, la dégradation et l'accès à celles-ci.

- Les changements climatiques entraînent une transition énergétique (diversification des approvisionnements et des productions) ainsi qu'une adaptation écologique (mise en place de mécanismes assurant la reproduction de ces ressources).

- Penser les ressources naturelles communes signifie penser l'existence de biens communs planétaires et leur gestion.

- La gouvernance mondiale en matière environnementale emprunte une approche ciblée puis progressivement une approche globale à partir de la fin des années 1960. Elle présente aujourd'hui des faiblesses.

POUR ALLER PLUS LOIN

Ceriscope environnement : http://ceriscope.sciences-po.fr/environnement

HARDIN G., 1968, « The Tragedy of the Commons », *Science*, 162.

JOUZEL J., 2010, « Débats et controverses autour du réchauffement climatique », *Annales des Mines, Responsabilité et environnement*, 3/2010 (n° 59), p. 15-21.

OSTROM E., BAECHLER L., 2010, *Gouverner des biens communs : pour une nouvelle approche des ressources naturelles*, Bruxelles, De Boeck.

LE PRESTRE P., 2005, *Protection de l'environnement et relations internationales. Les défis de l'écopolitique internationale*, Paris, Armand Colin.

MORIN J.-F., ORSINI A., 2015, *Politique internationale de l'environnement*, Paris, Presses de Sciences Po.

Films

Richard Fleischer, *Soleil Vert*, 1973.

David Guggenheim, *Une vérité qui dérange*, 2006.

Yann Arthus-Bertrand, *Home*, 2009.

Gus Van Sant, *Promised Land*, 2013.

Corrigés en ligne

Tester ses connaissances

1. Qui a dit ?

« Je suis tenté d'appeler cette économie l'économie du cow-boy, le cow-boy étant le symbole des plaines illimitées de même qu'il est associé à un comportement imprudent, jouisseur, romantique et violent, qui est caractéristique des sociétés ouvertes. L'économie fermée de l'avenir pourrait de même être appelée l'économie du spationaute, dans laquelle la Terre est devenue un grand vaisseau spatial, sans aucun stock de ressources illimitées, qu'il s'agisse de l'extraction ou de la pollution, et dans lequel, par conséquent, l'homme doit trouver sa place au sein d'un système écologique cyclique capable de reproduire en continu de la matière, même s'il ne peut se passer d'apports énergétiques. »

☐ Garett Hardin   ☐ Amartya Sen

☐ Kenneth Boulding   ☐ John Stiglitz

2. Quel est le plus gros importateur de pétrole en avril 2015 ?

☐ États-Unis   ☐ Chine   ☐ Inde   ☐ Japon

3. Quel est le plus gros producteur de pétrole en Europe ?

☐ Grande-Bretagne   ☐ Pays-Bas   ☐ Norvège   ☐ Italie

4. Laquelle de ces assertions est vraie ?

A. La communauté épistémique dans le domaine environnemental formule un consensus sur les tendances climatiques.

B. La communauté épistémique n'existe pas dans le domaine environnemental.

C. La communauté épistémique est pleinement associée aux négociations climatiques grâce à l'invitation ponctuelle de scientifiques lors des conférences annuelles des parties.

D. Le clivage majeur au sein de la communauté épistémique tient à l'influence des actions humaines sur les variations du climat.

Étude de document

Fig. 11.1

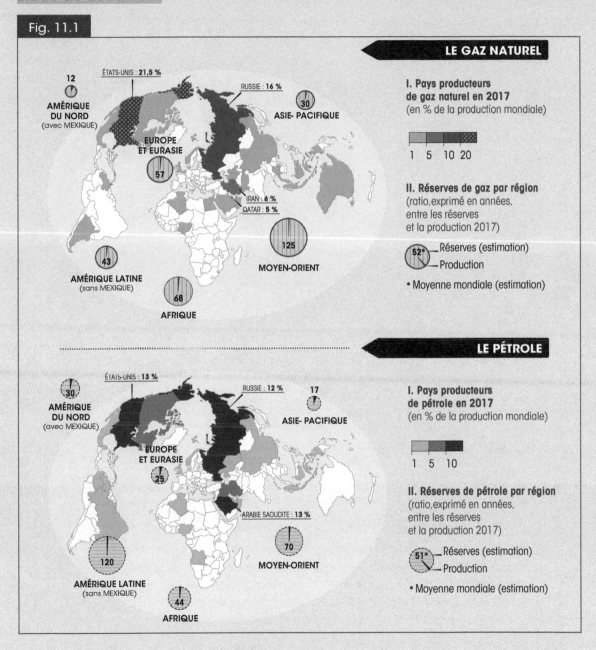

LE GAZ NATUREL

I. Pays producteurs de gaz naturel en 2017
(en % de la production mondiale)

1 5 10 20

II. Réserves de gaz par région
(ratio, exprimé en années, entre les réserves et la production 2017)

Réserves (estimation)
Production

* Moyenne mondiale (estimation)

LE PÉTROLE

I. Pays producteurs de pétrole en 2017
(en % de la production mondiale)

1 5 10

II. Réserves de pétrole par région
(ratio, exprimé en années, entre les réserves et la production 2017)

Réserves (estimation)
Production

* Moyenne mondiale (estimation)

1. Quels sont les plus gros producteurs de pétrole ?

2. Quels sont les plus gros producteurs de gaz ?

3. À partir de quand les réserves connues de pétrole s'épuiseront-elles ? Celles de gaz ?

▲

L'empereur Akbar (r. 1556-1605) préside une assemblée pluri-religieuse à Fatehpur Sikri (Inde actuelle) en présence des missionnaires jésuites Rodolfo Acquaviva et Francisco Henriques (en noir). Akbar a institutionnalisé la pratique du dialogue interreligieux en invitant à débattre des représentants musulmans, hindous, chrétiens, jaïns et zoroastriens. Il en a tiré un syncrétisme éthique dont il espérait faire un facteur d'unité pour son empire.

Le facteur religieux

«On m'a fait dire que le XXIe siècle sera religieux. Je n'ai jamais dit cela, bien entendu, car je n'en sais rien. Ce que je dis est plus incertain. Je n'exclus pas la possibilité d'un événement spirituel à l'échelle planétaire » (André Malraux, au *Point*, 10 novembre 1975).

La citation souvent prêtée à Malraux, qu'il a toujours nié avoir prononcée, semblait anticiper le « retour du religieux » érigé depuis en lieu commun de l'analyse des relations internationales contemporaines. Mais les religions avaient-elles vraiment quitté l'arène internationale ? Elles semblaient certes passées à l'arrière-plan, si l'on compare les guerres de religion du XVIe siècle à la guerre froide marquée par la primauté des considérations politico-militaires.

L'effet de prisme provoqué par les événements les plus commentés et les catégories d'analyse dominantes masque cependant le fait que la religion n'a jamais disparu de la pluralité de facteurs et dynamiques qui forment les relations internationales. Inversement, la tendance plus récente consistant à faire du facteur religieux une variable incontournable et primordiale des violences et conflits ne résiste pas à une analyse contextualisée et multifactorielle. Pour aborder ce sujet, il faut donc se pencher sur la complexité des modes d'intervention du facteur religieux dans les relations internationales et les raisons pour lesquelles il a acquis, depuis deux décennies, une nouvelle visibilité.

I. La résilience du facteur religieux sur la scène mondiale

L'idée erronée selon laquelle le fait religieux serait récemment « réapparu » dans des relations internationales précédemment sécularisées, tient à la fois au contexte de la formation du système international contemporain et à la genèse des approches théoriques qui l'étudient.

> **Définitions**
>
> › Dans *Les Formes élémentaires de la vie religieuse* (1912), Émile Durkheim propose une définition fonctionnelle de la **religion**, utile pour comprendre ses effets sur la vie sociale. Pour le sociologue, la religion est « un système solidaire de croyances et de pratiques relatives à des choses sacrées, c'est-à-dire séparées, interdites [...] qui unissent en une même communauté morale, appelée Église, tous ceux qui y adhèrent ». Elle fonde ainsi des identités collectives et exclusives. C'est à ce titre qu'elle peut légitimer un ordre politique, mais aussi des mobilisations contestataires.
>
> › La **sécularisation** fait référence au processus conduisant à la progressive séparation des sphères politique et religieuse, pour aboutir au repli du religieux dans la sphère privée. Elle a notamment été analysée par le sociologue allemand Max Weber, qui l'inscrit dans le cadre du phénomène plus large de rationalisation des sociétés et de « désenchantement du monde ».

1. Un système imparfaitement sécularisé

Les traités de Westphalie (1648), considérés comme l'acte fondateur du système international contemporain, visaient à mettre fin aux guerres de religion en Europe en affirmant la souveraineté de chaque prince sur les affaires religieuses en son royaume (selon la formule « *Cujus regio, ejus religio* », « À chaque roi, sa religion »). La **sécularisation** apparaissait comme une condition nécessaire pour pacifier les relations entre royaumes européens, mais aussi pour permettre l'affirmation d'États souverains, émancipés de la tutelle d'un ordre religieux surplombant (l'ordre impérial pontifical dans l'Europe pré-westphalienne). Les traités de Westphalie ont bien posé les jalons du système international qui allait s'étendre trois siècles plus tard à l'ensemble du monde. Il serait cependant excessif de conclure qu'ils ont soudainement sécularisé la politique internationale. La diffusion du catholicisme est ainsi demeurée l'un des fondements des aventures coloniales espagnoles et portugaises (du XVIe au XXe siècle). En Europe de l'Est et dans les Balkans, c'est la protection de l'orthodoxie face à l'emprise ottomane qui a motivé les alliances nouées par l'empire russe au XIXe siècle. Jusqu'au cœur de la guerre froide, les puissances se sont appuyées sur des organisations religieuses mobilisées comme relais de leur influence.

FOCUS Diversité des religions et de leurs usages politiques

Une première mise en garde est nécessaire avant d'aborder les fonctions politiques du facteur religieux. Les religions se caractérisent en effet par des modèles d'organisation très différents, dont découle une grande disparité en termes de cohérence interne et de coordination avec le pouvoir et les institutions politiques.

L'Église catholique romaine (qui peut se prévaloir d'une grande cohérence institutionnelle et doctrinale du fait de sa centralisation autour du pape et de la curie romaine) et l'islam chiite (qui dispose d'un clergé institutionnalisé autour des grands ayatollahs) font figure d'exception. La majorité des mouvements religieux sont en effet décentralisés, ce qui favorise leur expansion démographique (ils possèdent ainsi une plus grande capacité à intégrer des divergences d'interprétations ou de pratiques) tout en affaiblissant leur cohésion interne et donc leur capacité de mobilisation (les figures d'autorité ont une plus faible influence sur les croyants). C'est notamment le cas de l'islam sunnite, des églises réformées ou du bouddhisme, divisés en plusieurs écoles ou dénominations.

Mobilisée par des acteurs différents, une même religion peut par ailleurs légitimer un ordre conservateur ou un agenda contestataire, ce qui interdit tout déterminisme dans l'analyse des usages politiques des religions et de leurs conséquences internationales. La stabilité institutionnelle du Royaume d'Arabie saoudite repose ainsi sur l'alliance entre la famille régnante et l'islam wahhabite, qui légitime un ordre politique et social conservateur. À l'inverse, la révolution iranienne de 1979 a associé des mollahs chiites à des forces politiques progressistes, réunis par leur volonté de renverser le régime du shah pour former un nouvel ordre politique. Dans ce contexte, la religion a servi de ressort contestataire, avant de se muer en source de conservatisme une fois établie au fondement des institutions.

2. Des analyses marquées par le couple modernisation-sécularisation

Au-delà de ces contre-exemples historiques, la genèse des relations internationales en tant que champ d'étude a été imprégnée par l'idée d'une relation de causalité entre l'avènement de la modernité et l'aboutissement du processus de séparation entre l'État et la religion. Cette relation entre modernisation et sécularisation, établie par les fondateurs de la sociologie▶ à l'époque de la révolution industrielle, a en effet marqué les sciences sociales occidentales qui ont tardé à prendre en considération un facteur cantonné au rang de vestige de l'ancien monde. Les premiers grands paradigmes en relations internationales ont été fortement influencés par cet héritage. Développés dans un contexte de généralisation du modèle étatique à travers les processus de décolonisation puis d'affrontements idéologiques et stratégiques durant la guerre froide, ils ont négligé la prise en compte d'un facteur religieux tout au plus relégué au rang d'annexe de la puissance stratégique ou économique des États.

▶ Auguste Comte, Émile Durkheim et Max Weber.

3. Des mobilisations religieuses masquées par les priorités stratégiques

Pourtant, pendant que les affrontements idéologiques et stratégiques au cœur de la guerre froide occupaient tout l'espace médiatique et académique, des acteurs non-étatiques à fondement religieux n'ont cessé de s'activer notamment dans le tiers monde (missionnaires chrétiens ou prêcheurs musulmans, ONG religieuses). Plusieurs régions ont connu à cette époque des bouleversements dans lesquels le facteur religieux, mobilisé à des fins politiques, occupait une place centrale (la partition de l'Inde en 1947, la fondation de l'Organisation de la conférence islamique – OCI – en 1969, la Révolution iranienne de 1979). Au cœur du bloc de l'Est, que ses dirigeants voulaient athée, l'élection en 1978 d'un pape polonais conforta l'appartenance des catholiques à une communauté religieuse transcendant le rideau de fer et échappant ainsi à l'emprise du totalitarisme, désavouant le sarcasme de Staline qui moquait en 1935 la faible capacité militaire du Vatican.

Le saviez-vous ?
En 1935, face à Pierre Laval qui tentait d'intercéder en faveur des libertés religieuses en Union soviétique, Staline répliqua par une phrase ironique restée célèbre pour son illustration de la perception d'une supériorité de la puissance militaire sur les considérations sociales : « Le pape, combien de division ? »

4. Le renouveau des interprétations religieuses des violences et des conflits

Il fallut attendre la fin de la guerre froide et la chute de l'Union soviétique, qui suscitèrent la quête de nouvelles variables susceptibles d'expliquer les recompositions du monde, pour voir se multiplier les analyses accordant une place significative au facteur religieux.

À la suite des attentats perpétrés par l'organisation Al-Qaeda le 11 septembre 2001 aux États-Unis, les interventions militaires menées par les États-Unis en Irak et en Afghanistan et la visibilité croissante du terrorisme à référent islamique, ont contribué à orienter les analyses du facteur religieux en relations internationales vers la recherche des causes des violences et conflits. Il est pourtant délicat d'isoler des phénomènes relevant d'une violence spécifiquement religieuse, comme d'ailleurs d'une pacification par la religion, tant les contextes où ce facteur est mobilisé font intervenir une pluralité de variables politiques, économiques et sociales.

II. Usages et effets politiques de la religion

La religion acquiert une visibilité particulière, en relations internationales, lorsque des acteurs politiques classiques – États ou organisations internationales – s'en saisissent. Elle peut intervenir en inspirant les visions du monde des dirigeants et leurs orientations diplomatiques ou stratégiques, ou encore en formant le fondement d'arrangements internationaux.

1. Une source d'inspiration politique

La religion contribue à définir le rapport des acteurs (individuels ou collectifs) au monde qui les entoure, guidant certains choix politiques lorsqu'elle constitue le fondement de leur vision du monde. Le ressort religieux des engagements de Woodrow Wilson, président des États-Unis de 1913 à 1921 et fondateur de la Société des Nations, est un exemple explicite. Fils de pasteur, convaincu de suivre une voie tracée par Dieu, Wilson considérait les États-Unis comme une nation destinée à guider le monde. Ce sentiment a nourri son idéalisme en relations internationales et inspiré la rédaction des « Quatorze points » formulant les objectifs de coopération visant à pacifier les relations internationales. Ses orientations de politique étrangère étaient par ailleurs inspirées par des visées missionnaires, notamment à l'égard de la Chine dont il considérait la stabilité comme une condition nécessaire à l'unification du monde autour de la chrétienté.

De l'autre côté du monde, la politique étrangère de l'Iran sous l'ayatollah Khomeiny (premier Guide suprême après le changement de régime de 1979 et jusqu'en 1989) reposait largement sur l'objectif d'exporter sa conception de la révolution islamique au reste du monde musulman et notamment chiite.

| Fig. 12.1 | La diversité des «mondes musulmans» |

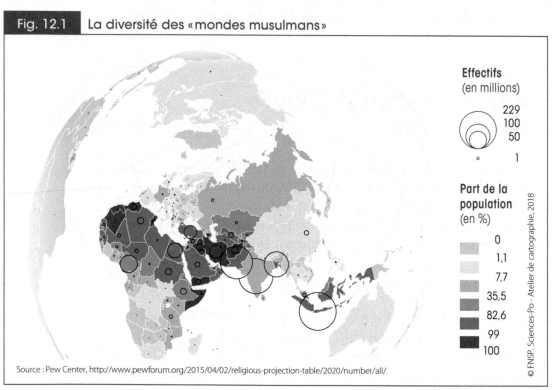

Source : Pew Center, http://www.pewforum.org/2015/04/02/religious-projection-table/2020/number/all/

© FNSP. Sciences-Po - Atelier de cartographie, 2018

Sur un total d'environ 1,3 milliard de musulmans, plus des deux tiers vivent en Asie (dont près de 220 millions en Indonésie, pays musulman le plus peuplé au monde). Le sunnisme est prédominant dans la plupart des pays majoritairement musulmans, à l'exception de l'Iran, de l'Irak, de l'Azerbaïdjan et de Bahreïn (majoritairement chiites) ainsi que d'Oman (majoritairement ibadite).

Si les visions du monde des dirigeants sont plus susceptibles de peser sur l'élaboration des politiques étrangères des États récemment et faiblement institutionnalisés, il convient de ne pas surestimer le poids des variables idiosyncratiques (propres à l'identité d'un dirigeant) dans l'analyse des relations internationales. Les diplomaties à dimension religieuse recouvrent en effet aussi des dimensions institutionnelles et stratégiques, qui requièrent une observation plus large de leurs contextes d'élaboration et de mise en œuvre.

2. Diplomaties à dimension religieuse

Au-delà des engagements individuels, certains États déploient de véritables diplomaties religieuses, qu'il s'agisse d'utiliser des ressources diplomatiques traditionnelles (ambassades, diplomates, négociations internationales) pour promouvoir un agenda religieux, ou de mobiliser des réseaux confessionnels (lieux de culte ou d'enseignement religieux, prêcheurs, ONG confessionnelles) pour asseoir l'influence de l'État.

Le déploiement d'une diplomatie religieuse peut sembler l'apanage des théocraties ou des États s'appuyant sur une religion officielle. La centaine de nonces apostoliques, diplomates accrédités du Saint-Siège, représente ainsi les intérêts du Vatican et de l'Église catholique. L'Arabie saoudite et l'Iran financent quant à eux des mosquées et institutions éducatives pour promouvoir leur vision respective de l'islam en même temps que leur influence politique.

La réapparition depuis le début des années 2000 de thématiques religieuses dans la politique étrangère officielle d'États considérés comme séculiers est une autre dimension de la volonté des acteurs politiques de faire de ce facteur un moyen et un objectif de leurs stratégies internationales. L'ancienne secrétaire d'État des États-Unis, Madeleine Albright, défendait ainsi le principe d'une «diplomatie basée sur la foi», susceptible selon elle de contribuer à résoudre les conflits.

> **Le saviez-vous ?**
> Le discours adressé «au monde musulman» par le président **Obama** depuis l'université du Caire, en juin 2009, a franchi un pas symbolique puisque le dirigeant de la première puissance mondiale s'est pour la première fois adressé à une population étrangère définie par son identité religieuse, soulignant l'importance accordée à ce facteur.

3. Religion et coopération multilatérale

Pour préserver la prééminence du politique face aux tentatives d'émancipation d'acteurs revendiquant une légitimité religieuse, certains États ont tenté de mettre en place une coopération multilatérale fondée sur un référent religieux.

L'Organisation de la coopération islamique (OCI), fondée en 1969, répondait à cet objectif dans un contexte d'une part d'échec des nationalismes arabes face à la montée en puissance des mouvements islamistes, et d'autre part de prise de conscience du manque de coordination politique et stratégique de ces États suite à leur défaite face à Israël lors de la guerre des Six-Jours et l'incendie de la mosquée Al-Aqsa. L'OCI, qui rassemble cinquante-sept États membres, concilie donc la représentation interétatique (qui constitue son mode de fonctionnement) et le référent religieux (qui en est le critère d'adhésion). Ses compétences relèvent néanmoins strictement des domaines politique et économique, dans la mesure où elle ne vise ni à résoudre les controverses théologiques qui divisent le monde musulman, ni à unifier la représentation politique de ses populations. Elle s'efforce en revanche de consolider la souveraineté de ses États-membres et de faciliter leur coordination en

| Fig. 12.2 | La diplomatie du Saint-Siège |

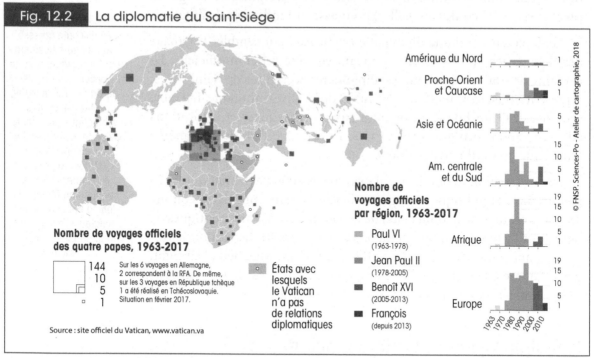

Source : site officiel du Vatican, www.vatican.va

Le Saint-Siège est un sujet de droit international représentant le pape et la curie romaine. Il entretient des relations diplomatiques avec 181 États (contre 84 en 1978, la Chine et l'Arabie Saoudite demeurant parmi les exceptions notables) et a obtenu le statut d'État observateur aux Nations unies en 1964. Entre son élection en mars 2013 et l'automne 2017, le pape François a effectué ou programmé 21 visites pastorales hors d'Italie, privilégiant notamment les terres de mission où l'Église catholique est concurrencée par des mouvements évangélistes ou charismatiques.

matière de politiques économiques (finance islamique, commerce *halal*, développement) et face aux conflits qui affectent le monde musulman.

En dépit de la fonction cohésive prêtée au référent religieux, l'efficience de l'OCI est particulièrement limitée s'agissant de prévenir ou résoudre les conflits entre ses États-membres, ses prises de position affirmées se limitant essentiellement à la thématique consensuelle du conflit israélo-palestinien.

III. Religion et mondialisation, des phénomènes interdépendants

Le regain de visibilité du facteur religieux ne tient pas seulement à sa mobilisation par les acteurs étatiques. Il est également la conséquence de la transformation des modes d'expression des acteurs religieux dans le contexte de la mondialisation contemporaine. Si mondialisation et religion se sont historiquement nourries et influencées, leur rencontre est aussi source de désordres internationaux.

1. Les religions comme facteur d'interactions transnationales

Religion et mondialisation relèvent de logiques transnationales et ont long-temps emprunté les mêmes chemins. Parallèlement aux aventures commerciales, les pèlerinages et conquêtes religieuses ont fait partie des premiers vecteurs de rencontres et d'échanges à l'échelle mondiale, avant que les pratiques et expressions de certaines religions ne soient elles-mêmes transformés par la mondialisation. Le bouddhisme, le christianisme ou l'islam se sont en effet déployés parallèlement à des logiques de conquête politique ou d'expansion commerciale, provoquant de vastes effets d'hybridation culturelle, notamment en Asie. Le pèlerinage musulman à La Mecque fut longtemps le plus important vecteur de déplacements volontaires et temporaires, entraînant l'interaction de centaines de milliers de pèlerins originaires de régions allant de l'ouest de la Méditerranée à l'Extrême-Orient. Il favorisa des échanges interculturels et religieux mais aussi la diffusion d'idées politiques (notamment anticoloniales au XXe siècle). Certaines expressions contemporaines de la mondialisation s'apparentent en définitive à une banalisation de ce qui était longtemps resté une spécificité du phénomène religieux : la formation de communautés d'appartenance, rassemblées par le partage de croyances ou de pratiques communes, indépendamment des logiques souveraines ou territoriales.

2. Le religieux transformé par la mondialisation

La mondialisation contribue, réciproquement, à transformer les pratiques et expressions religieuses. De nombreux acteurs religieux ont en effet saisi des opportunités offertes par la transformation des pratiques commerciales et communicationnelles. Les réseaux de communication modernes peuvent être utilisés pour convaincre ou mobiliser des croyants (comme s'y emploie l'organisation État islamique à travers les réseaux sociaux), tandis que la marchandisation de produits religieux permet de générer des ressources (par exemple pour les « *mega-churches* » états-uniennes). Les transformations favorisées par la mondialisation sont particulièrement manifestes pour les religions qui adaptent leur registre en diversifiant leur public (du bouddhisme zen pratiqué en retraite dans les monastères coréens, à sa version marchandisée et orientée vers la performance dans la Silicon Valley). Les religions qui apparaissent aujourd'hui les plus attractives sont celles qui parviennent à s'hybrider en s'émancipant des marqueurs territoriaux, ethniques ou culturels propres à leur contexte d'émergence, pour embrasser les référents d'une culture mondialisée (le succès des hamburgers *halal* en est une illustration).

3. Une échappatoire pour les perdants de la mondialisation

Les phénomènes d'hybridation évoqués suscitent toutefois des tensions, concentrées autour des rapports à l'appartenance et à l'autonomie qui distinguent les appartenances religieuses du phénomène de mondialisation. La religion fait en effet office de contre-référent attractif pour ceux que la mondialisation inquiète en provoquant des bouleversements identitaires, ou déçoit en les privant de leurs référents, étatiques ou communautaires. Elle offre à la fois une source de légitimité alternative au pouvoir politique, et une temporalité différente qui permet de s'extraire des frustrations quotidiennes. C'est ainsi que des mouvements islamistes, comme celui des

Frères musulmans, ont prospéré à la fois sur les centres du nationalisme arabe et dans des contextes où des populations marginalisées économiquement, habituées à vivre au sein de communautés d'appartenance rurales fortement intégrées, se trouvèrent brutalement privées de repères, par exemple dans une situation d'urbanisation rapide et parfois subie.

Des effets de repli sur une conception rigoriste et/ou exclusiviste de la religion, face à une hybridation culturelle perçue comme une intrusion agressive de valeurs jugées décadentes ou face aux craintes identitaires suscitées par les migrations humaines, traversent ainsi toutes les grandes religions. Ce rejet peut conduire à une mise en retrait de la société, comme c'est le cas pour le mouvement fondamentaliste sunnite Tabligh (fondé en 1927), qui dénonce tout engagement politique. C'est toutefois lorsqu'elles rencontrent un support politique que ces logiques de repli trouvent le plus d'écho. Suivant des modèles différents, le nationalisme hindou du Parti du peuple indien (BJP) en Inde, ou le l'extrémisme bouddhiste du Mouvement 969 en Birmanie, ont en commun d'asseoir sur un référent religieux leur conception exclusiviste de l'identité nationale.

> **Le saviez-vous ?**
> Le mouvement des **Frères musulmans** est fondé en 1928 en Égypte par Hassan al-Banna.

FOCUS Le Hezbollah libanais

Là où l'État est faible ou déliquescent, la religion tend à s'établir comme référent alternatif pour les individus et devient une ressource de mobilisation pour les entrepreneurs identitaires qui s'en prévalent, parfois au service d'un agenda violent. L'implantation du Hezbollah (Parti de Dieu) au Sud-Liban est représentative de ce phénomène.

Fondé en 1982, le Hezbollah est un mouvement politique et militaire chiite libanais, soutenu initialement par l'État iranien puis la Syrie. Fondé originellement sur la défense du chiisme et la lutte contre l'État d'Israël avant d'étendre son agenda, il associe activisme sociopolitique (il est officiellement reconnu comme parti politique au Liban) et action armée (ce qui lui vaut d'être inscrit sur de nombreuses listes officielles d'organisations terroristes, dont celles de l'Union européenne depuis 2013 et de la Ligue arabe depuis 2016).

Le Hezbollah contrôle le sud du Liban, où il s'est imposé en compensant les faiblesses de l'État pour devenir le principal fournisseur de services publics. Le mouvement y finance plusieurs hôpitaux, des réseaux de cliniques médicales et d'écoles ou encore des programmes d'aide aux agriculteurs.

Désormais considéré comme la principale force militaire du Liban, le bras armé du Hezbollah a étendu son influence dans la région, démontrant la capacité d'un acteur non-étatique à fondement religieux à peser dans le cadre régional. En 2013, il est entré en guerre aux côtés du régime syrien, contre les rebelles et l'organisation État islamique. Ses soldats et conseillers militaires sont aussi présents au Yémen ou encore en Irak, où ils s'efforcent de contrer l'influence des mouvements soutenus par l'Arabie saoudite.

À cette diversité d'activités, correspond une pluralité de sources de financements. Outre ses supports étatiques, le Hezbollah est accusé de participer à des réseaux de contrebande et d'économie souterraine (trafic de stupéfiants ou de diamants), pour lesquels il s'appuierait sur des membres de la diaspora libanaise en Amérique Latine, en Afrique de l'Ouest et en Afrique centrale.

IV. L'internationalisation des conflits d'apparence religieuse

C'est aussi en tant que facteur de solidarité et donc de mobilisations transnationales que le religieux s'invite sur la scène internationale, notamment dans le cadre de conflits d'apparence religieuse. La religion ne constitue jamais une condition suffisante pour expliquer ces conflits aux racines multiples, mais sa mobilisation par les acteurs tend à compliquer leur résolution.

1. La religion comme facteur d'internationalisation des conflits

Les communautés religieuses ne recoupent qu'exceptionnellement, et toujours imparfaitement, les appartenances nationales. Des causes identifiées comme religieuses peuvent donc inciter des acteurs à se mobiliser au-delà des territoires concernés. Le référent religieux constitue ainsi une ressource pour les acteurs en quête de relais et de soutiens symboliques, matériels ou humains. Le renforcement de la lecture confessionnelle des conflits accompagne donc souvent les stratégies d'internationalisation de leurs acteurs, comme le montre l'exemple du conflit israélo-palestinien. La progressive application du référentiel de la guerre sainte à ce conflit, envisagé à l'origine en termes séculiers par des acteurs qui s'inscrivaient davantage dans un référent tiers-mondiste (c'était le cas lors de la fondation en 1964 de l'Organisation de libération de la Palestine, nationaliste et social-démocrate), a participé de cette logique. La cause palestinienne a progressivement été transposée en termes religieux, d'abord modérément pour l'OLP qui a ainsi consolidé son soutien par les États membres de l'OCI, puis surtout par le Hamas, affilié aux Frères musulmans et vainqueur des élections législatives à Gaza en 2006.

2. Complication des conflits d'apparence religieuse

La grille de lecture religieuse apparaît comme une ressource pour les acteurs impliqués dans des conflits. Elle leur permet de mobiliser des soutiens au-delà des territoires concernés. Mais l'introduction de cette grille de lecture tend à éclipser les autres déterminants (politiques, stratégiques, économiques) et à s'imposer comme une contrainte qui entrave la recherche de solutions. L'engagement d'acteurs externes essentiellement mobilisés par le facteur religieux conduit en effet à muer les conflits « à dimension religieuse » en conflits « religieux », transformant en source principale d'engagement ce qui pouvait n'être au départ qu'un paramètre parmi d'autres. Ce phénomène se renforce au fur et à mesure que les conflits se prolongent, et complique leur résolution.

Alors que des désaccords politiques ou économiques peuvent faire l'objet de concessions ou de compensations, les « conflits religieux » sont plus difficilement négociables puisque les acteurs devraient romprent avec la promesse de pureté qui fonde leur légitimité. Toute négociation entraîne, dans ces contextes, des scissions qui mettent en péril la stabilité d'un éventuel accord de paix. Une telle dynamique est observable dans le cadre du conflit qui oppose depuis les années 1960 le gouvernement des Philippines à différents groupes séparatistes ou autonomistes, dans la province majoritairement musulmane de Mindanao. Malgré la signature de plusieurs accords, à partir des années 1980, entre le gouvernement et le Front Moro de libération nationale (MNLF), puis le Front Moro islamique de libération (MILF), chaque négociation entraîne la formation de nouveaux groupes rebelles durcissant leur agenda religieux par rapport à celui de leurs prédécesseurs.

Controverse ## Islamisation de la radicalité ou radicalisation de l'islam?

Les attentats perpétrés par des groupes se revendiquant de l'organisation État islamique (EI), et plus largement de la mouvance djihadiste, ont projeté dans le débat public le désaccord entre les tenants de deux interprétations du lien entre violence et fondamentalisme islamique.

Pour Gilles Kepel, un continuum existerait entre le salafisme (mouvement sunnite prônant le retour aux pratiques en vigueur à l'époque du prophète Mahomet, une interprétation littérale du Coran et de la Sunna, et la «rééducation morale» des musulmans) et la légitimation de la violence contre les infidèles.

Pour Olivier Roy, le terrorisme serait le fait d'une jeunesse nihiliste greffant sur ses accès de violence une rhétorique djihadiste qui leur donne une cohérence discursive tout en guidant leurs modes d'action.

C'est sur le sens de la causalité entre fondamentalisme islamique et recours à la violence que se divisent les auteurs. Pour les tenants de la «radicalisation de l'islam», le salafisme forme un «arrière-plan culturel» du djihadisme, *via* les textes de théoriciens comme Abou Moussab al-Souri (inspirateur d'un djihad «par la base» et l'un des auteurs de référence de l'EI) ou plus indirectement en favorisant un mode de vie en marge des sociétés où l'islam est minoritaire. Les défenseurs de «l'islamisation de la radicalité» soulignent à l'inverse que la majorité des actes terroristes perpétrés en Europe ont été le fait d'individus en rupture sociale, aux parcours marqués par la violence plus que par une religion dont ils ne possèdent qu'une connaissance superficielle.

Au-delà de la vive exposition médiatique de ce clivage, les deux analyses exposent des facettes différentes d'un même phénomène. La diversité des itinéraires djihadistes et de leurs contextes d'émergence appelle en effet à multiplier les niveaux d'analyse pour saisir la complexité de situations dans lesquelles peuvent se combiner le vernis idéologique et les ressorts de légitimation d'engagements violents, les racines sociales de la violence et la pluralité de ses déterminants individuels.

3. Tentatives de résolution de conflits par le religieux

Pour tenter de contrer les difficultés posées par la lecture religieuse des conflits, se développent des initiatives visant à les résoudre en faisant intervenir des acteurs religieux. Outre des traditions de promotion de la paix, identifiables dans toutes les grandes religions, ces dernières peuvent se prévaloir de réseaux permettant d'accéder aux populations (en s'appuyant sur les communautés et lieux de cultes, souvent plus densément répartis que les services étatiques dans les pays en conflit), d'une légitimité qui leur permet de dialoguer avec les belligérants, ou d'une capacité à saisir des dynamiques échappant aux acteurs classiques de la résolution de conflits. La communauté catholique Sant'Egidio, fondée à Rome en 1968, a ainsi exercé le rôle de médiateur dans de nombreuses situations de conflits inter-communautaires, contribuant notamment à l'accord de paix signé à Rome en 1992 pour mettre fin à la guerre civile au Mozambique. La prolifération des initiatives de dialogue interreligieux, souvent sponsorisées par des États ou des organisations multilatérales (par exemple l'Alliance des civilisations des Nations unies, initiée en 2005, ou le programme de l'Unesco consacré au dialogue interreligieux), s'inscrit dans une logique similaire. De telles initiatives souffrent pourtant d'une aporie majeure. Cooptées par des États, elles échouent le plus souvent à contrer les mobilisations religieuses contestataires. Limitées à des acteurs religieux, elles manquent en revanche d'ampleur pour peser réellement sur les situations de conflit. Ces initiatives peuvent en outre contribuer à généraliser la grille d'interprétation religieuse de la politique mondiale, dont il est difficile de s'extraire une fois mobilisée.

Conclusion

La religion joue un rôle, en relations internationales, lorsqu'elle alimente les visions du monde des dirigeants étatiques ou lorsque ces derniers en font l'objet ou le relais de leurs politiques étrangères. Mais son importance reflète surtout celle de variables sociales échappant aux logiques westphaliennes. La religion confère en effet une légitimité à des entrepreneurs identitaires, qui la mobilisent pour affirmer leur autonomie à l'égard de la sphère politique. Sa capacité mobilisatrice en fait un puissant ressort de contestation, notamment lorsqu'elle se substitue aux allégeances citoyennes ou répond aux frustrations des acteurs dans le contexte d'États fragiles ou faiblement institutionnalisés. En s'appuyant sur des réseaux transnationaux pour publiciser leurs causes, les acteurs religieux diversifient leurs soutiens tout en alimentant une lecture parcellaire des enjeux mondiaux.

À RETENIR

- Il n'existe pas de causalité directe entre appartenance religieuse et comportement international, comme le montrent la diversité interne des grandes religions et leur mobilisation au service de causes contradictoires.

- L'idée d'un « retour du religieux » n'est pas exacte. Bien que le facteur religieux ait été jugé secondaire par les premières théories des relations internationales, et par rapport aux priorités stratégiques durant la guerre froide, des mobilisations à dimension religieuse n'ont jamais cessé d'exister.

- Les religions ont été l'un des premiers facteurs de mondialisation transnationale. Religion et mondialisation contribuent à former des communautés transfrontalières, se confortent et s'influencent mutuellement. La religion est néanmoins souvent un recours pour les déçus de la mondialisation et face à l'effritement des appartenances nationales.

- Les identités religieuses ne sont pas une condition suffisante pour l'émergence de conflits. En revanche, l'internationalisation de la dimension religieuse de certains conflits complique la recherche d'une issue négociée.

📖 POUR ALLER PLUS LOIN

Dieckhoff A., Portier P., 2017, *L'enjeu mondial. Religion et politique*, Paris, Presses de Sciences Po.

Grannec C., Massignon B. (dir.), 2012, *Les Religions dans la mondialisation*, Paris, Karthala.

Haynes J. (dir.), 2009, *An introduction to international relations and religion*, Harlow (UK), Pearson Longman.

Lacorne D., Vaïsse J., Willaime J.-P. (dir.), 2014, *La Diplomatie au défi des religions. Tensions, guerres, médiations*, Paris, Odile Jacob.

Roy O., 2004, *L'Islam mondialisé*, Paris, Points.

Sandal N. A., Fox J., 2015, *Religion in international relations theory. Interactions and possibilities*, Londres, Routledge.

Syder J. L., 2013, *Religion and international relations theory*, New York, Columbia University Press.

Films

Joseph Cedar, *Time of Favor*, 2000.

Stephen Marshall, *Holy Wars*, 2010.

Mitch Davis, *The other side of heaven*, 2001.

Corrigés en ligne

Tester ses connaissances

1. Dans la liste ci-dessous, quels sont les États séculiers ?

☐ Italie   ☐ Pakistan   ☐ États-Unis

☐ Philippines   ☐ Zambie   ☐ Azerbaïdjan

2. Laquelle ou lesquelles de ces affirmations sont vraies ?

☐ Les religions sont de plus en plus souvent source de conflits.

☐ Le facteur religieux contribue à internationaliser les conflits.

☐ Il est difficile de trouver une issue négociée dans les conflits à dimension religieuse.

3. Replacer dans l'ordre les éléments de la définition suivante :

désigne / la séparation des sphères / de la religion / politique et religieuse / au repli / pour aboutir / dans la sphère privée / la sécularisation

Sujets

En quoi le facteur religieux constitue-t-il une ressource politique ?

Quelles sont les complémentarités et contradictions entre appartenances religieuses et mondialisation ?

Quels sont les effets de la mobilisation de référents religieux dans le cadre d'un conflit ?

Forces de sécurité irakiennes à Mossoul, le 1er février 2017. © Barcroft Media/Getty images

▲

Des soldats des forces spéciales irakiennes sont engagés dans un combat urbain à Mossoul. L'image résume plusieurs dimensions des conflits contemporains : des forces armées régulières engagées dans des combats asymétriques contre des combattants mobilisant souvent un référent identitaire ; des groupes armés plus faibles au premier abord mais désormais capables de s'équiper en armements technologiques ; des lignes de front au cœur des villes, indifférentes à la nature civile ou militaire des victimes et au droit international humanitaire.

La sécurité internationale

De la destruction d'aéronefs sur le World Trade Center et le Pentagone en 2001 aux attentats du 13 novembre 2015 à Paris, en passant par les interventions militaires en Afghanistan, en Irak, en Libye ou encore au Mali, l'entrée dans le XXIe siècle serait caractérisée par une intensification de la violence.

La fin de la guerre froide n'a pas entraîné la fin des guerres. Mais leur persistance présente une série de paradoxes. Si aucun État n'a voté une déclaration de guerre depuis 1945, le mot ne cesse d'être convoqué dans les discours publics pour désigner des situations parfois très éloignées de la confrontation militaire. La figure de l'ennemi incarné par un État hostile et disposant de moyens armés semble se déliter au profit d'une représentation plus diffuse, celle de l'acteur transnational terroriste qui agit sur la base d'un réseau. Enfin, l'usage d'une puissance militaire sophistiquée et technologique n'est pas forcément gage de victoire militaire et surtout politique, comme les États-Unis l'ont bien expérimenté pendant la première décennie 2000.

L'ensemble de ces paradoxes renvoie à diverses transformations du combat qui influencent la manière de définir et d'interpréter la guerre. Mais la sécurité internationale ne peut se résumer à cette dernière. En effet, l'agenda international de la sécurité s'est enrichi depuis les années 1990 avec, notamment, la formulation de la sécurité humaine qui va au-delà des dimensions strictement militaires.

I. Les transformations du combat

La scène du débarquement en Normandie dans le film *Il faut sauver le soldat Ryan* (1998) illustre bien les modalités du combat entre États industrialisés au xxᵉ siècle. Les lignes de front et les moyens employés, à savoir des armées organisées, sont alors nettement identifiables. Depuis le 6 juin 1944, la configuration des affrontements militaires a évolué, en raison de processus technologiques mais pas seulement.

1. Robotisation, privatisation, hybridation : de nouveaux moyens pour faire la guerre

Le recours aux systèmes de drones en opération ne cesse de s'accroître, comme l'indique l'évolution des acquisitions par le département de la Défense des États-Unis.

Tableau 13.1 **Évolution du nombre d'aéronefs, département de la Défense des États-Unis**

2003	136
2012	7 454
D'ici 2021	L'Aircraft Procurement Plan prévoit une augmentation de 90 % du nombre de plateformes pour les drones en 9 ans.

▶ Voir Focus, p. 251. Cette tendance incarne l'un des aspects technologiques les plus visibles des transformations du combat : la **robotisation**▸. Plusieurs facteurs expliquent cette robotisation des forces armées.

Le premier est d'ordre technologique. Il se manifeste d'une part dans le temps long : le contact direct et sensoriel entre combattants diminue depuis l'Antiquité en raison de la mécanisation croissante des fonctions via le recours à l'arc, les avions et aujourd'hui les drones ; d'autre part dans le temps court : les technologies de navigation et notamment les bandes passantes des satellites de communication rendent plus performantes les opérations militaires.

Le second facteur est de nature sociétale : l'aversion des sociétés occidentales contemporaines envers la mort. Celle-ci tend à être expulsée de l'environnement quotidien, en particulier dans les zones urbaines.

L'usage des drones permet de répondre à cette aversion puisque l'attaquant n'est plus exposé aux tirs de l'ennemi.

Enfin, le dernier facteur se situe sur le plan stratégique : les drones présentent une très forte endurance. Les drones s'inscrivent dans un processus historique et technologique plus large : la production d'armes dont la portée est de plus en plus grande. Autrement dit, le contact direct entre ennemis tend à se raréfier depuis le combat entre hoplites dans la Grèce ancienne jusqu'à l'invention de l'arme aérienne, en passant par l'essor des armes de jet ou d'armes à feu. Cet éloignement physique a pour conséquence d'étendre l'espace au sein duquel les interactions stratégiques se déploient. Aucun espace en tant que tel n'est considéré comme inaccessible grâce, notamment, à la vélocité et à la furtivité des engins. L'usage de ces derniers suscite un débat éthique : certains philosophes les qualifient de « robots-tueurs ».

FOCUS L'homme augmenté dans les armées

Fondée sur les développements en – et surtout les croisements entre – nanotechnologies, biotechnologies, technologies de l'information et sciences cognitives, l'augmentation des performances humaines ne se limite pas à la mise en place d'implants, de prothèses, ou à la création de complexes interfaces cerveaux-machines dans le monde militaire. Elle se manifeste également par l'élaboration de molécules dopantes, voire le dopage génétique, la mécatronique dont l'objectif est d'amplifier les mouvements, c'est-à-dire un dispositif robotique qui longe le corps, comme une sorte de squelette externe, permettant de démultiplier les capacités physiques de l'humain. Ces perspectives s'adossent en partie à des prises de position idéologiques comme le transhumanisme qui vise à améliorer les capacités de l'espèce humaine.

La deuxième tendance de fond qui affecte le combat est la privatisation. Celle-ci présente deux aspects :

– L'irruption d'acteurs privés parmi les belligérants. De nature non étatique (ou bien aspirant à le devenir, à l'instar de l'État islamique), ces acteurs s'engagent dans une guerre dite **asymétrique** avec les gouvernements.

Guerre asymétrique : affrontement militaire comprenant des acteurs de nature différente (un État et un acteur non étatique).

– Une délégation des fonctions stratégiques qui étaient prises en charge par les gouvernements, des fonctions les moins vitales jusqu'aux opérations militaires en tant que telles : soutien aux opérations de paix, logistique militaire, entraînement des forces, participation directe aux combats. Dans un contexte de réduction des dépenses publiques, cette pratique de l'externalisation s'est considérablement accrue. Le ratio militaires/employés d'une entreprise privée de sécurité (ou *contractor*) était de cent pour un pendant la guerre du Golfe de 1991, il est passé à un pour un avec l'opération Iraqi Freedom menée à partir de 2003.

La troisième tendance correspond à l'hybridation, qui est aujourd'hui utilisée par la plupart des belligérants. Comme le rappelle le général Beaufre (1902-1975), toute guerre présente un mode majeur et un mode mineur. Le premier renvoie à la guerre conventionnelle qui suppose une puissance de feu, une discipline militaire, une stratégie directe fondée sur la concentration des efforts, la neutralisation des forces armées et la conquête territoriale. Le second correspond à la guerre dite irrégulière, laquelle privilégie une stratégie indirecte qui consiste à affecter la volonté de l'adversaire par des opérations psychologiques, des actions terroristes et/ou de sabotage, le recours à des paramilitaires. L'hybridation consiste à articuler ces différents modes dans un même conflit armé, comme l'illustrent les cas de la Russie à l'égard de l'Ukraine, ou l'État islamique qui adopte les termes de la guerre conventionnelle en Syrie ou en Irak (recours aux raids) tout en utilisant le terrorisme en Europe. Cette hybridation se voit accentuée par les alliances que tissent les acteurs religieux transnationaux avec des figures de la criminalité organisée, à l'instar d'Al-Qaida au Maghreb islamique (AQMI) au Sahel▸.

▶ Voir Chapitre 12.

2. Les formes contemporaines de terrorisme

Le terrorisme est d'abord et avant tout un mode opératoire qui consiste à produire des « effets psychologiques hors de proportion avec ses résultats purement matériels » (Raymond Aron, 1962). Il entend générer un climat de terreur en privilégiant les civils comme cibles. Deux types de terrorisme se distinguent : le terrorisme d'État employé par les gouvernements et le terrorisme autonome qui évolue indépendamment des gouvernements. Si l'expression même de terrorisme résulte des pratiques révolutionnaires sous la Terreur en France et des mouvements nationalistes du XIXe siècle, sa manifestation est bien antérieure puisque des sectes comme les Zélotes – contre l'occupation romaine au Ier siècle après J.-C. – ou celle des Assassins – contre des dignitaires musulmans entre le Xe et le XIIe siècle – ont mené des actions terroristes.

Le droit international public ne livre pas de définition consensuelle du terrorisme, les États s'opposant quant à la reconnaissance ou non des motifs du passage à l'acte. Certains gouvernements considèrent que la frontière est parfois ténue entre résistance légitime à une oppression et recours au terrorisme. En raison de ce clivage, les textes en vigueur privilégient les composantes de l'acte terroriste et non sa légitimation politique.

> **Définition**
>
> ❯ **Acte terroriste :** « Acte destiné à tuer ou à blesser grièvement un civil, ou tout autre personne qui ne participe pas directement aux hostilités dans une situation de conflit armé, lorsque par sa nature ou son contexte, cet acte vise à intimider une population ou à contraindre un gouvernement ou une organisation internationale à accomplir ou à s'abstenir d'accomplir un acte quelconque. » (Article 2 de la Convention de 1999 pour la répression du financement du terrorisme)

Depuis le 11 septembre 2001, les terrorismes d'inspiration islamiste sont au centre des préoccupations. L'islamisme correspond à une idéologie politique ayant initialement comme visée la conquête du pouvoir et une critique des gouvernements qui n'agiraient plus selon les règles de l'islam. Cet objectif peut emprunter la voie de la légalité et du jeu démocratique avec des victoires électorales remportées par des partis comme le Front islamique du salut en Algérie dans les années 1980. Mais l'islamisme peut aussi se tourner vers des modes opératoires violents, comme cela fut le cas en Égypte après la répression de Frères musulmans dans les années 1960 ou en Algérie durant la guerre civile entre 1991 et 2002. Les formes actuelles de terrorisme islamiste s'appuient sur deux matrices communes :

- Le concept de **djihad** conçu comme une guerre pour l'islam dans le prolongement des interprétations de l'Égyptien Sayyid Qutb (1906-1966), lequel fait fi du caractère équivoque des textes sacrés et fait de l'islam une religion de combat.

- L'étiolement du djihadisme au sein des États que ce soit en Égypte, en Syrie ou en Algérie.

Le saviez-vous ?
Djihad se traduit non pas par « combat » mais par « effort » individuel du croyant à agir selon les préceptes de Dieu (djihad dit « interne » ou « grand djihad »).

Avec l'échec des revendications djihadistes à l'intérieur des États, trois mouvements favorisent la transnationalisation des terrorismes islamistes :

- **La privatisation du djihad** : la guerre en Afghanistan dans les années 1980 contre l'occupant soviétique devient la première grande guerre sainte regroupant des combattants musulmans. Le cheikh Abdallah Azzam qui préside à cette innovation idéologique fait du djihad une obligation individuelle. Il appelle tous les musulmans à s'engager dans ce conflit armé, tout en procédant à une extension du djihad défensif (la guerre implique tous les musulmans au-delà du peuple afghan).

- **La globalisation du djihad** : la mise en place du réseau d'Al-Qaida dans la zone Afghanistan-Pakistan à partir de 1997 s'accompagne d'une nouvelle rhétorique portée par Ben Landen et Zawahiri, prônant un djihad permanent ayant pour cible les intérêts occidentaux où qu'ils soient. L'ennemi lointain qu'incarnent les États-Unis et les États européens doit être touché par des attentats suicides.

- **L'attraction du djihad** : des groupes armés dont les motivations initiales n'ont parfois qu'un rapport éloigné avec les revendications islamistes se réclament des labels djihadistes afin de gagner en résonance et en visibilité : c'est le cas de Boko Haram au Nigeria, des Shebabs en Somalie, en passant par Al-Qaida au Maghreb islamique (AQMI) de l'Algérie au Sahel, ou Jemaah Islamiyah et Abu Sayyaf.

Les mouvements djihadistes sont aujourd'hui affectés par une division majeure entre Al-Qaida et l'État islamique (EI). L'implantation d'Al-Qaida en Irak et en Syrie, favorisée par l'intervention militaire menée par les États-Unis en 2003, entraîne une opposition de plus en plus marquée au sein du mouvement djihadiste. L'État islamique, porté d'abord par Al-Zarkaoui puis par Abou Omar Al-Baghdadi et Abou Bakr Al-Baghdadi, est le fruit d'une scission avec Al-Qaida en 2006. Alors que cette dernière privilégie une action déterritorialisée transnationale et refuse toute guerre entre musulmans, l'EI préconise une revendication territoriale qui se traduit par la proclamation d'un califat en 2014, tout en désignant les chiites, au pouvoir en Irak notamment, comme des ennemis au même titre que les Occidentaux.

FOCUS L'organisation État islamique

Son ambition est de créer un nouvel État dans l'espace historique (Syrie et Irak) où se sont déployés les empires musulmans d'abord omeyyade (661-750) puis abbasside (750-945). L'organisation État islamique (EI) se réfère tout d'abord à l'imaginaire du califat, lequel offre une légitimation à l'entreprise politique. Bien que courte dans l'histoire de l'islam (entre 632 et 661), la période des quatre premiers califes dits « Bien-Dirigés » constitue une référence symbolique fondée sur le cumul des pouvoirs politiques (temporel) et religieux (spirituel). L'EI s'inspire donc d'un modèle théocratique. L'organisation élabore également un proto-État comprenant des ressources financières (accès aux réserves en or de la Banque centrale irakienne à Mossoul), du matériel militaire, d'anciens cadres sunnites de l'armée irakienne, des structures administratives offrant des services auprès des 10 millions d'habitants sur un territoire de plus de 230 000 km^2. En octobre 2017, l'EI a perdu le contrôle sur ses centres urbains et notamment Raqa. Toutefois, une opposition demeure avec Al-Qaida. Elle n'est pas seulement doctrinale et stratégique, notamment dans le rapport aux exactions commises (voir, à cet égard, la lettre d'Al-Zawahiri, bras droit de Ben Laden, destinée à Al-Zarkaoui en 2005 sur les risques des débordements et des abus dans l'usage de la violence). L'affrontement est aussi social et géné-rationnel. Les instigateurs de l'EI et ceux qui les rejoignent sont des révoltés qui s'insurgent contre les élites sunnites et toutes les formes d'autorités qui ont, à leurs yeux, failli jusqu'alors. La construction du califat leur offre une revanche ainsi qu'une promotion sociale, permettant d'effacer leur histoire de « laissés-pour-compte ». En d'autres termes, il n'existe ni une forme univoque ni un consensus idéologique en matière de terrorismes islamistes.

La multiplication des attentats terroristes depuis le 11 septembre 2001 a généré une nouvelle rhétorique dans les discours gouvernementaux, que ce soit aux États-Unis ou en Europe occidentale, celui de « guerre à la terreur ». Une telle expression présente d'indéniables erreurs de jugement. D'une part, un combat militaire ne peut pas s'établir contre un phénomène mais seulement entre deux entités collectives en inte-raction. D'autre part, l'outil militaire demeure insuffisant pour mettre fin au terrorisme, lequel doit être appréhendé par des moyens divers allant du contrôle plus serré du financement des activités terroristes au renseignement.

3. Le spectre du nucléaire

Les armes de destruction massive correspondent à une catégorie d'armement suggérant une immense peur tant auprès des soldats qu'auprès des populations, en raison des conséquences de leur utilisation. C'est la raison pour laquelle ce type d'armes regroupant le biologique, le chimique et le nucléaire fait l'objet d'un encadrement normatif en droit international public.

Tableau 13.2 **Classification des armes de destruction massive**

Type d'arme	Agent	Texte de réglementation
Biologique	Agents pathogènes causant des maladies (micro-organismes, bactéries, virus ou protozoaires, champignons)	1972 : Convention sur les armes biologiques ou à toxines
Chimique	Produits chimiques toxiques causant une incapacité temporaire ou définitive, voire la mort : gaz innervant altérant le système nerveux ou les muscles (sarin, VX), gaz suffocant, gaz vésicant provoquant des brûlures voire des arrêts respiratoires (gaz moutarde), gaz hémotoxique asphyxiant, gaz neutralisant	1993 : Convention d'interdiction des armes chimiques
Nucléaire	Bombe A (fission nucléaire) et bombe H (fusion nucléaire) causant la mort par le souffle, la chaleur, la radioactivité	1968 : Traité de non-prolifération des armes nucléaires (TNP)

Le nucléaire constitue toutefois une arme à part qui cristallise **plusieurs paradoxes**. Produit de la raison scientifique humaine poussée à ses limites, il aboutit à une irrationalité extrême dans ses conséquences d'utilisation, à savoir la disparition de l'humanité. De plus, l'atome peut être pensé soit comme le vecteur d'un nationalisme purement défensif qui renforce la sécurité de l'État nucléaire – en cela il interdirait la montée aux extrêmes –, soit comme la source d'une seule et unique communauté politique puisque personne ne peut s'échapper en cas d'usage. En d'autres termes, le nucléaire est susceptible de favoriser la fragmentation du système international au sein duquel les États tentent de trouver un équilibre (thèse des armes nucléaires égalisatrices). Il peut également susciter une convergence en faveur de l'universalisme politique puisque l'avènement de l'atome rimerait avec mort de l'État national (thèse de la viabilité conditionnelle de l'humanité).

Mais le spectre du nucléaire présente deux principales composantes : l'instabilité par la **prolifération** et l'étiolement potentiel de la **dissuasion** comme stratégie.

En 2017, 15 000 têtes nucléaires constituent l'arsenal existant. Il est partagé par neuf États : la Russie, les États-Unis, la France, la Chine, le Royaume-Uni, le Pakistan, l'Inde, Israël, la Corée du Nord. Le scénario d'une vingtaine d'États dotés de l'arme nucléaire, formulé dans les années 1960, ne s'est donc pas réalisé. Les différents coûts sous-jacents à l'acquisition de l'arme (durée étirée sur vingt ans, financement, existence de capacités scientifiques…) ont dissuadé nombre de candidats. Toutefois, si le club nucléaire s'est élargi de façon modeste, la prolifération demeure un sujet d'inquiétude. D'une part, certains États sont considérés comme des puissances nucléaires « virtuelles » capables de se doter de la bombe en cas de nécessité. D'autre part, la prolifération pourrait selon certains analystes bénéficier aux groupes armés notamment terroristes.

Arme employée deux fois à Hiroshima et Nagasaki à la fin de la Seconde Guerre mondiale, à l'origine d'un sentiment d'horreur communément partagé, l'armement nucléaire devient une arme stratégique de non-emploi. Il fonctionne alors comme un autobloquant du recours à la force armée. C'est la thèse d'un équilibre de la terreur fondé sur la logique dissuasive. Le principe de la dissuasion repose sur des éléments psychologiques (convaincre l'adversaire que la menace est sérieuse), techniques (assurer la crédibilité des capacités et des conséquences de l'usage potentiel de l'arme), politiques (articuler l'arme à une doctrine spécifique qui en fait un instrument de l'existence même de l'État). La survie et la recherche du *statu quo* seraient automatiquement associées à l'acquisition de la bombe nucléaire.

| Controverse | La guerre est-elle morte grâce au nucléaire ? |

Entre 1961 et 1963, un grand débat oppose le général Gallois (1911-2010) et Raymond Aron (1905-1983). Optimiste, le premier considère que la guerre thermonucléaire est impossible. Plus pessimiste, le second demeure sceptique quant à la stabilité internationale issue d'un équilibre de la terreur. Ce clivage demeure latent encore aujourd'hui entre les défenseurs d'une dissuasion qui interdirait la montée aux extrêmes et ceux qui s'interrogent sur sa pertinence voire son efficacité. Acquérir l'armement ne rimerait pas forcément avec abstention stratégique (ne pas faire la guerre que celle-ci soit nucléaire ou conventionnelle). La réflexion actuelle porte tout d'abord sur l'ère bipolaire. La guerre froide n'aurait pas été synonyme de stabilité, y compris après la crise de Cuba de 1962 qui fut pourtant un moment de prise de conscience partagée quant aux dérives possibles. Elle n'a pas fait disparaître la guerre conventionnelle pendant la période. La réflexion concerne aussi la situation contemporaine. Celle-ci révèle l'existence de cas au sein desquels la logique défensive n'est plus opérante malgré l'existence de l'arme. Des puissances qui contestent la projection des forces occidentales dans leurs zones d'influence peuvent se servir de la dissuasion nucléaire. La Russie procède ainsi à l'égard de l'Ukraine face aux États-Unis et aux Européens. Il s'agit d'un exemple de «sanctuarisation agressive» par laquelle un acteur doté en nucléaire (ici la Russie) n'est pas forcément inquiété. Ses actions en vue de contrôler un espace donné ou d'intervenir *via* des forces spéciales ou la fourniture d'équipements militaires en Ukraine se réalisent grâce au spectre du nucléaire (si les Occidentaux interviennent militairement, alors se pose la question d'une escalade).

Le saviez-vous ?

L'ouvrage de Clausewitz *De la guerre*, publié en 1832, est resté inachevé. Seuls les deux premiers livres (*Nature de la guerre* et *Théorie de la guerre*) sont considérés comme définitifs par l'auteur.

II. Vers une nouvelle interprétation de la guerre

Loin d'incarner un phénomène naturel à l'humanité, la guerre est une «relation d'État à État» selon la définition de Jean-Jacques Rousseau (1712-1778). C'est le général prussien Clausewitz (1780-1831) qui, à partir des guerres napoléoniennes, élabore la célèbre formule selon laquelle «la guerre est la continuation de la politique par d'autres moyens». Soumise aux objectifs que se fixent les décideurs politiques qui, à l'époque contemporaine, sont les chefs d'État, la guerre correspond ainsi à un outil en derniers recours, une fois que tous les autres moyens sont épuisés, destiné à produire un effet : contraindre la volonté d'un adversaire étatique. Or, les évolutions statistiques depuis 1945 laissent apparaître de nouvelles tendances qui donnent lieu à une critique du modèle élaboré par Clausewitz.

1. Des changements statistiques

Plusieurs bases de données ont été constituées afin de recenser les conflits armés depuis la Seconde Guerre mondiale, à l'instar des rapports annuels produits par l'Institut de recherche sur la paix de Stockholm (SIPRI) ou par le Uppsala Conflict Data Program. Leurs méthodes diffèrent, même si ces deux bases fixent le seuil de mille morts directement issus d'opérations militaires pour parler de guerre. Les tendances sont convergentes quant à la répartition des types de conflits.

> **Définitions**
>
> › **Conflit interétatique :** entre deux gouvernements ou plus.
>
> › **Conflit intraétatique :** entre un gouvernement et un ou plusieurs groupes rebelles.
>
> › **Conflit intraétatique internationalisé :** un ou plusieurs acteurs bénéficient de l'aide d'États ou d'organisations étrangères.

Les **conflits interétatiques** diminuent de façon substantielle depuis 1945. Ainsi, le nombre de guerres entre États se compte sur les doigts d'une main ces dernières années. En revanche, **les conflits intraétatiques** et **intraétatiques internationalisés** sont les plus nombreux. La plupart d'entre eux sont localisés en Afrique et au Moyen-Orient.

Il convient de souligner que, contrairement à une idée reçue, les niveaux de violence restent bien plus bas que lors de la guerre froide, quel que soit le critère méthodologique retenu afin de définir le seuil d'une guerre. Le nombre de victimes directes dans le cadre d'un conflit armé tend à diminuer depuis 1945. Même les données relatives aux victimes de terrorisme vont dans ce sens.

▶ Cette carte s'appuie sur le Baromètre des Conflits du Heidelberg Institute for International Conflict Research. D'autres bases de données existent, parmi lesquelles : Uppsala Conflict Data Program (Université d'Uppsala), Armed Conflict Survey (IISS, Londres), Correlates of War (Penn State University, pour des données antérieures à 2010), Human Security Report Project (Simon Fraser University, Vancouver). Ces agrégats facilitent la représentation cartographique et la recherche quantitative, mais ne peuvent remplacer l'étude sociologique des conflits. Ils s'appuient sur des seuils définis par convention (ex. nombre de victimes annuelles) et ne permettent pas de saisir l'éventuel décalage entre valeurs absolues (nombre de victimes, ampleur des destructions), importance politique ou stratégique du conflit, perceptions des individus impliqués ou observateurs.

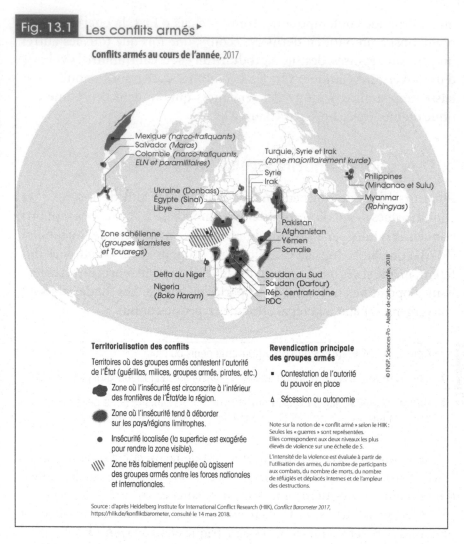

Fig. 13.1 Les conflits armés▶

L'absence d'affrontements militaires de grande ampleur entre les États depuis la Seconde Guerre mondiale résulterait de la combinaison de plusieurs facteurs, lesquels n'indiquent pas automatiquement une disparition de la guerre interétatique dans le futur…

– **Facteur stratégique :** l'arme nucléaire obligerait à la retenue lorsque les États en sont dotés, en raison du spectre que constitue la destruction mutuelle.

– **Facteur juridique :** la création des Nations unies et d'un corps de règles de droit régulant le recours à la force armée empêcherait les débordements de violence entre États.

– **Facteur rationaliste :** la guerre en tant que telle deviendrait futile aux yeux des décideurs politiques car son coût matériel mais aussi humain deviendrait exorbitant. Ce troisième facteur fait lui-même écho à une loi tendancielle formulée par Raymond Aron (1905-1983) : celle de la diminution de la rentabilité des conquêtes pour les États.

Parallèlement, le développement des conflits intraétatiques (internationalisés ou non) parfois associés à des génocides résulte de différents processus. Au-delà des interprétations réductrices associant l'irruption de la haine ethnique à la barbarie, deux perspectives sont convoquées pour analyser les guerres intraétatiques. La première insiste sur la malédiction des ressources naturelles. Les pays disposant d'une manne (diamants, or, pétrole, uranium, etc.) sont en proie à des conflits entre groupes armés et gouvernements qui s'efforcent de contrôler le produit de ces ressources. La seconde perspective met en avant l'incapacité des États à satisfaire les besoins socio-économiques des populations, voire à affirmer leur légitimité politique et donc, par voie de conséquence, à maintenir l'ordre public. À ces carences s'ajoutent parfois des pratiques politiques qui utilisent les ressources étatiques comme des biens privés et les détournent ainsi de leur destination publique. Les rebellions apparaissent au sein d'États qui peuvent être qualifiés de fragiles, en crise, voire défaillants, selon la typologie officielle élaborée par le Crisis States Research Centre de la London School of Economics.

> **Définitions**
>
> ❯ **État fragile :** opposé à État stable, cet État est susceptible de traverser une crise dans au moins une dimension (économique, sociale, institutionnelle) en raison de « sa vulnérabilité aux chocs internes et externes ».
>
> ❯ **État en crise :** « Soumis à un stress aigu », l'État se voit de plus en plus contesté.
>
> ❯ **État défaillant :** État incapable d'assurer la sécurité, les fonctions de développement et le contrôle effectif de son territoire ainsi que de ses frontières.

Un État qui porte « un drapeau sans mât et sans socle » selon l'expression de William Zartman (né en 1932) devient alors un espace favorable à l'irruption et/ou l'amplification des conflits armés. Les **pouvoirs régaliens** en matière de sécurité interne ne sont plus garantis. Les forces de l'ordre sont sous-payées et ne s'aventurent guère au-delà de la capitale, comme par exemple en République centrafricaine ou bien en République démocratique du Congo. La fourniture de **services publics** (infrastructures routières, hôpitaux, écoles…) nécessaires à l'établissement d'un État-providence n'est plus assurée, en particulier envers les populations vulnérables. Cette double faiblesse entraîne une déliquescence de la cohésion sociale et politique.

> ### FOCUS L'humiliation comme facteur de conflit
>
> L'intérêt national est souvent convoqué au titre de principale cause des guerres entre États. Ces approches rationalistes font l'objet de critiques renforcées, que ce soit par les constructivistes ou par les sociologues des conflits armés. Les émotions et les passions sont considérées comme déterminantes. Parmi les différents facteurs non matériels des guerres contemporaines, le déni de reconnaissance et l'humiliation constituent les phénomènes les plus étudiés. Le décalage entre l'image de soi d'un individu et l'image perçue par l'adversaire apparaît comme un terreau sur lequel émergent tensions voire recours à la force armée. Les printemps arabes peuvent être interprétés à l'aune de cette analyse, puisqu'en s'immolant sur une place publique tunisienne après diverses réprimandes, le jeune diplômé devenu vendeur ambulant Mohamed Bouazizi devient l'icône de l'humiliation. L'atteinte à la dignité de la personne par les autorités publiques et plus généralement le déni de reconnaissance de la jeunesse apparaissent tant sur le plan socio-économique (ne bénéficiant pas d'une mobilité sociale via l'obtention d'un diplôme) que politique (caractère clos des régimes politiques hostiles à un renouvellement des élites) : ces facteurs ont nourri les mobilisations en Tunisie, mobilisations qui ont essaimé par la suite dans plusieurs pays arabes. L'humiliation fait aussi l'objet d'analyses à l'échelle étatique lorsqu'un gouvernement voit son image fragilisée par un événement stratégique. La surréaction américaine qu'a été la guerre en Afghanistan, mais aussi et surtout en Irak après le 11 septembre 2001, relève en partie de cette perception.

Les laissés-pour-compte peuvent basculer dans la mobilisation armée. Entre 1991 et 2001 en Sierra Leone, le Revolution United Front se peuple de jeunes ruraux obligés de s'installer dans les villes et qui, avec les marginaux, font de la guerre civile un phénomène issu de l'exclusion sociale. Ces faiblesses de l'État rendent encore plus vives les revendications politiques exprimées par certaines catégories de populations au nom de la **justice sociale**. La détermination du mouvement zapatiste au Chiapas (sud-est mexicain) ou celle des Touaregs au nord du Mali s'explique dans une large mesure par cette absence de prise en compte des besoins des populations. Celles-ci vivent dans la pauvreté bien que la région soit une source de richesse en pétrole et en électricité (Mexique) ou que les différents gouvernements aient promis le renforcement de prestations en matière sanitaire, éducative ou agricole (Mali).

2. La fin des guerres entre États

La diminution des guerres interétatiques engendre de nouvelles approches de la guerre qui remettent en question le modèle élaboré par Clausewitz. L'univers stato-centré de celui-ci deviendrait de moins en moins adéquat selon l'historien de la guerre Martin van Creveld (né en 1946). Ainsi, les guerres de « haute intensité » – guerres entre États industrialisés – s'étiolent au profit de guerres « de basse intensité » dont le spectre est large mais qui auraient pour caractéristique d'opposer des États à des groupes armés. En s'appuyant sur les guerres voire les génocides commis dans les Balkans et en Afrique subsaharienne pendant les années 1990, Mary Kaldor (née en 1946) identifie elle aussi de nouvelles guerres (essentiellement civiles), rapprochant celles-ci d'entreprises criminelles. Elle utilise quatre critères afin d'en dégager les propriétés (tableau 13.3).

Tableau 13.3 **La distinction entre anciennes et nouvelles guerres selon Mary Kaldor**

Critères	Anciennes guerres	Nouvelles guerres
Acteurs	Limités : armées régulières des États.	Élargis : armées régulières des États, mercenaires, djihadistes, contractors, seigneurs de guerre…
Objectifs	Géopolitiques ou idéologiques.	Identitaires : ethniques, religieux, tribaux.
Méthodes	Maîtrise du territoire adverse *via* l'organisation de batailles.	Guerre au milieu des populations civiles (otages des forces impliquées).
Moyens de financement	Origine étatique (impôt, dette publique).	Pillage, détournement des aides internationales, exploitation des ressources rares, trafics.

Les analyses de Martin van Creveld et de Mary Kaldor aboutissent à la même conclusion : les changements quant aux modalités du combat génèrent une transformation du concept même de guerre. Les frontières entre combattants et non-combattants, entre sphère privée et sphère publique, entre composantes militaires et civiles s'estompent. Ces nouvelles guerres présentent alors trois propriétés principales :

- les belligérants ne sont plus exclusivement des États ;
- l'activité guerrière devient elle-même une rente dont tirent parti les protagonistes, ce qui freine le processus de résolution des conflits ;
- l'affrontement est d'ordre asymétrique.

Un retour à des pratiques guerrières « pré-modernes », renvoyant à une ère où les États n'existaient pas encore, se manifesterait dès lors. Les protagonistes correspondent à des *seigneurs de guerre* qui contrôlent des zones géographiques étendues, des populations dont ils s'attachent la loyauté, notamment les enfants-soldats, ainsi que des circuits économiques en lien avec des réseaux de criminalité organisée.

Ces analyses entraînent trois types de débats. Le premier concerne la rupture entre anciennes et nouvelles guerres. Des historiens mais aussi des spécialistes des guerres civiles critiquent l'idée selon laquelle les propriétés des nouvelles guerres seraient totalement inédites ou intégralement apolitiques. Le second tient à la portée des mutations. Nombre d'historiens de la stratégie ne rejettent pas l'idée de changement dans la guerre. Néanmoins, ils remettent en question la conclusion à laquelle parviennent les tenants des nouvelles guerres, à savoir que les nouvelles formes d'affrontement militaires induiraient automatiquement une nouvelle nature de la guerre. Il y aurait là un excès interprétatif. À titre d'illustration, le programme *The Changing Character of War* initié par Hew Strachan à Oxford repose sur la nécessaire distinction entre « nature » et « forme » de guerre. L'arrivée sur la scène stratégique de belligérants non-étatiques n'altèrerait pas la nature de la guerre mais uniquement sa forme. Ainsi, lorsque l'État islamique se définit comme ennemi des États occidentaux, il s'engage dans une guerre qui présente indéniablement une dimension publique et des interactions réciproques, comme la nécessité de soumettre un ennemi intelligent et réactif ou de proportionner l'effort à la résistance de l'adversaire. Le troisième débat concerne le renversement des configurations stratégiques : le passage des conflits interétatiques comme principales manifestations du fait guerrier aux nouvelles guerres. Cette transformation ferait fi des persistantes tensions entre États, qui certes n'entraînent pas d'affrontements ouverts entre eux mais prennent d'autres formes comme la cyberguerre.

Ne pas confondre !

La **nature de la guerre** est la relation qui correspond à un duel ayant pour objectif de contraindre la volonté de l'adversaire, quel que soit le type de combattants.

La **forme de la guerre** est le rapport singulier entre les protagonistes qui peuvent être de nature différente (États, groupes armés).

La grande difficulté voire l'impossibilité d'identifier l'origine d'une cyberattaque rendent les ripostes très aléatoires dans le domaine du cyber. Malgré cette spécificité quant aux interactions stratégiques, certains spécialistes comme John Stone n'hésitent pas à introduire le concept de cyberguerre. D'autres, comme Thomas Rid, demeurent très sceptiques : l'impossible certitude de l'attribution entraîne l'absence de dialectique stratégique entre deux acteurs identifiés, tandis que le caractère non létal des instruments et des objectifs fragilise également l'idée de cyberguerre. Selon lui, les actions dans le champ du cyber relèvent d'une violence inférieure à celle d'une guerre conventionnelle, le cyber-sabotage ou le cyber-espionnage ne pouvant pas être qualifiés d'actes de guerre.

III. La sécurité internationale au-delà des États

Les transformations du combat et les débats qui entourent la définition de la guerre aboutissent à l'éclosion d'un continuum entre sécurité (actions qui dépassent la dimension militaire) et défense (actions militaires). Ce continuum offre une première illustration des transformations de la sécurité internationale. La seconde illustration tient à un élargissement des sources de menaces et un approfondissement de la sécurité autour de l'individu comme ultime bénéficiaire.

1. De la « guerre totale industrielle » à la « guerre de surveillance globale »

Les guerres entre États au XXᵉ siècle se caractérisaient par le modèle de la guerre totale industrielle fondée sur la levée en masse, la conscription, ainsi que la diffusion des valeurs militaires au cœur même des sociétés mobilisées face à l'ennemi. La situation contemporaine relèverait plutôt de la guerre de surveillance globale. Avec la mondialisation de l'économie, l'intégration des puissances non-occidentales dans le système international, le développement d'un espace médiatique global, les États mais aussi les autres acteurs stratégiques tels que les groupes armés cher-

▶ Voir Focus p. 186.

cheraient à renforcer leur capacité de surveillance. Celle-ci se traduit par le renforcement des capacités de renseignement pour mieux connaître l'évolution des adversaires potentiels voire des alliés historiques. Ces pratiques engendrent le développement d'études variées. Elles exposent également les États à des scandales à l'instar de l'affaire Snowden▶. Cet ancien employé de la CIA dévoila en juin 2013 la surveillance d'Internet à grande échelle, bien au-delà des frontières américaines.

L'essor de la surveillance globale n'est pas sans lien avec l'idée de continuum sécurité-défense. La place du militaire devient ainsi plus flottante, pouvant même dans certains cas être substituée à celle des forces de l'ordre (dispositif Vigipirate ou Sentinelle en France). La fonction du soldat n'est plus cantonnée aux théâtres d'opérations extérieures puisqu'elle se manifeste dans le quotidien des citoyens. Cette surveillance globale entraîne à la fois des interrogations dans le monde militaire, lequel perd une partie de sa singularité, et dans le monde civil en raison des tensions entre liberté et sécurité que génère la surveillance des terroristes.

Ne pas confondre !

Les **études sur le renseignement** ont pour ambition d'améliorer les décisions publiques par l'accès à des informations pertinentes.

Les **études sur la surveillance** visent à démontrer que le renseignement consiste à renforcer le contrôle de la population par l'accès aux informations.

2. Vers la sécurité humaine

Pour le PNUD, «la sécurité humaine n'est pas une question d'armement mais une question de vie humaine et de dignité» (1994). Cette courte phrase révèle la signification du concept de sécurité humaine qui définit l'individu comme une source, un objet et une finalité des politiques sécuritaires, reléguant dans le même temps les préoccupations militaires des États au second rang. La sécurité humaine repose sur deux piliers complémentaires : se prémunir contre le besoin (économique, social, éducatif essentiellement) et se libérer de la peur (lutter contre les atteintes massives aux droits des humains et contre les États qui génèrent eux-mêmes le chaos). Le premier de ces piliers traite de la violence structurelle alors que le second se veut plus circonscrit en traitant de la violence directe.

Violence structurelle : misère (privation des besoins matériels fondamentaux), répression (négation de l'exercice de la liberté), aliénation (dislocation de l'identité qui touche aux besoins immatériels) qui empêchent les individus de réaliser leur potentiel et sont liées aux structures sociales et politiques plutôt qu'à des atteintes à l'intégrité physique des personnes.

La sécurité humaine comprend sept composantes : la sécurité économique portant sur la garantie d'un revenu minimum qui provient d'un travail rémunéré (éviter la précarité de l'emploi) ; la permettant à chaque individu de disposer à tout moment d'une alimentation de base (lutter contre la famine ou bien les carences) ; la sécurité sanitaire, qui réside dans l'éradication des maladies infectieuses et parasitaires (favoriser un accès équitable aux soins) ; la sécurité de l'environnement visant à prévenir ou contrecarrer les effets d'une industrialisation intensive et de la croissance rapide de la population ; la sécurité personnelle, qui correspond à la protection de la vie humaine face aux différentes formes de violence soudaines et imprévisibles ; la sécurité communautaire, qui fait référence au déclin de pratiques et valeurs traditionnelles et aux atteintes à l'identité culturelle de groupes humains, notamment dans le contexte de violences inter-ethniques ou religieuses ; la sécurité politique ayant comme fondement la préservation des droits fondamentaux (tout comme les précédentes, cette sécurité possède une dimension très extensive puisqu'elle englobe la répression des États sur les citoyens mais également les diverses mesures allant à l'encontre d'une véritable liberté d'information et d'idées). Le PNUD insiste sur le caractère interdépendant de ces différentes composantes dans le sens où une menace contre une seule d'entre elles risque fort de se communiquer à toutes les autres.

L'inscription de la sécurité humaine dans l'agenda des Nations unies est emblématique d'un élargissement et d'un approfondissement de la sécurité internationale. Néanmoins, la coopération multilatérale renforcée en tant que corollaire naturel de la sécurité humaine se révèle encore en deçà des attentes voire de l'esprit initial formulé par le PNUD. Un rapport du Secrétaire général en 2012 insiste sur le rôle central exercé par les États souverains en vue de renforcer la sécurité humaine. Cette concession donne ainsi plus de flexibilité aux gouvernements tant dans la pratique que dans l'interprétation du concept.

À RETENIR

- Les combats contemporains se caractérisent par le recours à la robotisation (usage de drones) et à la privatisation (développement des sociétés militaires privées).

- Les États ne sont plus les seuls acteurs stratégiques (tendance à la désétatisation de la guerre).

- Le terrorisme islamiste n'est pas uniforme même s'il tend à se transnationaliser.

- Le concept même de guerre fait aujourd'hui débat entre les post-clausewitziens (défenseurs de l'approche des «nouvelles guerres») et les clausewitziens qui demeurent attachés à la distinction entre nature de la guerre (invariable à travers le temps) et forme des guerres (variable en fonction des circonstances).

- La sécurité internationale fait l'objet d'une redéfinition en vue de procéder à un élargissement des sources d'insécurité et d'approfondir les référents à la sécurité (faire de l'individu le bénéficiaire ultime des politiques de sécurité).

📖 POUR ALLER PLUS LOIN

BADIE B., VIDAL D., 2014, *Nouvelles guerres. L'état du monde 2015*, Paris, La Découverte.

BAECHLER J., dir., 2014, *Guerre et politique*, Paris, Hermann.

DAVID C.-P., 2013, *La Guerre et la Paix. Approches et enjeux de la sécurité et de la stratégie*, Paris, Presses de Sciences Po.

DURIEUX B., JEANGENE VILMER J.-B., RAMEL F., dir., 2017, *Dictionnaire de la guerre et de la paix*, Paris, PUF.

GROS F., 2006, *États de violence. Essai sur la fin de la guerre*, Paris, Gallimard.

HASSNER P., MARCHAL R., 2003, *Guerre et sociétés. États et violence après la guerre froide*, Paris, Karthala.

HASSNER P., ANDREANI G., 2013, *Justifier la guerre*, Paris, Presses de Sciences Po, 2e éd.

JOANA J., 2012, *Les Armées contemporaines*, Paris, Presses de Sciences Po.

KALDOR M., 1999, *Old Wars and New Wars: Organized Violence in a Global Era*, Stanford, Stanford University Press.

LINDEMANN T., 2010, *La Guerre*, Paris, Armand Colin.

VAN CREVELD M., 1998, *La Transformation de la guerre*, Monaco, Paris, Éditions du Rocher.

Films

Francis Ford Coppola, *Apocalypse Now*, 1979.
Abderrahmane Sissako, *Timbuktu*, 2014.
Jason Bourque, *Drone*, 2017.

ENTRAÎNEMENT

Tester ses connaissances

Corrigés en ligne

1. Qui a écrit «la guerre n'est pas une relation d'homme à homme, mais d'État à État»?

☐ Hobbes ☐ Machiavel ☐ Rousseau ☐ Clausewitz

2. Quelle est la zone du monde la plus touchée par les conflits armés contemporains?

☐ Afrique ☐ Amérique ☐ Asie ☐ Europe

3. Quel est l'acteur international qui a promu officiellement la sécurité humaine?

☐ Conseil de sécurité des Nations unies

☐ Assemblée générale des Nations unies

☐ Programme des Nations unies pour le développement

☐ Banque mondiale

4. Quel est le facteur majeur qui explique le recours à la robotisation dans les conflits armés?

☐ Facteur économique (faible coût) ☐ Facteur stratégique (endurance)

☐ Facteur sociétal (aversion au risque) ☐ Facteur tactique (furtivité)

5. Reliez chaque auteur à sa citation.

Carl Schmitt ●

Carl von Clausewitz ●

Martin van Creveld ●

Michel Foucault ●

Mary Kaldor ●

● **a.** La politique est la continuation de la guerre par d'autres moyens.

● **b.** La guerre est la continuation de la politique par d'autres moyens.

● **c.** La distinction spécifique du politique (…) c'est la discrimination de l'ami et de l'ennemi.

● **d.** Une «nouvelle guerre» est une lutte entre États et acteurs non-étatiques non pas pour des raisons idéologiques mais identitaires.

● **e.** L'univers clausewitzien est dépassé. Il n'offre plus un cadre adéquat pour comprendre la guerre.

Questions sur document

1. Entretien avec René Girard. Écouter en ligne: *youtu.be/jyqU-le9Zd4*

Pensez-vous que R. Girard soit clausewitzien? Pourquoi?

2. Entretien avec Bertrand Badie. Écouter en ligne: *youtu.be/JQyjbQzr1Sk*

De quelles analyses sur la guerre B. Badie est-il le plus proche?

MÉTHODES

Réaliser des cartes analytiques

Des cartes routières à la poétique « carte du pays de Tendre », allégorie des étapes de la vie amoureuse imaginée au XVIIe siècle, le concept de carte renvoie à une vaste palette d'objets et à des usages très différents. Cette présentation méthodologique se concentre sur les **cartes analytiques** représentées sur des fonds de cartes politiques.

L'importance accordée par ce manuel aux phénomènes de mondialisation, de transnationalisation et de déterritorialisation du politique, ne doit pas amener le lecteur à penser que la représentation spatialisée des relations internationales serait devenue secondaire. C'est au contraire parce qu'elle permet de visualiser ces transformations et leurs conséquences que la cartographie analytique des phénomènes politiques, économiques et sociaux est importante. Elle met en évidence les interactions et tensions entre le patchwork étatique, qui forme toujours la base de l'organisation politique du monde ; les flux d'acteurs, de biens et de données qui traversent les frontières ; et les formes de régulation qu'ils engendrent.

Même lorsqu'elles se veulent descriptives, les cartes sont fondées sur une série de choix de représentation et ne peuvent donc prétendre offrir une photographie compréhensive et neutre de la réalité. Comme dans tout travail problématisé, les choix opérés par l'auteur d'une carte soutiennent une démonstration, bien que celle-ci soit souvent moins explicite que dans un travail rédigé. La compréhension fine des éléments de composition des cartes doit donc permettre d'interpréter de manière critique le message qu'elles expriment, voire de réaliser soi-même des cartes utiles et pertinentes.

Usages de la carte analytique

Les cartes les plus couramment utilisées, pour appuyer des analyses de relations internationales, sont les **cartes politiques et administratives** qui indiquent le découpage d'un territoire donné en États et éventuellement en circonscriptions administratives. Dans le cadre de la cartographie analytique, elles s'accompagnent d'une représentation symbolique des phénomènes porteurs de sens, et d'une légende permettant de comprendre les symboles utilisés. Les cartes analytiques ont pour principale fonction d'illustrer un propos en le représentant dans l'espace, mais elles ne peuvent se soustraire à l'analyse elle-même : la superposition de représentations localisées de la grande pauvreté et des conflits civils durables, par exemple, est frappante... mais l'analyse des variables dépendantes et indépendantes (c'est-à-dire, la distinction entre causes et conséquences de la pauvreté et des conflits) peut varier selon les auteurs.

···· **AUTRES TYPES DE CARTES** ···

– **Les cartogrammes** (ou anamorphoses) sont utilisés pour montrer l'importance d'un phénomène donné (en représentant par exemple les États les plus peuplés en grand, et les moins peuplés en petit – la réalité représentée n'est plus géographique, mais statistique) ;

– **Les cartes conceptuelles** représentent un ensemble de concepts sémantiquement reliés entre eux (elles permettent par exemple de souligner l'ensemble des représentations et pratiques politiques associées à la coopération internationale, et leurs conséquences) ;

– **Les cartographies d'acteurs** (souvent utilisées en analyse de conflits) schématisent les relations entre différents types d'acteurs, individuels ou collectifs (elles permettent notamment de mettre en évidence les situations de tension, de coopération, de dépendance ou d'absence de communication).

Composition d'une carte analytique

La composition d'une carte suit cinq étapes :

1. Le **choix du titre** de la carte, qui doit être clair et permettre de comprendre d'emblée le sujet abordé. Sa formulation correspond à l'étape de problématisation d'un exercice de cartographie.

2. La sélection d'un **type de projection** cartographique adaptée au sujet, qui fournit un indice sur les intentions du cartographe. Une carte insistant sur les inégalités Nord-Sud pourra par exemple faire appel à une projection Behrmann (voir modèles ci-dessous), qui représente correctement les tailles relatives des continents ; une carte visant à souligner l'importance des flux mondiaux et de l'intégration mondiale pourra privilégier une projection Buckminster-Fuller, qui représente le monde à partir du pôle Nord et évite ainsi de séparer artificiellement les continents ; une carte portant sur les échanges Asie-Pacifique privilégiera une projection centrée sur le Pacifique ou les Amériques plutôt que sur l'Europe.

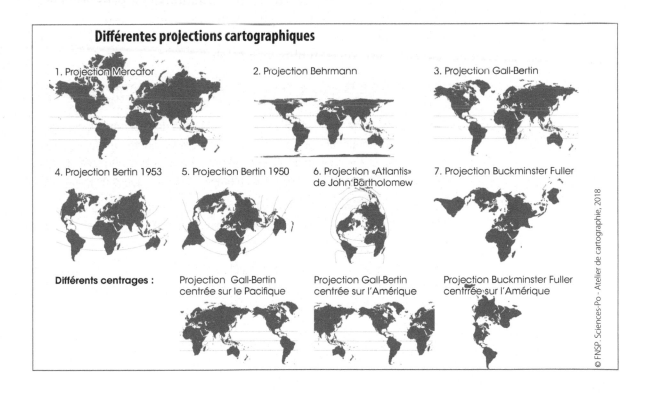

Différentes projections cartographiques

1. Projection Mercator

2. Projection Behrmann

3. Projection Gall-Bertin

4. Projection Bertin 1953

5. Projection Bertin 1950

6. Projection «Atlantis» de John Bartholomew

7. Projection Buckminster Fuller

Différents centrages :

Projection Gall-Bertin centrée sur le Pacifique

Projection Gall-Bertin centrée sur l'Amérique

Projection Buckminster Fuller centrrée sur l'Amérique

© FNSP. Sciences-Po - Atelier de cartographie, 2018

3. La **recherche de références**, qui appuieront la démonstration et pourront être cartographiées. Il peut s'agir d'informations répertoriées dans des bases de données statistiques (les sites internet d'organisations internationales – OCDE, Banque mondiale, PNUD, HCR… sont particulièrement utiles à cet égard), ou obtenues en lisant des sources primaires ou secondaires. Les sources doivent être précisées en marge de la carte.

4. La **construction de la légende**, qui doit permettre d'interpréter les figurés représentés sur la carte et fournir une grille de lecture du sujet. Cette étape, essentielle, précède la représentation des données sur la carte. Elle s'apparente à la structuration d'un plan d'exposé ou de dissertation : il faut s'assurer que les données sélectionnées couvrent l'ensemble des aspects du sujet ; supprimer les informations redondantes ; et ordonner ces données en catégories cohérentes et plus ou moins équivalentes. C'est à l'issue de cette phase de construction que l'on peut déterminer les figurés pertinents puis les localiser.

5. La **localisation des données** correspond à l'étape de réalisation de la carte. Elle commence par la représentation des à-plats de couleurs (au crayon), puis le positionnement des éléments ponctuels et des flux (au feutre), et enfin l'inscription des noms et éventuelles données chiffrées (au feutre sombre ou au stylo).

Erreurs fréquentes

Les données hors-sujet : chaque élément représenté doit apporter une information pertinente pour éclairer le sujet et la problématique choisie (évitez de représenter à tout prix une information sous prétexte que vous la connaissez). Le titre de la carte doit être clair et explicite, de même que les catégories de la légende.

L'excès de données : une carte doit rester lisible, en évitant l'excès d'informations et en alternant différents types de représentations (zones, flux, points, noms ou chiffres).

L'erreur d'échelle : l'échelle choisie (locale, nationale, régionale, mondiale) doit correspondre à l'objectif fixé, de même que le type de projection (centrée sur l'un des pôles, sur un océan ou sur un continent).

APPLICATION Exemple de carte analytique

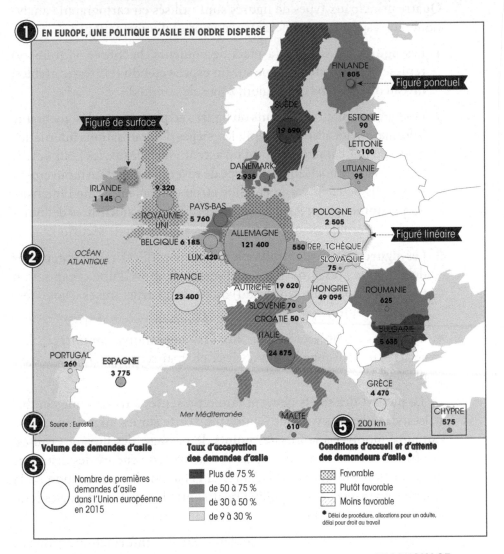

① EN EUROPE, UNE POLITIQUE D'ASILE EN ORDRE DISPERSÉ

Figuré ponctuel

FINLANDE
1 805

Figuré de surface

SUÈDE
19 590

ESTONIE
90

LETTONIE
100

LITUANIE
95

DANEMARK
2 935

IRLANDE
1 145

9 320

PAYS-BAS
5 760

POLOGNE
2 505

ROYAUME-UNI

Figuré linéaire

ALLEMAGNE
121 400

BELGIQUE 6 185

550 REP. TCHÈQUE

② OCÉAN ATLANTIQUE

LUX. 420

SLOVAQUIE
75

FRANCE
23 400

AUTRICHE 19 620

HONGRIE
49 095

ROUMANIE
625

SLOVÉNIE 70

CROATIE 50

ITALIE
24 875

BULGARIE
5 635

PORTUGAL
260

ESPAGNE
3 775

GRÈCE
4 470

Mer Méditerranée

MALTE
610

⑤ 200 km

CHYPRE
575

④ Source : Eurostat

③ Volume des demandes d'asile

◯ Nombre de premières
demandes d'asile
dans l'Union européenne
en 2015

**Taux d'acceptation
des demandes d'asile**

▮ Plus de 75 %
▮ de 50 à 75 %
▮ de 30 à 50 %
▯ de 9 à 30 %

**Conditions d'accueil et d'attente
des demandeurs d'asile ●**

▦ Favorable
▧ Plutôt favorable
▨ Moins favorable

● Délai de procédure, allocations pour un adulte,
délai pour droit au travail

LES INDISPENSABLES

① **Titre** clair et problématisé

② **Projection** adaptée au sujet

③ **Légende** organisée

④ **Source** indiquée

⑤ **L'échelle** de la carte

LE LANGUAGE

▦ Figuré de surface

→ Figuré linéaire

◯ Figuré ponctuel

Source : http://ceriscope.sciences-po.fr/environnement/content/infrastructures-d-approvisionnement-en-gaz-de-l-union-europeenne-2013

Représentation des données

Quatre principaux types de figurés sont utilisés en cartographie analytique, correspondant à différentes catégories d'informations :

1. Les **figurés de surface** (à-plats de couleurs, hachures, « grains ») représentent un phénomène sur un espace étendu (ex. terres arables, niveau d'IDH dans une région, zones de conflits).

2. Les **figurés ponctuels** (points ou figures géométriques) désignent une information localisée (ex. capitales, sièges d'organisations internationales) ou une caractéristique d'un acteur identifié (ex. les États détenteurs de l'arme nucléaire, ou le type de revendication d'un mouvement social). Ils peuvent varier en taille et/ou en couleur, selon l'intensité du phénomène représenté (ex. nombre d'ogives nucléaires détenues par État, nombre de mandats effectués au Conseil de sécurité).

3. Les **figurés linéaires** (traits pleins ou pointillés) représentent des délimitations (ex. frontières étatiques, membres d'une organisation régionale, séparation Nord-Sud) ou des infrastructures (ex. voies ferrées, autoroutes)

4. Les **flèches** représentent des flux (ex. migrations, commerce, flux aériens) et peuvent elles aussi varier en épaisseur selon l'intensité du phénomène.

La plupart des sujets peuvent être représentés à travers une combinaison de différents types de figurés (une carte sur les migrations pourrait ainsi montrer à la fois des points de passage, des flux, des routes, des frontières, des zones de départ et d'arrivée, ou encore des instances de régulation). Il faut donc s'assurer, à l'étape de la construction de la légende, du respect d'un équilibre relatif entre les quatre catégories et de l'absence de redondances.

Ces figurés peuvent être complétés par des informations rédigées (ex. noms de lieux ou d'organisations internationales) ou chiffrées (ex. précisions sur le taux d'IDH, la population, le nombre de personnes). Des graphiques, placés à l'intérieur des zones correspondantes, peuvent éventuellement résumer des données statistiques complémentaires (ex. camemberts représentant les principaux pays d'origine de migrants, pour chaque pays européen), mais il faut veiller à ne pas surcharger la carte pour que celle-ci reste lisible.

Il est important de n'employer qu'un seul figuré par type de donnée ; de ne jamais représenter des données différentes avec un même figuré ; de respecter la proportionnalité des données (en utilisant des figurés de tailles différentes) ; et de veiller à l'usage des couleurs (les couleurs chaudes représentent conventionnellement des valeurs positives, les couleurs froides des valeurs négatives).

À retenir

Les meilleurs cartographes sont ceux qui réfléchissent au sens de leurs cartes, à leur clarté et à la cohérence entre le sujet, l'analyse proposée et les choix de représentation. La cartographie analytique doit respecter une méthodologie et des étapes précises, mais elle est aussi affaire de bon sens, d'observation critique… et d'expérience, laquelle s'acquière à force d'observer et d'analyser des cartes en explorant par exemple les cartothèques suggérées ci-dessous.

CARTOTHÈQUES EN LIGNE

– Atelier de cartographie de Sciences-Po : http://cartotheque.sciences-po.fr/
– La Documentation française : http://www.ladocumentationfrancaise.fr/cartes
– Atlas historique : http://www.atlas-historique.net/
– Fonds de la bibliothèque Perry-Castanedy (Université du Texas à Austin) : http://www.lib.utexas.edu/maps/

APPLICATIONS D'AIDE À LA CONCEPTION DE CARTES

Deux applications francophones permettent de réaliser gratuitement des cartes :
– Khartis (Atelier de cartographie de Sciences Po – la plus simple d'utilisation) : http://www.sciencespo.fr/cartographie/khartis/
– Magrit (CNRS – pour les utilisateurs plus expérimentés) http://magrit.cnrs.fr/

Analyser des images

Venant du latin (*imago*), l'image correspond à la représentation visuelle d'un objet. Elle peut se présenter sur différents supports, qu'ils soient fixes (peinture, photographie) ou en mouvement (film, vidéo).

La perception des images diffère d'un individu à un autre en fonction des dispositions biologiques et, surtout, des contextes culturels qui déterminent la manière de regarder. Comme l'a très bien démontré l'historien de l'art Michael Baxandall, les Italiens de la Renaissance appréhendaient les œuvres picturales d'une autre façon qu'aujourd'hui. Hans Belting a quant à lui souligné que l'acte même de regarder diffère en Orient et en Occident au Moyen-Âge.

Néanmoins, il est possible de distinguer plusieurs techniques d'analyse permettant de « lire » une image et d'en faire une ressource pour saisir les enjeux internationaux contemporains.

Mode d'emploi : décrire, contextualiser, interpréter

La description d'une image doit reposer sur un lexique simple qui permet d'exposer clairement son contenu. Une approche inspirée de la structure théâtrale en trois éléments – décor, scène, acteur – peut offrir un outil assez aisé d'application à n'importe quel type d'images. Cette phase de description ne comporte pas d'éléments d'analyse ou d'interprétation. Elle consiste à reproduire sous forme verbale ce que l'on voit.

Le contexte de production d'une image présente plusieurs dimensions. La première comprend des éléments incontournables tels que les années de fabrication et de diffusion ainsi que le type de support (média papier ou numérique). Pour les photographies, il existe des banques d'images auprès desquelles se fournissent notamment les journaux. Identifier ces sources participe aussi de cet effort de contextualisation. Il faut également prêter attention aux *textes* qui entourent éventuellement l'image (le « paratexte ») comme les légendes ou les titres qui permettent d'orienter les interprétations et donc le sens que le média cherche à susciter auprès de celles et ceux qui regardent l'image ; et/ou des textes produits par son auteur comme les interviews ou autres écrits diffusés avant ou après les images produites (« l'épitexte »). La seconde dimension correspond au contexte international, à savoir rendre compte du moment dans l'histoire des relations internationales où l'image a été élaborée, et comment elle s'insère dans les enjeux liés à cette période.

La dernière étape est sans conteste la plus délicate. Elle consiste à interpréter l'image. Comme celle-ci présente une pluralité de sens, le décodage peut reposer sur plusieurs techniques, lesquelles sont utilisées soit ensemble, soit séparément.

1. Des méthodes interprétatives

- **Le cadrage** (ou *framing*) d'une image n'est pas anodin. Il confère un sens, met en valeur des éléments et en cache d'autres. Il propose une certaine manière d'observer un phénomène. Par exemple, privilégier une photographie d'un groupe de migrants sur un bateau diffère d'un portrait de femmes ou d'enfants migrants. Le cadrage oriente ainsi le regard de l'observateur pour assigner une représentation. Ainsi, analyser le cadrage d'une image, c'est se demander quelle représentation d'un événement ou d'un objet l'auteur souhaite donner (voir l'exercice du chapitre 10).

- **La composition** d'une image comprend des formes, une disposition dans le plan, des couleurs, un éclairage… Cette composition laisse apercevoir des choix mais aussi des emprunts esthétiques. Par exemple, l'usage du rouge dans les images du Hezbollah est une référence au sang de Hussein, petit-fils du Prophète, tué en 680 et dont le martyr constitue l'origine du chiisme.

- L'image peut également devenir une **référence** qui s'impose dans un espace public voire au-delà. Elle se transforme alors en **icône**, circulant sur différents supports médiatiques (quelles que soient les orientations politiques ou idéologiques) et suscitant une reconnaissance immédiate par l'observateur. À titre d'illustration, l'image du cadavre de l'enfant syrien Aylan découvert sur une plage turque en 2015 a acquis ce statut d'icône. Reprise dans la plupart des journaux , elle a fait l'objet de débats dans la presse ainsi que dans la sphère publique (voir le début du chapitre 10). Le slogan « Je suis Charlie » qui a formulé et représente l'attaque du journal *Charlie Hebdo*, peut également être considéré comme une forme d'icône.

2. L'étude des deux extrémités

L'analyse des images comprend en amont et en aval des éclaircissements complémentaires. Il s'agit de prendre en compte les chaînes de production ainsi que les circuits de diffusion des images (quel photographe ? quelle agence de diffusion ? quels supports privilégiés ?). En aval, l'image est perçue par les publics. On parle alors de réception, qui peut être analysée à partir de réactions sur des blogs, des comptes-rendus dans la presse écrite voire même des questionnaires ou entretiens dans la rue auprès d'individus ordinaires. Dans un examen de premier cycle universitaire, l'étudiant ne sera pas évalué sur cet autre extrémité de la chaîne. Par contre, il pourra éventuellement être amené à commenter une *réaction* à l'égard d'une image (un article de presse ou un discours politique). Il devra alors bien distinguer le matériau visuel de l'interprétation qu'en donne l'acteur réagissant à celui-ci.

••• RÉFÉRENCES •••

– Baxandall M., « L'œil du Quattrocento », *Actes de la recherche en sciences sociales,* 1981, 40, 1, pp. 40-49.
– Belting H., 2012, *Florence et Bagdad. Une histoire du regard entre Orient et Occident*, Paris, Gallimard.
– *Communications,* 15, 1970. Numéro entier consacré à l'analyse des images.
– Cohen C., Ramel F., 2016, « Prendre les images au sérieux. Comment les analyser ? » dans Guillaume Devin, dir., *Méthodes de recherche en Relations internationales*, Paris, Presses de Sciences po, p. 71-92.
– La Rocca F., « Introduction à la sociologie visuelle », *Sociétés*, 1/2007 (n° 95), p. 33-40.
– Hamus-Vallée R., dir., 2013, *Sociologie de l'image, Sociologie par l'image*, Condé-sur-Noireau, Charles Corlet.
– Péquignot B., 2006, « De l'usage des images en sciences sociales », *Communications*, 80, 1, pp. 41-51.
– Document audiovisuel : Marianne Alphant, Pascale Bouhénic, 2015, *Un œil, un regard. 9 films, 9 historiens de l'art,* Zadig productions.

APPLICATION Interprétez cette image

Cette image est celle d'une réplique grandeur nature d'une scène photographiée par Thomas Franklin après le 11 septembre 2001. Elle s'intitule « Ground Zero Spirit » et a été installée dans le Musée Tussaud de New York le 3 septembre 2002. Elle représente trois pompiers de la ville de New York hissant un drapeau américain au milieu des décombres du World Trade Center.

Le traitement médiatique des attentats du 11 septembre, dans la presse écrite, privilégie un certain type de visuels : le choc entre les avions et les tours à la télévision ou la fumée qui s'étend sur l'ensemble de Manhattan. Ce type de visuels n'expose pas les corps des défunts. Le *cadrage* proposé par Franklin s'inscrit dans le prolongement de ces images mais il met l'accent sur les intervenants vivants, à savoir les pompiers.

L'image a le statut d'*icône* dans le sens où elle n'incarne pas seulement un moment consécutif au 11 septembre. Elle fait référence à un autre épisode de l'histoire américaine, celle de la Seconde Guerre mondiale et plus précisément la reconquête de l'île Iwo Jima dans le pacifique durant l'hiver 1945, qui a fait l'objet d'une photo célèbre : « Raising the Flag on Iwo Jima » de Joe Rosenthal. Cette photo a également fait l'objet de reconstitutions voire même de monuments officiels, à l'instar du mémorial de Washington DC.

Le statut d'icône provient de la répétition de l'image sous une autre forme ou un autre support médiatique. Elle réside également dans sa symbolique, qui a pour effet de rassembler autour d'elle (ici, la pérennité du corps politique américain malgré la menace). L'image de Franklin offre ainsi *une citation d'icône* (on parle aussi d'inter-iconocité). Ce geste permet de suggérer un lien entre la situation de la Seconde Guerre mondiale et celle du 11 septembre 2001, quand bien même dans ce contexte l'ennemi ne serait plus un État mais un acteur non-gouvernemental : Al-Qaïda.

POUR ALLER PLUS LOIN

– Cheroux C., 2009, *Diplopie. L'image photographique à l'ère des médias globalisés : essai sur le 11 septembre 2001*, Cherbourg, Le Point du jour.
– Truc G., 2016, *Sidérations. Une sociologie des attentats*, Paris, PUF, (chapitre 3 « Montrer (ou pas) la violence »).

Répondre à une question de réflexion

En premier cycle et notamment lors de la première année universitaire, le cours d'Introduction aux Relations internationales comporte rarement une épreuve écrite longue de plusieurs heures. Les enseignants privilégient le QCM ou la question de réflexion (voire le cumul des deux) dans un temps plus limité.

La question de réflexion présente des traits communs avec la dissertation. Il s'agit de développer un raisonnement fondé sur la succession de différents arguments logiques qui aboutissent à la formulation d'une « idée force ». Toutefois, le volume est moindre (loin du spectre des deux copies doubles...) et la structure ne répond pas obligatoirement à un plan en deux parties, deux sous-parties (comme c'est le cas pour les schémas juridiques). Quelles sont les techniques à maîtriser pour réaliser cet exercice ? Les mêmes que celles de la dissertation, mais avec quelques variantes.

Délimiter le sujet

- **Analyser le libellé** : définir précisément les mots-clés, modifier les termes utilisés afin de « faire bouger » le centre de gravité du sujet pour mieux le délimiter, rester attaché à la nature de la question (s'il s'agit d'une interrogation, le correcteur s'attend à une réponse ferme de votre part dans la conclusion, qu'elle soit positive, négative, ou autre).

- **Identifier le problème « phare »** : derrière la question de réflexion se cache toujours une « *big question* » ou une question majeure qui donnera corps à la problématique. Cette identification vous amènera à formuler le problème central qui irriguera votre devoir.

Traiter le sujet

- **Étape A, la recherche d'idées.** Dans le temps court alloué à la question de réflexion, cette recherche doit être synthétique mais très organisée. Une des techniques possibles consiste à construire un tableau au brouillon comme ci-dessous. Il n'est pas forcément complet pour chacune des colonnes mais une idée doit obligatoirement être reliée à au moins une illustration. Au fur et à mesure de l'écriture, les lignes seront barrées afin de s'assurer de leur utilisation. L'établissement de ces lignes ne suit pas un enchaînement logique à ce stade. L'objectif est de faire venir à soi le matériau qui servira de base au devoir.

- **Étape B, la recherche d'un mouvement.** À la différence de la dissertation qui amène obligatoirement l'élaboration d'un plan détaillé à réaliser au brouillon, la question de réflexion ne nécessite pas cette étape. Par contre, la réponse devra nécessairement être structurée. Le raisonnement doit suivre un mouvement logique en deux ou trois phases (« parties » si l'on veut reprendre la terminologie de la dissertation). L'intérieur de chacune de ces phases comprendra aussi un enchaînement d'arguments. Le tableau réalisé permettra de classer leur succession (chaque ligne aura ainsi un chiffre de Phase – 1, 2 ou 3 – ainsi qu'une lettre ou un autre chiffre pour indiquer précisément le moment où elle sera convoquée). Cette recherche du mouvement suppose un équilibre dans les composants de chacune des phases retenues.

Étape A	Étape A	Étape A	Étape B
Auteurs vus en cours	Idées	Illustrations empiriques (événements historiques, faits, données chiffrées…)	Moments dans le raisonnement (numéroter : Partie I, II, III… Sous partie A, B, C § 1, 2, 3

Rédiger

Quand bien même la question de réflexion ne comporte pas une introduction aussi substantielle que la dissertation, il est fortement conseillé de soigner ce que l'on appellera le **paragraphe introductif**. Il convient de le rédiger au brouillon. Plus court qu'une introduction classique de dissertation, il doit toutefois comprendre une structuration identique en entonnoir :

- partir d'une accroche (événement récent, citation, anecdote, ouvrage, etc.) ;

- formuler la problématique ;

- annoncer les phases du raisonnement.

La fin de ce paragraphe peut aussi être l'occasion d'établir la réponse à la question de réflexion. Le scénario « à la Hitchcock » (la réponse est repoussée à la conclusion) n'est pas obligatoire.

> Il est fortement déconseillé d'écrire tout le devoir au brouillon. Une fois ce paragraphe stabilisé, le lancement dans le développement s'impose.

Il n'est pas nécessaire de présenter un plan apparent qui reprendrait les différentes phases (à moins que l'enseignant lui-même ne le demande explicitement). Souligner plutôt les **arguments saillants** au cours du raisonnement (deux ou trois) ainsi que la réponse à la question de réflexion, ce qui permet de donner une visibilité synthétique au travail, laquelle peut jouer en faveur de l'étudiant au moment de la correction...

Il convient enfin de ne pas omettre deux règles d'or dans tout travail de rédaction :

- bien veiller à **changer de paragraphe** pour toute nouvelle étape (cela donne une structuration naturellement apparente) en exploitant les outils linguistiques conventionnels (« Tout d'abord », « Ensuite », « Enfin », etc.) ;

- se dégager un **temps minimal de relecture** afin de corriger les fautes d'orthographe ou de grammaire.

··· POUR ALLER PLUS LOIN ··························

- Sur la technique de la dissertation en général, voir le site du Monde en collaboration avec Sciences po : http://www.lemonde.fr/campus/article/2016/04/06/comment-faire-une-dissertation_4896707_4401467.html

APPLICATION — **L'individu est-il un acteur dans les relations internationales ?**

Introduction

Définition des mots-clés

- **Individu** : individu privé *vs* individu occupant une fonction politique, diplomatique ou militaire ; individus seuls ou agrégés.
- **Acteur** : caractérisé par son autonomie et sa capacité à impulser des changements.
- **Relations internationales** : distinguer les Relations internationales (discipline académique) des relations internationales (pratique).

Problème

- La définition classique des Relations inter-*nationales* (entre États) ne semble pas laisser place à la prise en compte des acteurs individuels… mais les évolutions de la pratique concrète des relations internationales n'imposent-elles pas de les intégrer à l'analyse ?

⇨ **Problématique** : en quoi les pratiques contemporaines des relations internationales incitent-elles à considérer l'individu comme un acteur à part entière ?

Développement

1. Une question de statut

- La primauté théorique des acteurs souverains (États) sur les acteurs individuels ;
- Distinction entre théories statocentrées (réalisme, libéralisme) et transnationales en relations internationales.

2. L'autonomie croissante des individus

- Des acteurs émancipés, capables d'échapper à la médiation étatique (Rosenau)
- Les ressorts technologiques et sociologiques de cette autonomisation (nouvelles technologies, individualisation et rejet des allégeances nationales)

⇨**Exemples** : militants sans-frontiéristes, criminels transnationaux, lanceurs d'alertes.

3. Des individus (seuls ou agrégés) susceptibles d'influencer l'agenda mondial

– Intérêts individuels *vs* intérêt collectif
– Des porte-paroles capables d'incarner une cause pour en activer les ressorts émotionnels
– Des acteurs capables d'effets disruptifs importants malgré la faiblesse de leurs moyens

⇨**Exemple :** mise en scène des engagements d'individus médiatiques (Bono, Rihanna), lobbyistes, lanceurs d'alertes, terroristes,

4. Des acteurs privés désormais intégrés aux processus décisionnels

– Efforts d'adaptation des États et OI, pour une meilleure représentativité et légitimation de leur action
– Prise en compte d'individus (seuls ou agrégés) dans les processus décisionnels multilatéraux et nationaux

⇨**Exemple** : ambassadeurs de bonne volonté de l'ONU ; experts et ONG représentatives à l'ECOSOC ; statut des lobbies (USA, UE), participation à la mise en œuvre des politiques publiques internationales

Conclusion

Les États forment le cœur de l'étude des relations internationales, en raison des privilèges issus de leur statut souverain, de la situation d'anarchie (absence d'autorité surplombante) dans laquelle ils interagissent par convention, et de leurs capacités économiques, politiques et militaires. Néanmoins, de nombreux acteurs individuels ont la capacité de s'émanciper de leurs appartenances étatiques pour poursuivre leurs propres agendas, acquérant ainsi une forme de souveraineté dans la pratique. Ils influencent ce faisant les transformations du jeu international, ce dont les États et organisations internationales prennent acte en les intégrant de manière croissante aux processus décisionnels ou à la mise en œuvre de leur action internationale. Il n'est par conséquent plus possible de nier que les individus constituent des acteurs à part entière, qui doivent être intégrés à l'étude des dynamiques de transformation de la scène internationale.

···· **POUR ALLER PLUS LOIN** ··

– GIRARD M. (dir.), 1994, *Les individus dans la politique internationale*, Paris, Économica.

– ROSENAU J. N., 1990, *Turbulence in world politics. A theory of change and continuity*, Princeton, Princeton University Press.

– BADIE B., 2008, *Le diplomate et l'intrus. L'entrée de sociétés dans l'arène internationale*, Paris, Fayard.

261737 – (II) – OSB 90° – PCA – BTT
Dépôt légal : mai 2018 – Suite du tirage : octobre 2019

Achevé d'imprimer par Dupli-Print à Domont (95)
N° d'impression : 2019102936
www.dupli-print.fr

Imprimé en France